SANGLANTS DÉSIRS

ART BOURGEAU

SANGLANTS DÉSIRS

TRADUIT DE L'AMÉRICAIN
PAR ISABELLE TOLILA

ÉDITIONS J'AI LU

Cet ouvrage a paru sous le titre original :

THE SEDUCTION

SEPTEMBRE

1

Terri DiFranco sortit de la maison et dévala les quelques marches menant à la rue, sans accorder un regard à la silhouette noire de la calèche qui décorait la porte. D'habitude, ce dessin lui faisait penser à son père : pour taquiner sa mère, il disait qu'on ne voyait plus d'attelages dans le sud de Philadelphie, sauf aux enterrements de la Mafia. Mais ce soir, Terri avait l'esprit ailleurs.

Elle s'arrêta juste le temps d'ajuster la bandoulière de son sac et de remonter le col de sa veste. Le vent frais de septembre, venant de la mer, charriait l'odeur âcre des raffineries proches de l'aéroport et un halo de brume entourait les lumières bleutées de la rue, annonçant la pluie.

Un peu plus loin, Louise Pipari promenait son chien. Penchée en avant, elle était en train de ramasser dans un sac en papier l'offrande quotidienne de Willie. En passant, Terri lui fit un signe de la main.

— Merci d'avoir gardé mon paquet, hier, lui dit Louise. C'était un cadeau du frère de Henry pour mon anniversaire. Il habite en Californie.

— Pas de quoi, répondit Terri avec un sourire.

Elle poursuivit son chemin et s'arrêta au drugstore pour acheter des cigarettes. Comme la plupart de ses amis, Terri avait commencé à fumer dès l'âge de douze ans, mais ses parents s'obstinaient à lui interdire cette mauvaise habitude à la maison. Terri trouvait cela d'autant plus injuste qu'eux-mêmes étaient de grands fumeurs.

George Luongo, qui travaillait aux docks avec le père de Terri, était le seul autre client du drugstore. Il tenait une cassette vidéo sous le bras. Tout en mettant son paquet de Marlboro dans son sac, Terri y jeta un coup d'œil : *Mad Max*. George surprit son regard et lui sourit, dévoilant un trou sombre là où il lui manquait une dent.

— Salut, Terri. Tu es bien jolie, ce soir. T'as un rendez-vous ?

— Non, pas ce soir, répondit-elle très vite, se dépêchant de partir avant qu'il n'ajoute son habituelle plaisanterie : Ah, si seulement il n'était pas marié, il lui ferait la cour et jouerait la sérénade toutes les nuits devant sa porte !

En général, les compliments de George l'embarrassaient plutôt. Mais là, ils tombaient à pic. Elle avait tout fait pour être belle ce soir, choisissant avec soin ses vêtements dans le fouillis de sa garde-robe d'adolescente. Elle s'était finalement décidée pour des talons hauts, un jean très ajusté et un sweater souple, d'un beau bleu soutenu.

Elle aurait d'ailleurs pu se passer de tant d'efforts, car elle était naturellement jolie. De type méditerranéen, menue, des yeux noirs sous des sourcils bien dessinés, une bouche en cœur, des dents éclatantes, Terri passait rarement inaperçue. Certains la comparaient à une Vénus miniature.

Une Vénus qui, dans la toute nouvelle floraison de sa beauté, ignorait encore ses pouvoirs, car, en dépit de son apparente sophistication et de ses manières affranchies, Terri était totalement innocente. Elle avait bien une idée de ce qui se passait entre un homme et une femme pour avoir chipé à sa mère *Fanny Hill* et *L'Amant de lady Chatterley*, qu'elle avait lus plusieurs fois. Les plaisanteries osées la faisaient rire au bon moment, elle savait comment on faisait l'amour et avait même quelquefois senti les érections de ses cavaliers, aux bals du lycée. Mais tout cela n'avait été que théorie... jusqu'à cet événement, la veille de la Fête du Travail. Un événement qui avait tout changé.

Terri accéléra le pas. Elle avait encore un assez long chemin à parcourir avant d'arriver aux entrepôts, près de Water Street, et elle était en retard. Encore heureux que ses parents lui aient permis de sortir, malgré leur inquiétude. Au cours des dernières années, plusieurs adolescentes du quartier avaient disparu, et on n'avait jamais retrouvé leur trace. De telles disparitions étaient courantes dans une grande ville comme Philadelphie et la police ne s'était pas mobilisée, estimant qu'il devait s'agir de simples fugues. Mais les habitants du coin pensaient que ces filles avaient été assassinées et tremblaient pour leurs propres enfants.

Terri avait donc de plus en plus de mal à obtenir la permission de sortir le soir, ne fût-ce que pour une heure ou deux. Aujourd'hui, elle avait dû commencer à manœuvrer très tôt pour convaincre ses parents. Dès le matin, elle leur avait annoncé qu'elle comptait rendre visite à Marie, sa meilleure amie. Et elle avait bien vu, à leur attitude fermée, que la partie n'était pas gagnée. Jusqu'à la dernière minute, elle avait cru qu'ils ne céderaient pas. Finalement, ils avaient dit oui.

Mais ce n'était pas vers Marie que Terri se hâtait maintenant. C'était vers Peter.

Tandis qu'elle dépassait l'angle de la Deuxième Rue et de Tasker Street, elle repensa au fameux samedi de leur rencontre, un mois auparavant. La nuit était chaude et moite. Marie et elle se trouvaient chez Costello, l'un des rares endroits où ses parents la laissaient encore aller. Elle y attendait Joey, un garçon auquel elle croyait tenir. Mais Joey lui avait posé un lapin.

Au début, elle avait essayé de faire bonne figure. Et puis c'était devenu intenable. Ses copines avaient commencé à la mettre en boîte. Elle avait l'air de quoi, à attendre comme ça ? Complètement à bout, elle pianotait nerveusement sur la table, fumant cigarette sur cigarette et demandant à chaque nouveau venu s'il n'avait pas vu Joey.

Elle n'avait pas tardé à apprendre la vérité : Joey était avec Lisa, très occupé à l'arrière d'une voiture, sur le parking du centre commercial de l'avenue Oregon.

Depuis des semaines, Joey essayait, avec maladresse, d'obtenir de Terri autre chose que de simples baisers. Elle n'avait pas eu trop de mal à le maintenir à distance et elle avait cru qu'il la respectait justement parce qu'elle se refusait. Elle avait eu tort. Elle s'en rendait compte, à présent. Joey était avec une autre fille et tout le monde était au courant.

Profondément humiliée, mais bien décidée à ne pas pleurer en public, elle avait allumé une cigarette et s'était levée. Elle voulait rentrer, seule, et persuada Marie de ne pas l'accompagner.

Elle remontait Morris Street et allait atteindre Moyamensing, une avenue bien éclairée, quand une rutilante Datsun 300ZX gris métallisé la dépassa et s'arrêta juste devant elle. Terri ne s'inquiéta pas. Cet endroit du quartier était très sûr. De plus, elle avait déjà aperçu cette voiture dans les parages, ces derniers temps.

Quand elle arriva à la hauteur de la Datsun, une voix d'homme, très posée et sensuelle, lui demanda du feu. Cette voix était troublante, si différente de celles, rauques et vulgaires, qu'on avait l'habitude d'entendre dans le quartier.

Si Joey ne lui avait pas fait faux bond, peut-être que

Terri ne se serait pas arrêtée. Elle n'aurait pas alors vécu le merveilleux mois, si plein d'émotions, qui l'attendait. Mais Joey l'avait trahie, et elle s'arrêta.

Elle s'approcha pour tendre sa boîte d'allumettes au conducteur et, tandis qu'il allumait sa cigarette, elle découvrit qu'il était beau comme un dieu. Barbu, les cheveux noirs coupés très court, des lunettes d'aviateur aux verres teintés, des pommettes légèrement saillantes : un physique de séducteur. Il portait des gants de conduite italiens et, malgré la chaleur, un blouson de cuir qui paraissait incroyablement doux et souple. Un foulard de soie blanche était noué autour de son cou.

— Merci, dit-il en lui rendant ses allumettes.

Elle sentit qu'il la regardait et prit une pose avantageuse, autant pour se venger de Joey que pour plaire au bel inconnu.

Il réussit à la retenir en appuyant sur le bouton de son radiocassette. Les premières notes de *The Celebration of the Lizard* s'élevèrent.

— Vous aimez les Doors ? demanda-t-il.

— Bien sûr, répondit-elle en haussant les épaules.

Mais il venait de marquer un point. La musique était le second langage de Terri et Jim Morrison avait toujours été son chanteur favori.

— Laquelle de leurs chansons préférez-vous ?

Maintenant, un mois après qu'il lui eut posé cette question, Terri s'en voulait toujours de ne pas avoir été capable de répondre immédiatement. Elle connaissait pourtant par cœur tous les titres des Doors !

— *Roadhouse Blues,* dit-elle enfin après un long et embarrassant silence.

— Rien que ça ! C'est une chanson un peu dure pour une jeune fille, non ?

Il avait ri en disant cela et Terri se sentit piquée au vif. Elle avait déjà subi une humiliation dans la soirée ; elle n'allait pas en plus se laisser traiter de gamine sans réagir ! Elle jeta sa cigarette et l'écrasa rageusement du bout du pied avant de rétorquer sur un ton de défi :

— Et laquelle auriez-vous choisie à ma place ?

— *When the Music's over* devrait mieux vous convenir.

Il avait visé juste, elle le reconnaissait à présent. Mais sur le moment, elle se garda bien de l'avouer. En fait, vexée d'être si prévisible, elle s'efforça de jouer les blasées. Du moins le croyait-elle. Car, comme il le lui dit plus tard en riant, lui n'avait vu dans cette attitude que la réaction typique d'une ingénue.

Toujours est-il qu'ils continuèrent à parler, faisant peu à peu connaissance. Terri se présenta et lui dit où elle habitait. En échange, il lui révéla son prénom : Peter. Finalement, il l'invita à monter dans sa voiture pour faire un tour. Il y faisait plus frais que dehors, grâce à l'air conditionné, ajouta-t-il pour la convaincre.

— Peut-être auriez-vous moins chaud sans ce blouson, remarqua-t-elle alors.

— C'est l'un des inconvénients de mon métier.

Quand elle lui demanda quel métier, il lui montra son insigne. Un flic ! Un jeune flic en civil dans une voiture de sport, comme les héros de ses séries télévisées favorites ! Il n'en fallut pas plus à Terri pour accepter son invitation. Elle le pressa de questions. Mais il refusa de donner plus de détails : il était en mission spéciale.

Fascinée, Terri le regardait conduire. Pendant près d'une heure, ils tournèrent en rond. Il faisait très bon à l'intérieur de la voiture, et Peter avait baissé le volume de la musique. Enfin, il se gara dans un endroit sombre et isolé, sous les larges piliers de l'autoroute I-95. Il changea de cassette et mit un air plus romantique. Ray Charles. Un vieux chanteur, plutôt de l'époque de la mère de Terri. Cette fois, Peter venait de perdre un point. Terri préférait, de loin, le rythme saccadé et violent du rock. Sous son influence, elle pouvait se laisser aller totalement, jusqu'à se perdre. Ray Charles, en revanche, la mettait mal à l'aise et résonnait à ses oreilles comme un plancher qui grince.

Son malaise s'accentua quand Peter la toucha. Elle était habituée à la maladresse de Joey. Et Peter était tout sauf maladroit. Il caressa lentement ses cheveux puis les repoussa en arrière. Son souffle chaud près de son oreille lui arracha des frissons. Et, quand il l'embrassa longuement, goûtant chaque parcelle de sa bouche, elle sentit ses lèvres se gonfler de plaisir.

Elle ne bougea pas, espérant qu'il s'arrêterait et que ces étranges frissons cesseraient. Mais il n'en fut rien. Au contraire. Les sensations s'intensifièrent quand Peter ouvrit son chemisier et commença à lui caresser les seins. Jusqu'à présent, seul Joey les avait touchés et elle n'avait jamais ressenti cela avec lui. Sous les mains de Peter le plaisir était si intense qu'il en devenait douloureux.

Un sentiment de honte envahit Terri. Cet homme la paralysait de désir, la tenait totalement sous son contrôle. Elle ne pouvait que murmurer, comme perdue : « Non, non, il ne faut pas, non... », mais était incapable de bouger pour lui échapper. Et quand elle sentit sa main gantée s'insinuer entre ses cuisses, elle ne protesta pas. Elle savait que c'était inutile.

Plus tard, il la raccompagna et l'embrassa une dernière fois avant de lui dire :

— Retrouve-moi samedi prochain, vers huit heures, près des entrepôts de Water Street. Tu vois où c'est ?

Soudain, le monde parut plus beau à Terri. Ce qui venait de se passer entre eux n'avait rien de mal puisqu'il lui donnait un vrai rendez-vous, puisqu'il voulait la revoir !

Elle passa la semaine suivante à penser à Peter, à rêver de Peter. Elle en parla tellement à Marie que celle-ci la menaça de la tuer si elle n'arrêtait pas de lui casser les oreilles avec son Peter.

Le samedi arriva enfin. Mais cette deuxième rencontre prit une étrange tournure. Terri, avide de mieux connaître Peter, lui posa mille questions auxquelles il ne répondit pas. Il consentit seulement à lui dire qu'il habitait à Society Hill. Cela n'étonna pas Terri : son héros ne pouvait pas vivre ailleurs que dans le quartier le plus romantique de Philadelphie.

Elle voulut avoir plus de détails.

— Écoute, Terri, lui dit-il alors très sérieusement. Si je ne te parle pas de moi, ce n'est pas pour te cacher quoi que ce soit. C'est pour te protéger et me protéger. Trop de gens me veulent du mal et pourraient m'atteindre à travers toi. Tu comprends ? Je ne veux pas te faire courir le moindre risque.

Ses mains se serrèrent alors sur ses seins, jusqu'à lui faire mal. La douleur ne fut pas trop forte mais suffisante pour persister un moment. Terri ne comprenait pas pourquoi il avait fait cela. Peut-être la punissait-il pour sa curiosité, comme son père la punissait lorsqu'elle était enfant. Elle ne dit rien, ne bougea pas, emplie d'un profond sentiment de fierté, comme si Peter venait de lui révéler une autre facette de sa féminité.

Lorsqu'il la fit se soulever un peu de son siège pour lui retirer son jean et qu'elle effleura de sa main le renflement dur sous son pantalon, elle comprit qu'il ressentait lui aussi cette sorte de douleur qui confinait au plaisir. Et elle sut qu'elle était amoureuse.

Quand il la raccompagna cette nuit-là, c'est les jambes tremblantes et le cœur battant qu'elle regarda sa voiture s'éloigner puis disparaître.

Durant la semaine qui suivit, Terri fut très agitée. Elle se voyait, étendue dans la rue, mourante, entourée d'une foule curieuse et appelant Peter. Et Peter accourait. Elle pleura souvent et se montra de si mauvaise humeur que ses parents l'autorisèrent à aller manger une pizza avec Marie.

Les deux jeunes filles marchèrent lentement tout en

regardant les vitrines et en discutant. Terri parlait de Peter ; Marie de son désir d'être plus mince pour pouvoir porter toutes les jolies choses qu'elle voyait dans les magasins.

Elles arrivèrent enfin à la pizzeria Métropole. Ce restaurant était très réputé et il leur fallut attendre un peu avant d'avoir une table. Terri, qui ne s'intéressait plus au monde extérieur depuis qu'elle était amoureuse, laissa Marie s'installer face à la salle. Quant à elle, la vue qu'elle aurait depuis la fenêtre lui suffirait.

Elle regardait distraitement au-dehors, quand son cœur fit un bond dans sa poitrine. De l'autre côté de la rue, devant le fameux restaurant italien Fiorelli, une Datsun, semblable à celle de Peter, était garée. Elle déplaça légèrement sa chaise pour mieux voir et reconnut un détail qu'elle avait déjà remarqué : un autocollant de Bruce Springsteen sur le pare-chocs. *C'était* la voiture de Peter. Il était en train de dîner de l'autre côté de la rue.

Elle faillit le dire à Marie mais se retint. Son amie s'était trop moquée d'elle et de son aventure avec Peter. Elle tenait peut-être là sa petite vengeance. Elle voyait déjà la scène : dès que Peter sortirait du restaurant, elle irait nonchalamment à sa rencontre. Son regard s'éclairerait à sa vue, et il l'embrasserait passionnément, là, juste devant Marie.

Mais les choses ne se passèrent pas ainsi. Terri était en train d'expliquer à Marie qu'elle compulsait des livres de cuisine, à la recherche d'une recette, pour montrer à Peter ses talents de cuisinière, le jour où il l'inviterait chez lui. Elle voulait lui préparer quelque chose de spécial, du veau au marsala, par exemple... Qu'en pensait-elle ?

Terri n'entendit pas la réponse de Marie. Elle venait de voir deux superbes femmes sortir de chez Fiorelli et rejoindre la voiture de Peter. Une brune et une blonde. La brune s'installa au volant, puis ouvrit la portière à sa compagne. La voiture s'éloigna. Pour Terri, le monde venait de s'écrouler.

Marie sentit tout de suite que quelque chose n'allait pas.

— Qu'est-ce qui se passe, Terri ?

Elle semblait inquiète, comme seule peut l'être une véritable amie. Terri aurait voulu tout lui confier, mais elle ne le put pas.

— Rien, marmonna-t-elle en se levant de table pour se diriger vers les toilettes.

Elle ne pouvait pas dire à Marie que Peter était marié. Pas après toutes les confidences qu'elle lui avait faites. Elle aurait l'air malin ! S'être laissé prendre au piège d'un homme marié, c'était stupide. Mais le pire, c'était de l'avoir laissé la toucher comme il l'avait fait. Ah, il s'était bien moqué d'elle !

Marie la suivit dans les toilettes.

— Qu'est-ce que tu as ? insista-t-elle.

— Rien, je te dis. Je vais avoir mes règles, c'est tout.

Pour Marie, cela expliquait tout. Dans son esprit, la période des règles correspondait à un moment d'intense émotion, une sorte de rituel de l'impureté, dont la souffrance se vivait en secret et si possible dans le noir. Elle n'insista pas.

Après ce qu'elle venait de voir, Terri hésita jusqu'au samedi : devait-elle poser un lapin à Peter ou aller au rendez-vous et provoquer une explication ? Finalement, elle opta pour la confrontation.

A peine assise dans la voiture, elle lança :

— Espèce de salaud ! Pourquoi tu ne m'as pas dit que tu étais marié ? Après tout ce qui s'est passé entre nous...

Elle voulait lui faire mal, très mal. Lui renvoyer à la face tout ce qu'elle ressentait, qu'elle était seule à ressentir. Sa douleur, son amertume, sa désillusion...

Peter paraissait de plus en plus surpris tandis qu'elle lui racontait comment elle avait découvert sa trahison, comment elle avait vu sa femme entrer dans sa voiture. Mais il ne chercha pas à l'interrompre.

— Ce n'était pas ma femme, mais ma sœur, dit-il simplement quand elle eut fini. Sa voiture était en panne et je lui avais prêté la mienne.

Terri avait du mal à croire ce qu'elle venait d'entendre. Peter, l'homme de ses rêves, n'était pas marié, ne lui avait pas menti. Spontanément, elle se rapprocha de lui pour l'embrasser. Elle voulait goûter son bonheur retrouvé, elle voulait qu'il la rassure encore et encore, qu'il l'aime, qu'il...

Mais Peter resta figé et lui demanda de sortir de la voiture.

— Mais...

— Va-t'en, répéta-t-il.

Elle aurait voulu implorer son pardon, mais réussit seulement à bafouiller :

— On se voit samedi prochain ? A l'entrepôt ?

— Peut-être, dit-il en se penchant pour lui ouvrir la portière.

Cette fois ce fut l'enfer pour Terri. Elle raconta tout à Marie qui essaya de la consoler. En vain. Elle savait que sa méfiance et ses stupides reproches avaient éloigné Peter. Tout était de sa faute. Elle méritait d'être punie, de passer le reste de sa vie seule et sans amour.

Le jeudi, la tension fut à son comble chez les DiFranco. Le père de Terri perdit patience quand celle-ci renversa une bouteille de vin et quitta la table en pleurant.

Sa mère prit sa défense et le ton monta. Ses parents se disputèrent en montant l'escalier, puis sur le palier, jusque dans leur chambre. Les cris fusaient, la porte claqua. De son côté, Terri versait des torrents de larmes et imaginait son propre enterrement. Il vaudrait mieux pour tout le monde qu'elle soit morte. Et lorsqu'ils la verraient, toute pâle, dans son cercueil, entourée de fleurs blanches, alors ils la regretteraient...

Peu à peu, la dispute se calma pour cesser bientôt

tout à fait. Un silence inhabituel régna dans la maison. Et, environ une heure plus tard, ses parents redescendirent, l'air parfaitement heureux et détendus, comme s'il ne s'était rien passé.

Terri avait toujours su, sans vouloir se l'avouer vraiment, ce qu'ils faisaient quand ils étaient seuls dans leur chambre. Jusque-là, la simple idée qu'ils puissent faire l'amour lui paraissait grotesque et répugnante. A présent, à la lueur de son expérience avec Peter, elle voyait les choses différemment. Elle comprenait mieux l'importance et le pouvoir du sexe. C'était le sexe qui cimentait un couple. C'était pour ça qu'elle avait perdu Joey. Et si Peter acceptait de la revoir, elle ne commettrait pas la même erreur...

Mais cette décision ne la réconforta pas. Elle passait des nuits horribles. Elle évitait ses parents, de peur qu'ils ne lisent sur son visage sa volonté de se donner à Peter. Sous la douche, elle inspectait son corps, se demandant si Peter pourrait la pénétrer sans la déchirer. L'espace lui semblait trop étroit pour l'accueillir. Parfois aussi, dans son lit, elle s'imaginait enceinte. Comment apprendrait-elle la nouvelle à ses parents ? Comment ses amies réagiraient-elles devant son ventre de plus en plus gros ?

Dans la journée, elle était plus calme. Elle savait, grâce aux filles plus âgées de son lycée, que faire l'amour dans une voiture n'était pas convenable : aux yeux des garçons, vous passiez pour une fille facile. C'était dans un endroit intime, confortable, qu'un homme aimait vraiment une femme.

Elle décida donc qu'elle trouverait ce nid d'amour, et qu'elle l'aménagerait pour eux seuls. Ce ne fut pas difficile dans ce quartier rempli d'entrepôts désaffectés. Elle choisit un ancien dépôt ferroviaire. Il lui avait plu parce qu'il ressemblait à un château : massif, flanqué d'une tourelle à chaque coin et de hautes cheminées sur les côtés. Au fond d'un cul-de-sac, elle découvrit une porte. Une fenêtre toute proche lui permit d'entrer dans le bâtiment pour l'ouvrir de l'intérieur.

Chaque après-midi, après les cours, elle se rendait au « château » pour préparer leur futur nid. Elle y apporta des couvertures, des bougies, une radio et même une bouteille de vin volée dans la réserve de son père. Car il faudrait fêter l'événement.

Enfin, tout fut prêt.

Maintenant, alors qu'elle se hâtait vers les entrepôts de Water Street, Terri espérait que Peter ne la rejetterait pas. Elle se sentait nerveuse. C'était pire que si elle avait dû prononcer un discours devant tous les élèves de sa classe.

Peter n'était pas au rendez-vous. Dix affreuses minutes passèrent avant qu'elle n'aperçoive la lumière familière des phares de la Datsun. La voiture stoppa devant elle et elle se dépêcha d'y monter.

Elle regarda Peter et frissonna. Elle ne se lassait jamais de contempler ses cheveux noirs, sa barbe, les lignes de son visage, son blouson de cuir et son foulard blanc.

Elle sourit à l'idée de lui retirer ses lunettes et de voir enfin ses yeux.

Il la regarda aussi un moment, comme s'il cherchait à lire dans ses pensées. Puis il se rapprocha et elle savoura la douce caresse de sa main gantée sur ses cheveux. Elle lui tendit ses lèvres. Quand il l'embrassa, il la serra si fort qu'elle sentit le contact dur de son revolver sous son blouson. Elle laissa glisser sa main et effleura son sexe en érection. Elle ne s'était pas trompée : cette nuit était *leur* nuit.

— Je t'ai apporté quelque chose, dit-il.

Il plongea la main dans la poche intérieure gauche de son blouson — le côté du cœur — et en ressortit une chaîne. Elle était en inox, mais pour Terri c'était le plus précieux des cadeaux, le premier cadeau de Peter. Elle avait déjà remarqué avec envie ce genre de bijou, d'assez mauvais goût mais très à la mode, sur certaines filles de son lycée. Les boutiques de South Street en regorgeaient, mais elle n'avait jamais eu les moyens de s'en acheter.

Deux anneaux aux extrémités de la chaîne formaient un système de fermeture en nœud coulant, comme un collier de chien. Un médaillon, représentant un oiseau, y était suspendu. Terri le trouva magnifique.

— Je te l'ai achetée pour que tu saches que tu m'appartiens, même si pour l'instant nous ne pouvons le dire à personne, dit-il en lui passant la chaîne autour du cou.

Terri était aux anges.

Il lui donna un autre baiser, puis mit la voiture en marche. Tandis qu'ils traversaient Water Street, il enclencha une cassette de Dire Straits et demanda à Terri de lui allumer une cigarette.

Elle ouvrit son paquet de Marlboro et chercha du feu. Mais, dans sa hâte, elle avait oublié d'acheter des allumettes. Peter lui tendit alors une pochette. Noire, avec le mot « Lagniappe » inscrit en lettres d'or. Naturellement, se dit-elle, Peter fréquente le restaurant le plus chic de la ville. Peut-être l'y emmènerait-il bientôt.

Elle alluma deux cigarettes, en glissa une entre les lèvres de Peter et laissa tomber les allumettes dans son sac.

— Moi aussi j'ai une surprise pour toi, annonça-t-elle tandis qu'il s'arrêtait à un stop.

Il la regarda, visiblement étonné, puis sourit :

— Qu'est-ce que c'est ?

Elle lui rendit son sourire et lui indiqua la direction à prendre.

Tout en admirant sa dextérité au volant, elle pensa qu'elle aimerait qu'il lui apprenne un jour à conduire. Elle pourrait ensuite lui emprunter sa voiture pour aller déjeuner en ville ou faire ses courses.

De nuit, l'ancien entrepôt des chemins de fer ressemblait encore plus à un château. Le terrain qui l'entourait, couvert d'herbe rase, faisait penser à un champ de bataille dévasté.

Terri dirigea Peter vers le cul-de-sac, et il se gara. Il commençait à pleuvoir et quelques gouttes vinrent s'écraser sur le pare-brise. Un bref instant, Terri se demanda si elle avait raison d'être là. Elle pouvait encore changer d'avis, avant que l'irrémédiable n'arrive. Peter sentit son hésitation et lui dit doucement :

— Ne t'inquiète pas. Tout ira bien.

Rassurée, elle sortit de la voiture. Il resta au volant pendant qu'elle franchissait la rampe d'accès et enjambait la fenêtre. A l'intérieur, elle alluma les bougies, puis ouvrit la porte et lui fit signe de la rejoindre.

Il pleuvait maintenant à verse et Peter courut vers le bâtiment. Terri se sentait nerveuse. Si jamais il se moquait d'elle ou la traitait comme une enfant, elle en mourrait. Rassemblant tout son courage, elle lui demanda :

— Alors ? Qu'est-ce que tu en penses ?

Il ne répondit pas tout de suite, examinant la pièce comme un metteur en scène inspecte un lieu de tournage.

Les mains tremblantes, Terri déboucha la bouteille de vin blanc italien et en remplit deux verres.

— Marie m'a aidée à l'aménager. Est-ce que ça te plaît ?

Elle mentait, utilisant Marie pour masquer sa nervosité. Elle avait bien sûr tout raconté à son amie, mais ne l'avait pas encore amenée ici. Ce serait pour plus tard.

Quand Peter termina enfin son inspection, il déclara d'un ton mi-moqueur, mi-sérieux :

— Nous sommes en présence d'un flagrant délit d'effraction. J'ai bien peur de devoir vous arrêter, mademoiselle.

Terri eut une seconde de panique, puis elle vit son sourire. Et quand il s'approcha d'elle, les menottes à la main, elle savait qu'il plaisantait. Elle ne résista donc que pour la forme quand il lui passa les mains derrière le dos et referma les bracelets sur ses poignets. Curieusement, loin d'être effrayée, elle se sentit rassurée. Privée de sa liberté de mouvements, elle ne serait désormais plus responsable de ses actes. Elle n'était plus la séductrice. Elle était à présent séduite. Une reine captive en son château. Et ce rôle, avec tout ce que cela comportait de passivité et d'innocence, lui convenait davantage.

Il la prit dans ses bras et l'embrassa, mordant ses lèvres à petits coups de dents acérés, douloureux. Terri ne bougea pas.

— Tu es à ma merci, maintenant, murmura-t-il d'une voix rauque. Ta seule chance de t'en sortir est de me rendre très, très heureux.

— Je ferai ce que tu voudras, souffla-t-elle, jouant le jeu.

Les mains de Peter parcoururent son corps, allumant un désir brûlant partout où elles passaient. Il fit glisser son jean sur ses hanches, baissa sa culotte et caressa à la fois son sexe et son anus. Terri eut un sursaut involontaire quand elle sentit son doigt ganté s'introduire entre ses fesses. Puis elle se laissa faire, totalement détendue à présent. C'était si bon qu'elle aurait voulu que Peter n'arrête jamais.

Il lui demanda ensuite de s'agenouiller sur les couvertures. Terri s'étonna qu'il ne lui ait pas enlevé les menottes. Elle n'avait pas imaginé que cela se passerait ainsi la première fois. Elle s'était plutôt vue couchée sur le dos, nue, timidement offerte à son regard. Il aurait été nu lui aussi et se serait allongé sur elle, pour une union parfaite et pure.

Mais des menottes... ? Peut-être était-ce ainsi qu'on faisait l'amour dans le beau monde de Society Hill ? Terri ne voulait pas paraître ignorante en montrant son étonnement. Et puis, elle appartenait à Peter, elle lui faisait confiance. Cette nuit, elle ne lui refuserait rien, quoi qu'il lui demande. Et quand ils se quitteraient, elle serait une femme.

S'agenouiller avec les mains derrière le dos n'était pas facile, mais il l'aida et la fit se pencher en avant jusqu'à ce que sa tête touche les couvertures.

Elle l'entendit baisser la fermeture éclair de son pantalon et retint son souffle. Elle s'attendait à avoir mal, mais ce ne fut pas douloureux. Elle sentit seulement son sexe dur la pénétrer doucement puis se retirer. Il poursuivit ce léger va-et-vient, sans la brusquer, la pénétrant un peu plus profondément chaque fois, jusqu'au moment où il la posséda enfin.

Quand Terri fut habituée à le sentir en elle, elle se mit à bouger elle aussi, essayant de s'accorder à son rythme. Elle voulait lui donner tout le plaisir possible, malgré sa maladresse.

Bientôt, elle sentit Peter s'agiter plus violemment. Il poussa un gémissement et elle comprit ce qui venait de se passer. Le moment magique était arrivé et, enceinte ou non, elle était heureuse et fière. Elle était une vraie femme, maintenant, pensa-t-elle sans pouvoir retenir ses larmes de bonheur.

Quand Peter saisit l'extrémité de la chaîne et se mit à serrer le nœud coulant autour de son cou, elle eut une vision fugitive : sa mère sortant de la chambre, le visage radieux après la bataille et l'amour. Ce fut sa dernière pensée.

OCTOBRE

2

Sous l'effet de la cocaïne, Missy Wakefield se sentait vibrante d'énergie, débarrassée de ses angoisses. L'état dépressif dans lequel elle était plongée depuis la mort récente de son père avait momentanément disparu. L'animation de ce samedi soir dans la Deuxième Rue de Society Hill emplissait ses sens avec une acuité décuplée. Les couleurs, les sourires lui semblaient lumineux, aussi clairs qu'un verre de gin glacé.

De toutes les drogues qu'elle avait essayées — et elle en avait essayé beaucoup —, la cocaïne était sa préférée. Avec elle tout semblait plus facile, les problèmes les plus graves devenaient des incidents sans importance. La coke vous mettait au maximum de votre forme, comme le maquillage : une petite touche, juste au bon moment et sous le bon éclairage, suffit à vous rendre radieuse.

Missy atteignit Chesnut Street. En face du Sassafras, un vieil homme portant un chapeau bleu à galon doré était assis sur une caisse. Quand il l'aperçut, il se mit à jouer *Give my Regards to Broadway* à l'harmonica, tout en battant le rythme avec des cuillères ; on aurait dit des dents qui claquaient.

Derrière lui, une affiche collée sur un poteau représentait la photo d'une adolescente aux cheveux noirs. On offrait cinq cents dollars pour tout renseignement la concernant. Elle s'appelait Terri DiFranco.

Missy ne remarqua pas l'affiche. Elle déposa deux billets dans le gobelet en plastique posé à côté du vieil homme et poursuivit sa route. A proximité du Lagniappe, elle s'arrêta, attendant que Tem, l'imposant portier mongol, en finisse avec deux couples de banlieusards indésirables. On n'acceptait pas ce genre de personnes au Lagniappe. Ils s'en allèrent finalement. L'une des femmes reprochait à son mari de ne pas avoir assez insisté, quand elle aperçut le sourire amusé de Missy. Elle lui lança un regard meurtrier. Stimulée par la cocaïne, Missy appliqua la règle que lui avait toujours dictée son père : ne jamais refuser un défi. Elle ne détourna pas la tête, conserva son sourire ironique, forçant son adversaire à baisser les yeux.

Tem souhaita la bienvenue à Missy et lui ouvrit la porte. Elle remarqua que son sourire ne reflétait pas ce soir l'intérêt qu'il lui portait — elle savait que Tem la désirait —, mais une sorte de sollicitude. Il se balançait d'un pied sur l'autre, évitant son regard.

— J'ai appris pour ton père. Je sais que c'était quelqu'un de bien et qu'il te manquera...

Elle posa un doigt sur sa bouche pour l'empêcher d'en dire plus. En parler ne ferait que raviver sa peine.

Le jeudi et le vendredi de la semaine précédente — les 23 et 24 septembre — avaient été les deux jours les plus affreux de sa vie. Des jours qu'elle voulait tenter d'oublier maintenant.

Son père, Cyrus Wakefield, médecin, était mort le jeudi, terrassé en pleine rue par une crise cardiaque. Il avait légué son corps à la science. C'est donc pour respecter sa volonté que ses collègues médecins se chargèrent l'après-midi même de prélever sur lui tous les organes transplantables avant de l'incinérer. Missy n'avait même pas eu le temps de lui rendre un dernier hommage. Elle n'avait pas revu son visage. Un visage noble, aux lignes acérées. Un profil d'oiseau de proie.

Le vendredi matin, une brève cérémonie avait eu lieu dans sa maison de Chesnut Hill. Ses cendres avaient été éparpillées dans le jardin et un buffet avait été dressé pour les quelques amis présents.

Missy n'avait pas supporté de voir les invités siroter tranquillement leur vin blanc et déguster leur saumon fumé et leur homard. Tout cela lui avait paru trop civilisé comparé à la douleur sauvage qui lui torturait le cœur. Elle se rappelait avoir bu un peu trop de vodka, avoir pris sa voiture et avoir conduit sans but pendant longtemps. Puis elle avait avalé toute une boîte de comprimés et, à demi inconsciente, avait appelé Carl Laredo. Celui-ci était arrivé juste à temps, la trouvant nue et inconsciente.

« Bon. Réagis, maintenant, se dit-elle. C'est le moment de montrer tes talents de comédienne. »

— Est-ce que Carl est là ? demanda-t-elle à Tem.

— Oui. Il est au fond, à sa table habituelle.

Elle lui sourit et se dirigea vers le bar.

A sa sortie de l'hôpital, elle était allée se reposer quelques jours à Saint-Martin, dans la propriété familiale. Mais la solitude et l'inaction avaient failli la rendre folle. Elle avait besoin de bouger, de dépenser son énergie, pour lutter contre sa douleur.

Traversant la salle bondée sans prêter attention aux regards de convoitise des hommes et aux sourires hypocrites des femmes, elle s'installa au comptoir et fit un signe à Marc, son serveur favori. Il vint aussitôt et se pencha pour lui prendre amicalement la main.

— Tu es magnifique, ce soir, ma chérie.

Il avait raison. Son boléro bleu et or, de chez Gucci, porté sur un chemisier en soie d'un bleu plus sombre, lui allait à ravir. Un collier et un bracelet de turquoises, offerts par Carl, y apportaient une touche lumineuse. Un élégant pantalon plissé noir et des sandales de Charles Jourdan complétaient sa tenue. L'ensemble soulignait les lignes parfaites de son corps.

Ce soir, Missy était belle à faire pâlir de jalousie

n'importe quelle autre femme. Et surtout, elle avait de la classe. Un style très recherché, qu'elle seule pouvait assumer dans une ville comme Philadelphie, où ce genre de raffinement n'était pas courant.

Ses cheveux noirs, très courts, étaient savamment modelés à l'aide d'un gel fixant. Ses lèvres, un peu trop minces mais maquillées avec art, semblaient faites pour le plaisir et ne manquaient pas d'attirer le regard des hommes. Mais les yeux de Missy, brillants comme de l'onyx, savaient imposer le respect.

Elle remercia Marc pour son compliment et lui demanda comment il allait, plus par politesse que par réel intérêt. Marc se lança aussitôt dans le récit détaillé de son aventure avec un bel éphèbe blond, mais se rendit bientôt compte qu'elle ne l'écoutait qu'à moitié. Il revint alors à des considérations plus professionnelles :

— Comme d'habitude : Slotichnaya et soda ?

Elle hocha la tête, le regard tourné vers la salle.

— Je le sers à la table de Carl ?

— Oh, Carl est là ? fit-elle, feignant la surprise.

On jouait *Bed of Roses* de Tania Tucker. Le disc-jockey passait toujours cet air-là pour Carl, en souvenir de son flirt d'adolescent avec Tania. C'était une manière amicale de le taquiner tout en le flattant.

Cyrus Wakefield n'avait jamais apprécié que Missy fréquentât Carl. Il n'avait pas compris à quel point leur relation était spéciale. Ils s'étaient rencontrés quelques années auparavant, dans une galerie d'art de Locus Street. Carl venait juste de rentrer d'un séjour de cinq ans d'études en France. Cinq années de vache enragée, à l'issue desquelles il avait été admis comme artiste résidant à la Walter Academy, l'école d'art de Philadelphie. Dès qu'elle l'avait vu, Missy avait compris que Carl était fait pour elle. Il devait lui appartenir. De son côté, il lui avait fait sentir, par certains signes subtils qu'elle seule pouvait percevoir, qu'il ne désirait qu'une chose : être possédé par elle.

En échange de sa dévotion et de sa soumission, elle lui offrit le plaisir, l'argent et un endroit pour vendre ses tableaux. C'était comme si Carl avait signé un pacte avec le diable. Seule Missy pouvait briser ce pacte, selon son humeur. Dominer Carl, tenir son destin entre ses mains la rassurait. Elle avait besoin de ça pour être sûre de son amour. Elle en avait besoin pour vivre.

Elle avait peut-être fait de la peine à son père, mais l'affection de Carl lui était indispensable. Il était son amant, sa maîtresse, son confident, son esclave, son sauveur, son complice, sa chose. Elle le chérissait comme un enfant cajole sa plus belle poupée.

Missy parcourut la salle des yeux et aperçut plusieurs personnes de sa connaissance. L'une d'elles, une jeune femme blonde, présentatrice d'une émission télévisée, lui fit signe de se joindre à elle. Missy fit semblant de ne pas la voir : elle cherchait la table de Carl.

Une mauvaise surprise l'attendait : Carl n'était pas seul. Il y avait Justin Fortier, le propriétaire du Lagniappe, blond, rasé de près et encore bronzé de son été en mer. A côté de lui, un homme qu'elle n'avait jamais vu. Puis il y avait Carl et une femme qui, visiblement, était avec lui. Décidément, ce garçon pouvait se montrer d'une rare maladresse. Quelques aventures discrètes étaient une chose, mais de là à venir s'afficher ici avec ses conquêtes ! Quel manque de classe !

D'habitude, elle se montrait plus tolérante. Le voir flirter avec d'autres l'amusait plutôt, parce qu'elle connaissait son secret : avec les femmes, Carl ne savait pas se contrôler. Il avait honte de cette faiblesse. Missy, elle, l'appréciait et savait parfaitement l'utiliser. Elle ne faisait jamais l'amour avec lui de manière conventionnelle. Les couloirs, les salles de bains, les cuisines, les taxis... elle pouvait l'aimer n'importe où, pourvu que ce ne soit pas dans un lit.

Elle l'amenait alors avec ses mains, parfois avec sa bouche, aux limites de sa résistance, jusqu'à ce qu'il la supplie comme un enfant. Elle était la seule à avoir ce pouvoir sur lui, elle le savait.

Mais ce soir, elle n'avait pas envie d'être indulgente. Encore sous le coup de la mort de son père, elle avait besoin qu'on la soutienne. Pour une fois, elle voulait inverser les rôles, elle voulait que Carl se montre fort.

Justin fut le premier à l'apercevoir et se leva, son sourire de séducteur aux lèvres. L'inconnu qui se trouvait à ses côtés se leva aussi. Missy remarqua qu'il était très séduisant. Brun, grand, une barbe taillée avec soin, il possédait ce genre de beauté ténébreuse qui intrigue et plaît souvent aux femmes. Son costume italien, très bien coupé, laissait deviner un corps d'athlète. Mais il y avait quelque chose de plus en lui. Quelque chose de très... physique... dans sa manière de la regarder, qui la troubla et l'attira à la fois. Comme lorsque son père la regardait...

Carl aussi était debout, à présent. Pendant un instant, elle compara les deux hommes. Même stature, même couleur de cheveux, même barbe... mais la ressemblance s'arrêtait là. La douceur — la mollesse — de Carl ne se retrouvait pas chez l'inconnu.

Missy déposa un léger baiser sur les lèvres de Carl, embrassa Justin sur la joue et serra la main de l'autre homme. C'était un ami de Justin, il s'appelait Felix Ducroit et il venait de La Nouvelle-Orléans.

Un serveur apporta une chaise pour Missy. Ce fut seulement à ce moment qu'elle daigna remarquer la présence de l'autre femme. Trente-cinq ans environ, des cheveux d'un blond roux qui avaient atteint la longueur ingrate des cheveux qu'on essaie de laisser pousser, une peau fine et délicate. Le genre de peau qui craint le soleil et nécessite beaucoup de soins. Mais quelques rides au coin des paupières prouvaient qu'elle ne s'en occupait pas assez. Ses yeux, d'un bleu très clair, étaient cernés. Elle avait l'air fatigué.

Carl fit les présentations.

— Laura Ramsey, Missy Wakefield...

Missy se sentit encore plus irritée. Il la présentait à l'autre comme si c'était elle l'intruse.

La mâchoire crispée par la cocaïne, elle esquissa un semblant de sourire et laissa tomber un « Bonsoir » à peine audible.

— Veux-tu boire... commença Carl.

Mais avant qu'il ait eu le temps de finir sa phrase, Violet, une jolie serveuse de seize ans, apporta la consommation de Missy. Celle-ci ressentit une légère satisfaction quand Violet déclara :

— Tu nous as manqué, mais ton bronzage est super. Tu t'es bien amusée ?

— Oui. Mais je suis contente d'être de retour.

— Où étiez-vous ? demanda Laura Ramsey.

Missy ne répondit pas tout de suite. Elle s'adossa confortablement à sa chaise et alluma une cigarette. S'il y avait une chose que sa bonne éducation lui avait apprise, c'était de savoir faire attendre n'importe qui.

— Saint-Martin, dit-elle finalement.

— Dans la partie française ou allemande ?

— Française. L'allemande ressemble trop à Atlantic City.

— C'est une île magnifique. J'y ai passé quelques jours, il y a deux ans. Combien de temps y êtes-vous restée ?

— Seulement une semaine, malheureusement.

— En fait, ce n'étaient pas vraiment des vacances, intervint Carl. Missy vient de perdre son père et elle est allée là-bas pour essayer de se remettre du choc.

Missy n'apprécia pas du tout que Carl se permît de parler de la mort de son père. Elle ne tenait pas à évoquer ce sujet, surtout devant deux étrangers.

— Je suis désolée, dit Laura. Étiez-vous très proche de lui ?

Sa sympathie semblait sincère, mais frôlait un peu trop la compassion. Missy n'aimait pas ça.

— Oui, répondit-elle avant de passer à autre chose. Alors, quoi de neuf ici ?

— Avant que tu arrives, nous étions en train de parler des fugues des quartiers sud, dit Justin.

— Des quoi ?

— Je suppose que tu n'as pas lu les journaux. Cette affaire fait beaucoup de bruit en ce moment. Plusieurs adolescentes du sud de la ville ont disparu sans laisser de traces. Il y a au moins une douzaine de cas...

— Pas autant que ça, intervint Carl. Il y a eu environ six disparitions.

— En tout cas, ça commence à devenir inquiétant, reprit Justin.

— Eh bien, le sud de Philadelphie semble être l'endroit rêvé pour disparaître ! ironisa Missy.

Ce n'était pas de cela qu'elle avait envie de parler.

— Ils ont diffusé les photos des filles. Elles sont toutes très jeunes et très jolies...

— Et Justin a essayé de me faire avouer que je savais quelque chose, dit Carl, un peu mal à l'aise.

« Tu as raison de te sentir nerveux, pensa Missy en regardant Carl droit dans les yeux. Tu regretteras d'avoir amené cette fille ici. »

Ne lâchant pas Carl des yeux, elle déclara :

— Tu as raison, Justin. Carl est peut-être bien mêlé à cette histoire. Les adolescentes en petite culotte blanche l'ont toujours intéressé. N'est-ce pas, Carl ? ajouta-t-elle en se penchant pour lui donner une pichenette sur la joue.

Carl n'apprécia pas la plaisanterie.

— C'est ce qu'on appelle le fétichisme, nota Justin d'un ton sentencieux.

— Merci, docteur Freud, dit Missy qui n'avait toujours pas lâché Carl des yeux et se réjouissait de le voir éviter son regard. Mais je suppose que ce n'est pas à cause de ces disparitions que vous êtes ici ce soir.

Cette fois, elle regarda Laura. Mais celle-ci ne dit rien. Le silence se prolongea, semblant désigner Carl.

— Nous... nous sommes réunis pour fêter un événement, dit-il enfin.

— Ah bon. Et on peut savoir lequel ? demanda Missy d'un ton glacial.

Le silence retomba à nouveau. Puis Carl déclara, d'une voix un peu trop forte pour être naturelle :

— Nous fêtons mon départ pour New York.

Le choc, combiné aux effets de la cocaïne, fut violent pour Missy. Comme si on lui avait donné un coup sur la poitrine. Pendant un instant ce fut le brouillard autour d'elle. Son cœur battait à tout rompre.

Elle tira une bouffée de sa cigarette pour se calmer, tentant d'ignorer les gouttes de sueur qui perlaient entre ses seins.

— J'ai l'impression d'avoir mal entendu. Alors répète-moi ça doucement. Tu vas faire quoi ?

— Je vais vivre à New York, Missy. Laura m'a aidé à organiser une exposition là-bas.

— Et comment s'y est-elle prise ?

— Laura est journaliste. Elle était en reportage à Soho et a été assez gentille pour mentionner mon nom au propriétaire d'une galerie. Il avait déjà entendu parler de moi et a accepté de voir mon travail. Je crois que l'idée que je sois de Denver lui a plu... mon côté rustique...

— Journaliste où ? l'interrompit Missy, revenant au point crucial de l'histoire.

— Au *Globe*, répondit Laura.

— Et je parie que vous vous êtes rencontrés dans un musée.

— Effectivement. Au musée de Philadelphie, pendant l'exposition sur la culture et l'art texans. Je couvrais l'événement.

Missy se tourna vers Carl :

— Cette exposition a eu lieu l'an dernier, je crois ?

Il ne répondit pas, alors elle s'adressa à Laura.

— Ainsi vous êtes le critique d'art du *Globe* ?

Elle savait bien que non. Elle connaissait personnellement le critique d'art de ce journal.

— Non, je suis chroniqueuse.

— Et vous étiez en reportage à New York où, comme par hasard, vous avez rencontré un propriétaire de galerie qui s'intéressait au travail de Carl...

— C'est un peu plus compliqué, mais en gros c'est ça.

Cette sacrée journaliste était bien trop sûre d'elle ! Missy commençait à perdre son calme.

— Bon, Carl. Tu m'as dit qu'il avait vu ton travail et que ça lui avait plu. Ça signifie quoi ? Qu'il va organiser une exposition, ou qu'il va te prendre quelques toiles et peut-être ne jamais te payer ?

— Je croyais que tu avais compris. Il va organiser une exposition. Et c'est une très bonne galerie. Je ne crois pas qu'il essaie de me truander, enfin pas plus que n'importe quel propriétaire de galerie.

Missy écrasa sa cigarette et en reprit une aussitôt. Elle devait occuper ses mains, parce qu'elle n'avait qu'une envie : foncer sur cette garce et la gifler !

Elle cherchait du feu, quand elle entendit une voix calme lui demander :

— Vous permettez ?

Elle se tourna légèrement et rencontra le regard de Felix Ducroit. Sa ressemblance avec son propre père lui parut encore plus frappante et la décontenança un instant, puis la rassura. Elle glissa la cigarette entre ses lèvres et il l'alluma avec un Dunhill en argent.

Essayant d'adopter un ton plus amical, elle reprit :

— Je trouve que c'est une bonne idée. Nous avions déjà pensé à organiser une exposition à New York. Mais je ne vois pas l'intérêt d'aller vivre là-bas !

— Ce n'est pas pour tout de suite. L'exposition est prévue pour le printemps. Je ne partirai que dans un mois.

— Mais, chéri, je ne comprends pas pourquoi tu dois partir. Ici tu as des amis, ta carrière, une vie agréable, un bel appartement... Tu peux très bien faire cette exposition et continuer à vivre ici, non ?

— Non, je ne peux pas. Je dois saisir cette chance. New York est le seul endroit valable pour un artiste. C'est comme aller à Hollywood si on veut faire un film. Un peintre ne peut réussir qu'à New York.

— Merci pour la leçon. Je sais cela aussi bien que toi.

— Alors arrête de faire semblant de ne pas comprendre. J'aimerais que pour une fois tu ne penses pas qu'à toi-même et que tu sois un peu heureuse de ce qui m'arrive.

— Comme miss Laura ?

— Je crois qu'il est temps de déboucher une bouteille de champagne, intervint Justin pour détendre l'atmosphère.

Missy l'ignora.

— Et peux-tu m'expliquer pourquoi tu pars dans un mois, si l'exposition n'a lieu qu'au printemps ? Tu pourrais attendre jusqu'en mars.

Elle savait qu'elle en faisait un peu trop, mais c'était plus fort qu'elle. Et elle haïssait cette fichue Laura qui était responsable de tout.

— Le propriétaire de la galerie veut que je sois là-bas avant, expliqua Carl, d'un ton redevenu conciliant. Il faut que je me montre à certaines réceptions, que je me fasse connaître.

— Je prendrais bien un peu de champagne, dit Laura.

Elle trouvait cette situation assez comique, mais elle était gênée en même temps. En réalité, il n'y avait rien entre Carl et elle, du moins pas dans le sens où Missy l'entendait. Mais c'était à Carl de mettre les choses au point.

— Alors comme ça, tu vas tout foutre en l'air et abandonner tes amis, comme tu l'as fait toute ta vie ?

— Arrête, Missy, intervint Justin. Je peux comprendre que tu sois en colère, mais trop c'est trop.

Il détestait qu'il y ait des histoires dans son établissement. C'était mauvais pour les affaires.

— Tu as raison, Justin, trop c'est trop, dit Missy en se levant et en prenant son sac.

Elle se dirigea vers les toilettes. Jamais elle n'avait été trahie de cette manière. Qu'ils aillent tous au diable !

Elle claqua violemment la porte des toilettes derrière elle. Elle avait besoin d'être seule pour retrouver son calme. Mais Lois Fortier, la femme de Justin, était là, devant le lavabo, en train de retoucher son maquillage. Elle ne se retourna pas vers Missy, mais la regarda dans le miroir.

— Je vois que tu as appris la nouvelle, dit-elle.

Missy poussa le verrou de la porte et s'approcha d'elle.

— Quelle nouvelle ?

— Carl part pour New York.

— Ah oui, dit-elle en fouillant dans son sac. Je trouve ça très bien. Une séparation ne nous fera pas de mal.

Lois se tourna pour la regarder, l'air incrédule, tandis que Missy sortait son poudrier de son sac et le posait sur le bord du lavabo.

— Mon plus cher désir est de voir Carl devenir le plus grand et le plus célèbre artiste du monde...

Et de le voir partir avec Laura, pensa Lois. Mais elle se tut. Elle lissa sa robe sur ses hanches et se pencha pour vérifier s'il n'y avait pas de traces de rouge à lèvres sur ses dents.

— Écoute, Missy. Je connais bien les hommes. Ça ne sert à rien de lutter. On ne peut pas leur faire confiance, c'est tout. Dès qu'on a le dos tourné, ils nous remplacent par quelqu'un de plus jeune. J'attends Justin au tournant. Il n'a pas intérêt à me faire ce coup-là.

Missy était en train de verser soigneusement un peu de poudre blanche sur le miroir de son poudrier.

Quand elle entendit les mots « quelqu'un de plus jeune », cela ne la réconforta pas. Pourtant, Laura devait bien avoir dix ans de plus qu'elle. Mais, malgré le goût prononcé de Carl pour les adolescentes, cette Laura semblait l'attirer diablement...

— Je ne m'inquiète pas pour ça, dit-elle. Cette femme n'est qu'une journaliste qui essaie de l'aider.

Lois hocha la tête, l'air peu convaincu. Mais Missy avait besoin d'un remontant, pas d'une discussion.

— Tu en veux un peu ? proposa-t-elle tout en divisant la cocaïne à l'aide du rabat de sa pochette d'allumettes.

— Juste une ligne, alors.

— Tu comprends, Lois, ce départ est très important pour la carrière de Carl. Bien sûr, il me manquera. Mais New York n'est pas si loin et nous pourrons nous voir souvent. Ce sera pour moi aussi l'occasion de rencontrer de nouvelles têtes.

Elle roula un billet de vingt dollars et le tendit à Lois.

— Je ne croyais pas que tu réagirais si bien, avoua Lois. Avant toi, Carl Laredo était un paysan. Sans toi, il risque de le redevenir.

Même dans l'état de colère où elle était, Missy savait que ce n'était pas tout à fait vrai. Grâce à son séjour en France, Carl avait acquis un certain raffinement. Il connaissait plus de choses sur la gastronomie, l'art et les vins que n'importe qui d'autre, y compris elle-même.

Lois, penché au-dessus du poudrier, regarda le billet de vingt dollars et se redressa.

— T'as pas mieux que vingt dollars ? Je déteste sniffer avec des petites coupures. On ne sait jamais qui y a fourré son nez.

Missy renversa la tête en arrière et éclata de rire.

— Lois, on ne t'a jamais dit que tu étais un cas ?

— Si. Justin. Dans ses moments de grande passion, précisa-t-elle avec un sourire entendu. A propos de passion... J'ai vu Felix à la table de Carl. Comment tu le trouves ?

— Pas mal. Mais je n'ai pas fait beaucoup attention à lui.

— J'avais pensé que tu le remarquerais. Il vient de La Nouvelle-Orléans et a fait fortune en tant que promoteur. Je crois qu'il a un grand projet à Philadelphie. Mais, bien sûr, il a une autre raison d'être là : son ex-femme vit ici et il essaie de la récupérer.

Missy ne fit aucun commentaire, termina la cocaïne et remit son poudrier dans son sac. Mais Lois n'en avait pas encore fini avec Felix :

— Tu la connais certainement. Cynthia Ducroit. Elle habite dans la Quinzième Rue. C'est la propriétaire de la charcuterie de Pine Street.

Missy hocha la tête, prit son sac, jeta un rapide coup d'œil dans la glace pour voir si son maquillage tenait toujours et s'il n'y avait pas de traces blanches sur ses narines. Puis elle se dirigea vers la porte.

Tout le monde se tut quand elle regagna la table et elle comprit immédiatement qu'ils étaient en train de parler d'elle.

— Ça va ? lui demanda Carl.

— Bien sûr que ça va, mon chéri. Comme toujours.

— Il est tard, Carl, dit Laura. Peut-être devrions-nous retourner à ton appartement pour être sûrs que le traiteur a fini et qu'il y a tout ce qu'il faut. Ils devraient bientôt rentrer du Spectrum.

— Qui devait rentrer du Spectrum ? ne put s'empêcher de demander Missy.

Elle le regretta aussitôt. Sous l'effet de la cocaïne, elle parlait toujours trop.

— Il y a un match de hockey, ce soir. Quelques amis y sont allés et nous les avons invités pour une petite fête, expliqua Carl, mal à l'aise. Pourquoi ne viendriez-vous pas, toi et Felix ?

Elle et Felix ? Pour qui Carl la prenait-il ? Comment osait-il la jeter ainsi dans les bras d'un inconnu, si séduisant fût-il ? Après tout ce qu'elle avait fait pour lui... Lois avait raison : il n'était qu'un paysan.

Un étrange sentiment s'empara de Missy. Sous sa colère, elle se sentait vulnérable, comme jamais elle ne l'avait été. Ce soir, elle avait eu besoin du soutien de Carl. Pour la première fois. Et il n'avait réussi qu'à l'humilier.

Elle se sentait abandonnée, perdue.

Felix vint à son secours. Ils étaient les seuls encore assis à la table, et il posa la main sur son bras, d'un geste à la fois possessif et protecteur. Elle tressaillit. Quand elle était enfant, son père faisait la même chose, pour la rassurer. Et alors, elle savait que tout allait bien. Son père avait toujours su la consoler... jusqu'au jour où elle l'avait déçu et où elle s'était sentie si misérable devant sa colère... Les yeux de Felix... Ils lui rappelaient tellement ceux de son père...

— Je ne sais pas pour vous, mais moi je n'ai pas encore mangé, lui dit-il. Accepteriez-vous de dîner avec moi, ou au moins de me tenir compagnie ? (Il leva la tête vers Carl.) De toute façon, je suppose que la fête va durer un moment ?

Missy n'entendit même pas la réponse de Carl. Il n'existait plus à ses yeux. Elle ne s'occuperait plus de lui, désormais. Sauf, bien sûr, pour lui rendre la monnaie de sa pièce.

— Bien, nous vous rejoindrons plus tard, disait Felix.

Parfait. Felix était vraiment parfait. Il avait pris la situation en main et contrôlait tout à merveille. Un vrai Cyrus Wakefield, en plus jeune.

Elle suivit Carl et Laura des yeux tandis qu'ils s'éloignaient. Nous ne vous rejoindrons pas, pensa-t-elle. Ni ce soir, ni jamais.

Ce soir, elle était venue au Lagniappe pour Carl. Pour trouver son aide, son réconfort. Mais, à la place, elle avait trouvé quelque chose de plus précieux. Quelque chose qu'elle avait renoncé à chercher...

Un homme à la mesure de son père.

3

Laura Ramsey se réveilla en sursaut, le cœur battant. Encore ce cauchemar... Elle était sur la table d'opération, consciente mais incapable de parler ou de bouger. Des visages masqués étaient penchés sur elle. L'un d'eux disait : « Ça s'est propagé ; il va falloir en enlever encore. » Et on commençait à couper ses bras et ses jambes...

D'habitude, quand elle faisait ce cauchemar, la vue de sa chambre confortable aux murs blancs et bleus suffisait à la rassurer, à lui rappeler qu'elle était bien chez elle, saine et sauve. Mais pas aujourd'hui. Elle mit un moment à comprendre pourquoi. C'étaient les hurlements des sirènes.

Elle poussa un profond soupir et repoussa les draps. Tirant sur le bas de son T-shirt blanc, elle traversa la pièce et ouvrit la fenêtre.

Sa chambre donnait sur Emily Street, une rue à troies voies. En se penchant, Laura pouvait apercevoir Front Street, plus loin la bretelle de l'autoroute I-95 et, au-delà, la rivière Delaware. Plusieurs voitures de police filaient sur l'autoroute, en direction de Water Street. Quelque chose de grave avait dû se passer.

Laura enfila un pantalon de velours côtelé, un large sweater et des boots qui avaient déjà fait leur temps. Elle passa dans la salle de bains, juste le temps de se donner un coup de peigne, de se brosser les dents et de mettre une touche de rouge à lèvres et d'eye-liner. Elle attrapa son magnétophone et son sac.

Les voisins sortaient eux aussi pour aller voir ce qui se passait du côté de Water Street. Une réelle solidarité unissait les habitants de ce quartier sud, proche des docks. C'était l'une des raisons qui avaient décidé

Laura à s'y installer. Ici, elle avait le sentiment d'appartenir à une vraie communauté.

Elle suivit la foule jusqu'à l'ancien dépôt des chemins de fer, entre Water Street et l'avenue Delaware. L'endroit, habituellement désert, était envahi par une douzaine de voitures de police et des agents en uniforme qui essayaient de tenir à distance la foule des curieux.

Laura se retrouva à côté d'une jeune femme aux cheveux longs. Un bébé dans les bras, elle fumait ; Laura remarqua qu'elle avait une petite fleur tatouée sur la main.

— Que se passe-t-il ? lui demanda-t-elle en se hissant sur la pointe des pieds pour mieux voir.

— Aucune idée. J'ai entendu les sirènes et je suis venue. A mon avis, ils ont dû trouver un corps là-dedans. Autrement, il n'y aurait pas tant de flics. Ça doit être un règlement de comptes de la Mafia, ou quelque chose comme ça...

— Ça m'étonnerait, dit une autre jeune femme vêtue d'un débardeur. La Mafia ne travaille pas comme ça. Ils tuent les gens et les laissent dans la rue, comme de vulgaires tas d'ordures. Non. Ce sont ces gamines qui ont disparu. Ils ont dû retrouver leurs corps. J'en suis sûre.

Laura se fraya un passage dans la foule jusqu'à un policier. Derrière lui, elle vit une Plymouth banalisée et un fourgon du laboratoire de la police judiciaire garés près d'un cul-de-sac. Elle sortit sa carte de presse et la montra au jeune flic. Il avait l'air sinistre.

— Que se passe-t-il ? lui demanda-t-elle, espérant que la femme avait tort, qu'il n'y avait pas une montagne de cadavres dans cet ancien entrepôt.

Il regarda sa carte de presse et opta pour la prudence.

— Je ne sais pas, madame. Vous devriez vous adresser au lieutenant.

— Où est-il ?

— A l'intérieur, madame.

D'accord, il avait bien dix ans de moins qu'elle, mais elle aurait aimé qu'il arrête de l'appeler madame !

— Je peux le voir ?

— Dès qu'il sortira, je lui dirai que vous êtes là...

Elle le quitta avant le troisième « madame ». Tous les autres policiers affichaient la même mine sinistre. Elle savait par expérience qu'il en fallait beaucoup pour impressionner un flic. Quelque chose de vraiment terrible devait être arrivé.

Des hommes en uniforme sortirent du bâtiment, un mouchoir plaqué sur le nez et la bouche. Une main pesante se posa sur son bras et Laura se retourna pour se retrouver face à une femme d'une quarantaine d'années, aux cheveux courts et au regard dur.

— Vous êtes la journaliste qui habite Emily Street, pas vrai ?

Elle était en colère. Le genre de révolte qui ne demande qu'à exploser. Laura hésita avant de lui répondre.

— C'est exact.

— C'est bien ce que je pensais. Je vous ai déjà vue, chez Walt. Vous étiez seule et la serveuse m'a dit qui vous étiez. Vous allez écrire quelque chose là-dessus, hein ? Tout le monde doit savoir ce qui s'est passé.

— Qu'est-ce qui s'est passé ?

— Ils ont trouvé un corps. On pense que c'est celui de Terri DiFranco. Vous savez, la dernière gamine qui a disparu. On devrait tuer le salaud qui a fait ça.

Laura savait qui était Terri DiFranco. Elle avait gardé tous les avis de recherche diffusés dans le quartier. Sur le dernier, la photo de Terri était reproduite. Elle avait à plusieurs reprises proposé à *Globe* d'écrire un papier sur cette affaire. Mais on lui avait répondu que cela n'intéresserait personne. Tant qu'on n'avait pas retrouvé les corps, ces disparitions étaient considérées comme de simples fugues. Même la police restait indifférente.

Un autre journal avait tout de même sorti un article sur le sujet, la semaine précédente. Le samedi — le jour de cette fameuse discussion au Lagniappe.

— Comment savez-vous que c'est Terri DiFranco ?

Une femme lui répondit. Elle avait elle aussi une carrure assez impressionnante, les cheveux courts, et portait des lunettes.

— Parce que ce sont des amis à elle qui l'ont retrouvée. Lennie Carnelli et son copain Mike. Ils faisaient l'école buissonnière et traînaient dans le coin.

Une grande jeune femme blonde, d'environ vingt ans, intervint :

— Je les ai vus tout de suite après : ils sont venus à la maison chercher Jim. Ils étaient malades comme des chiens. Mais Jim avait déjà pris son service. Alors je les ai envoyés chez Walt Kramer, un autre flic qui habite juste en face de chez nous. Il est allé avec eux pour voir. Sa femme, Sadie, m'a téléphoné un peu plus tard. Elle m'a dit qu'elle ne l'avait jamais vu dans un tel état. Mais il n'a rien voulu lui dire. Il a tout de suite appelé Louise Pipari, une voisine de Terri DiFranco, et lui a demandé de se tenir prête au cas où on aurait besoin d'elle. Et quand Sadie lui a redemandé ce qui se passait, il a simplement dit que s'il tenait celui qui avait fait ça, il le tuerait de ses propres mains.

— On devrait tuer le salaud qui a fait ça, répéta la première femme.

— Il mérite pire que ça, dit une matrone en survêtement rouge. J'ai entendu dire qu'il l'avait torturée. On devrait l'attacher dans la cour de l'hôtel de ville et lui couper les couilles. Avec une scie, pour que ça lui fasse encore plus mal. Pas vrai, Flora, qu'on devrait lui scier les couilles ?

Flora était une femme malingre, au teint maladif et aux yeux profondément cernés, vêtue d'un gilet en loques et d'une robe à fleurs bleues qui semblait avoir été taillée dans de la toile à matelas. Les larmes aux yeux, elle tendit à Laura l'avis représentant la photo de Terri.

— C'était une gentille gosse. Elle allait tous les dimanches à la messe et n'a jamais rien fait de mal. Elle était italienne, mais elle disait toujours que j'étais sa grand-mère polonaise. Ça lui arrivait de venir me voir après l'école. On discutait. Mais ces derniers temps, je ne la voyais plus beaucoup : elle était trop occupée avec son nouveau petit ami. Je lui ai dit que ce n'était pas bien, qu'il était trop vieux pour elle. Ça l'a fait rire. Elle disait que les grand-mères rabâchaient toujours les mêmes choses.

Elle s'arrêta et éclata en sanglots.

La reproduction de la photo de Terri était assez mauvaise, mais on distinguait nettement les cheveux très noirs et le joli visage d'adolescente à l'expression légèrement renfrognée. Laura songea que si elle avait eu un enfant, il aurait pu avoir cet âge.

— Mais on n'est pas sûr que ce soit elle, dit-elle pour tenter de les rassurer.

Les regards noirs qu'elles lui lancèrent lui firent comprendre qu'elle aurait mieux fait de se taire. Elle était redevenue une étrangère à leurs yeux. Elle essaya aussitôt de renouer le contact :

— Et le petit ami dont vous avez parlé ? Vous savez quelque chose sur lui ?

La femme en survêtement fut la première à parler :

— Elle a dit à Flora que c'était un flic en mission spéciale et qu'il avait une voiture de sport gris métallisé. Et qu'il était beau, avec une barbe et des lunettes noires.

— C'est des conneries, dit la jeune blonde. Il n'y a pas ce genre de flic dans le quartier. Et même s'il y en avait, ils ne conduiraient certainement pas des voitures de sport.

— Je le savais, intervint l'autre. Je savais que Terri avait inventé toute cette histoire. Je l'avais même dit. Vous savez comment sont les gosses...

— Peut-être qu'il a voulu l'impressionner, suggéra Laura.

— Qu'est-ce que tu penses de ça, Flora ? demanda la femme en rouge.

— Il s'appelle Peter. C'est tout ce que je sais. Et je crois qu'il existe vraiment.

Laura regarda à nouveau la photo. Quelque chose dans l'expression de Terri, peut-être ses yeux ou son air farouche, lui disait qu'elle n'avait pas menti. Oui... Peter existait.

Elle sentit quelqu'un lui toucher le bras et se retourner. C'était le jeune flic de tout à l'heure.

— Le lieutenant peut vous voir maintenant, madame.

— Nous vous attendons ici, lui dit une des femmes. Revenez nous dire ce que vous aurez appris.

Laura voulut rendre la photo à Flora mais celle-ci refusa.

— Gardez-la. Comme ça vous pourrez voir si c'est elle.

Laura acquiesça et suivit le policier jusqu'au cul-de-sac où des officiers étaient en grand conciliabule.

— La voilà, lieutenant.

Laura reconnut immédiatement l'homme en blazer bleu. Ils avaient souvent disputé des matches de base-ball opposant l'équipe du journal à celle de la police. George Sloan était le chef de la 7e brigade, chargée des affaires criminelles les plus délicates. Sa présence ne présageait rien de bon.

Il paraissait vidé, complètement retourné. Son teint était livide.

— Vous avez vraiment mauvaise mine, George.

— Merci, Laura, j'avais besoin qu'on me le dise. C'est juste une petite grippe.

Il lui adressa un sourire fatigué.

— Je ne savais pas que Will vous avait affectée aux affaires criminelles.

— Il ne l'a pas fait. J'habite à côté et j'ai entendu

les sirènes. Vous voulez mon avis, George ? Vous devriez aller vous mettre au lit avec deux aspirines et un verre de cognac. Vous avez l'air d'être au plus bas.

— J'aimerais bien, mais je n'ai pas le temps... Je ne savais pas que vous habitiez dans le quartier.

— Oui, dans Emily Street... Qu'est-ce qui s'est passé ?

— A priori, un meurtre avec viol. Le labo nous confirmera plus tard s'il y a eu viol ou non.

— Qui est la victime ?

— On ne peut pas être sûr avant l'identification par la famille.

— C'est une adolescente ?

— Oui... comment le savez-vous ?

— C'est cette fille ?

Elle lui montra la photo de Terri. A sa manière de détourner le regard, elle comprit qu'il s'agissait bien d'elle. Elle insista quand même.

— C'est elle ?

— J'ai déjà dit qu'on ne pouvait pas être sûr avant l'identification. Mais c'est possible.

C'était très clair. La famille et les amis de Terri DiFranco n'auraient plus besoin de la rechercher. Laura poussa un profond soupir.

— Comment est-elle morte ?

Des images horribles passèrent dans sa tête. La vision d'un corps bleui et déformé par les coups, comme cela arrivait souvent en cas de viol.

— Elle a été étranglée. A première vue, il ne l'a pas torturée. Juste violée et étranglée.

Laura sentit un frisson la parcourir. Elle n'avait pas l'habitude de couvrir ce genre d'affaires et ne s'en plaignait pas. Mais maintenant qu'elle était là, elle devait faire son boulot.

— Pensez-vous qu'elle connaissait son agresseur ?

— Difficile à dire. L'assassin a de toute évidence agi avec préméditation. Mais on ne peut pas savoir si la victime était par avance désignée ou si elle est tombée par hasard dans son piège. En tout cas, c'est certainement le début d'une longue enquête...

— Que voulez-vous dire ?

— Que les disparitions qui ont eu lieu dans le quartier ne sont peut-être pas des fugues. (Il pointa un doigt sur la photo.) Terri DiFranco était la dernière. Si c'est effectivement son corps qu'on a retrouvé, on tient une piste.

— Vous pensez qu'il s'agit de meurtres en série ?

— Peut-être.

Sloan ne voulait visiblement pas en dire plus. Laura essaya un autre angle d'attaque.

— Vous parliez tout à l'heure de préméditation. Qu'est-ce qui vous le prouve ?

— Ce qu'on a trouvé à l'intérieur du bâtiment.

— C'est-à-dire ?

— L'endroit était décoré comme un vrai nid d'amour. Le corps se trouve au centre, entouré de bougies. Très bizarre.

— Et il l'a attirée là pour la violer ?

— Possible.

— Alors, comment pouvez-vous dire que vous ne savez pas s'il s'agit de meurtres en série ? Des adolescentes disparaissent. Vous retrouvez le corps de l'une d'elles dans un endroit manifestement préparé pour la piéger. Qu'est-ce qu'il vous faut de plus ?

— Le coup a pu être fait par quelqu'un qu'elle connaissait — son petit ami...

— En vous attendant, j'ai discuté avec des femmes qui la connaissaient. Elles m'ont parlé d'un certain Peter, un homme que Terri fréquentait et qui prétendait être flic.

— Je sais. Nous avons déjà entendu parler de lui. Mais pas moyen de le retrouver.

— Et le fait qu'il soit de la police ? Avez-vous fait des recherches à ce sujet ?

— *Oui*, Laura. On travaille de temps en temps, vous

savez... Nos recherches ont prouvé qu'il ne pouvait pas s'agir d'un vrai flic. C'est une ruse assez courante chez les violeurs. Mais d'habitude ils agissent plus rapidement. Nous sommes au moins sûrs d'une chose : Terri fréquentait cet homme depuis un mois. Pourquoi aurait-il attendu tout ce temps pour la violer ? Ça ne semble pas logique.

— Voyez-vous une explication ?

— C'est la journaliste ou la partenaire de base-ball qui parle ?

— Est-ce que ça fait une différence ?

— Oui, parce que nous entrons dans le domaine des spéculations et qu'il y a certaines règles à respecter. Ce serait un désastre si vous publiiez ce que je vous dis maintenant. Le public réagit très mal devant ce genre d'affaire.

Laura regarda la foule derrière le cordon de police. Elle comprit ce que Sloan voulait dire. Il suffirait de peu pour déclencher une émeute.

— Une vraie bombe à retardement, hein ?

— Oui. Ces disparitions me préoccupaient depuis longtemps. Mais je ne pouvais pas agir jusqu'à aujourd'hui. Maintenant, nous avons la preuve qu'il ne s'agissait pas de simples fugues.

— George, je vous le demande comme un service : que pensez-vous de tout ça ?

— Bon. Je vais essayer de vous faire confiance. Il est possible que l'assassin se soit fait passer pour un flic pour impressionner sa victime. Rien de plus facile que de se procurer un insigne et des menottes... Mais ce n'est qu'une possibilité...

— Ce qui veut dire ?

— Ce qui veut dire que je vous en ai déjà trop dit.

Laura regarda le bâtiment.

— George, emmenez-moi à l'intérieur. Je veux voir.

— Non, vous ne voulez pas. Croyez-moi.

— Mais je dois y aller. Autrement, qu'est-ce que je vais pouvoir écrire ?

Sloan soupira et se tourna vers ses hommes.

— Rafferty, donne-moi ta bouteille.

Rafferty sortit un petit flacon de sa poche et le lui tendit.

— Prenez ça, dit Sloan à Laura.

— Qu'est-ce que c'est ?

— De l'eau de Cologne. L'odeur est assez insoutenable à l'intérieur. Mettez-vous ça sous le nez, ça vous aidera un peu.

Il la devança et elle se demanda ce qu'elle était en train de faire. Normalement, elle couvrait les événements artistiques et les premières... pas les viols et les meurtres. Mais elle s'était assez lamentée auprès de son patron, lui répétant qu'elle en avait marre de ce genre de sujets. Eh bien, c'était le moment de prouver qu'elle était capable de s'adapter... et qu'elle avait quelque chose dans le ventre.

Sloan lui lança un regard par-dessus son épaule. Elle rassembla son courage pour le suivre. Il contourna le bâtiment.

— Hey, je croyais que ça s'était passé là-bas, lui dit-elle en lui montrant le cul-de-sac.

— C'est vrai. Mais je veux vous donner une idée d'ensemble. Ça peut être utile pour l'atmosphère de votre article.

Il n'appréciait visiblement pas ce qu'il faisait. Il paraissait même irrité, malgré la sympathie qu'il avait toujours éprouvée pour Laura.

— Surtout, ne touchez à rien, lui dit-il quand ils furent devant la porte. On ne relèvera les empreintes qu'après avoir enlevé le corps.

Et puis Laura n'entendit plus rien. L'odeur la suffoqua, muselant tous ses autres sens. Jamais elle ne pourrait oublier ni même décrire cette odeur. L'odeur de la mort d'une enfant de quinze ans... qui l'enveloppait comme une seconde peau.

Sloan sortit son flacon d'eau de Cologne et son mouchoir, qu'il appliqua sur son nez. Laura l'imita.

Les pièces qu'ils traversèrent étaient encore remplies de meubles. De vieux bureaux, des chaises pivotantes en bois, des classeurs et un pèse-marchandises. Des papiers traînaient sur les bureaux et les corbeilles de courrier étaient pleines. Seule l'épaisse couche de poussière prouvait que le bâtiment était abandonné depuis longtemps.

Dans la pièce du crime, on avait laissé la porte et la fenêtre ouvertes, pour aérer. Mais cela ne suffisait pas. L'odeur était omniprésente. Les hommes du service médico-légal étaient arrivés, mais Sloan leur fit signe d'attendre dehors.

Laura regarda la pièce, évitant de poser les yeux sur le tableau central. Contrastant avec le reste du bâtiment, ici tout était propre et bien rangé, comme l'avait dit Sloan : des bougies, donnant une ambiance de cérémonie, de rituel ; une bouteille de vin ; une radio, seul élément détonnant dans cette atmosphère de chapelle.

Finalement — combien de temps aurait-elle pu l'éviter ? — Laura regarda le corps. Il était dans l'ombre, mais elle distingua une silhouette à genoux, la tête posée sur des couvertures. Elle n'était pas nue, mais son pantalon était baissé, son sweater relevé et elle avait les mains attachées derrière le dos.

Laura s'approcha et Sloan tenta de la retenir. Elle l'ignora, fit un pas de plus. Un rai de lumière, venant de la fenêtre, éclairait le corps. Elle aperçut les menottes.

Encore un pas... Elle se mordit les lèvres pour ne pas hurler. Le corps gonflé avait éclaté et...

C'était trop.

Sloan attrapa Laura et la fit sortir rapidement.

— Maintenant vous savez pourquoi je ne voulais pas que vous entriez.

— George... vous devez l'arrêter. Il ne doit pas s'échapper. Mon Dieu... c'est horrible.

Qui qu'il fût, celui qui avait fait ça était un malade,

une bête malfaisante qu'il fallait abattre sans pitié.

Sloan la prit par le bras et fit quelques pas avec elle.

— Je vous promets que nous l'aurons. Maintenant, allez écrire votre article. Je vous appellerai dès que l'identification sera officielle.

Aucun petit ami, aussi bizarre soit-il, n'aurait pu faire ça, pensa Laura en traversant la foule. Ce n'était pas non plus l'œuvre d'un violeur ordinaire.

C'était spécial. Ça dépassait l'imagination. L'œuvre d'un malade, oui. D'un fou démoniaque. Aucun mot ne pouvait décrire ce qu'elle venait de voir...

4

Sur le chemin du journal, Laura réfléchit à ce qu'elle allait écrire. Aussitôt sortie de l'ascenseur, elle se précipita vers son bureau, posa son sac et commença son article.

Elle n'a pas souffert, titra-t-elle.

Le reste vint tout seul, en un flot continu, un élan impérieux. L'histoire s'enchaînait d'elle-même, sans fioritures ni phrases superflues. Cette fois, Laura n'avait pas besoin de chercher ses mots pour chanter les louanges d'une nouvelle rock-star décharnée et tatouée ou de la énième femme d'un milliardaire en vue. Cette fois, la sincérité s'imposait et Laura savait qu'elle n'avait jamais rien écrit de meilleur. Elle espérait que Will Stuart serait de son avis. Elle parcourut son courrier, alla prendre un café au distributeur, puis décrocha son téléphone et demanda si Will pouvait la recevoir.

Rongeant son frein, elle dut attendre que Martha, la secrétaire sexagénaire de Will, allume une Camel sans filtre, remette de l'ordre dans ses boucles permanentées et aille l'annoncer.

— Il est en ligne, mais vous pouvez entrer, lui dit Martha.

En passant devant elle, Laura sentit le parfum de lavande si caractéristique. Will avait affectueusement surnommé Martha « miss Lavande ».

— Comment est-il aujourd'hui ?

— Pas à prendre avec des pincettes, répondit Martha d'une voix enrouée par les cigarettes. Ses hémorroïdes doivent le travailler.

Will était encore au téléphone et Laura attendit, appréciant le décor qui l'entourait. Elle avait toujours aimé le bureau de Will. Il ressemblait à un club pour gentlemen anglais : fauteuils et canapés de cuir, meubles en acajou, tables basses, bureau monumental, lambris... Il ne manquait que les trophées de chasse. Mais Will avait orné ses murs de trophées bien particuliers : des photos de danseurs de ballets. Il n'avait jamais caché son goût pour les jeunes gens au corps d'athlète.

— Je te rappelle, dit-il à son interlocuteur quand il aperçut Laura.

Il raccrocha et lui sourit. La cinquantaine, corpulent et très élégant, Will avait un visage rond, les cheveux châtains et une fine moustache. Pour le décrire, Laura aurait utilisé le mot « onctueux ». Son goût pour les jeunes danseurs n'était pas sa seule faiblesse. Il avait aussi une passion pour les chemises sur mesure, les larges cravates, les bretelles et une eau de toilette citronnée importée des Caraïbes. Ce jour-là, il arborait la panoplie complète.

Il invita Laura à s'asseoir en face de lui, dans un confortable fauteuil.

— Comment vas-tu ? Est-ce que tu te sens bien ? demanda-t-il d'un air entendu.

— Ça va, merci, répondit-elle.

Elle appréciait ses marques d'attention mais en même temps elle regrettait qu'il fût au courant, pour son opération. Heureusement, il ne savait rien de ses cauchemars...

— Parfait. Qu'est-ce que je peux faire pour toi ?

Elle lui raconta sa matinée.

— ... et j'aimerais m'occuper exclusivement de cette affaire pendant une semaine ou deux. Peut-être moins, si on retrouve rapidement l'assassin.

— Je ne mâcherai pas mes mots, Laura. La réponse est non.

Avant qu'elle puisse objecter quoi que ce soit, il souligna :

— Tu es payée — et bien payée — pour couvrir la rubrique mondaine, pas celle des bas-fonds de Philadelphie. Ce qui se passe dans ces quartiers n'a rien de nouveau et n'intéresse personne. Tu le sais aussi bien que moi. Alors qu'est-ce qui te prend de vouloir en parler ?

— Ça s'est passé dans *mon* quartier, Will. J'ai envie d'en savoir plus.

Will s'était levé et faisait les cent pas.

— Écoute, Laura. Si je voulais écrire l'histoire d'une minette un peu trop délurée tuée par son petit ami, j'enverrais mes deux ex-flics alcoolos sur le coup. Mais crois-tu que je pourrais les envoyer au Palace Hôtel pour interviewer Mick Jagger ? Qu'en pensestu ? Réponds-moi.

Laura prit une profonde inspiration.

— Non, bien sûr, dit-elle avec une pointe d'agressivité. Mais tu n'es pas juste, Will. Il ne s'agit pas d'une « minette », mais d'une brave gosse qui allait tenir compagnie aux personnes âgées après l'école. J'ai déjà essayé de t'expliquer qu'il y a eu une série de disparitions dans le sud de Philadelphie. Terri DiFranco était la dernière du lot. Bon Dieu, Will ! Elle a été violée et assassinée ! Et je suis sûre que les autres ont subi le même sort. Des meurtres en série... Ça va faire du bruit ! George Sloan et la 7e brigade sont sur le coup...

Will se rassit et se gratta le crâne d'un air songeur.

— Justement ! Si George Sloan est sur l'affaire... (Il pointa l'index vers le portrait de Glen Caruthers, le milliardaire propriétaire de *Globe*.) Tu connais nos règles, Laura. Nous laissons les affaires nationales et internationales à l'*Inquirer*, les nouvelles locales au *Daily News*. Nous, nous couvrons les manifestations culturelles, la vie de la communauté. Nous sommes là pour faire rêver le lecteur, pas pour lui donner des cauchemars. Et je dois dire que nous remplissons parfaitement notre mission.

— On assassine des enfants, et tu trouves que ça ne concerne pas la vie de la communauté ?

— Si, mais ce n'est pas notre créneau. Si encore il s'agissait de gosses des beaux quartiers... Mais ce sont des gamines de *ton* quartier. Et puis j'ai déjà lu un article là-dessus : rien ne dit que ces disparitions soient liées.

— Justement ! Nous tenons un *scoop* ! C'est important, non ? Je suis la première à t'apporter cette information... Et de toute façon, je ne vois pas ce que tu as contre mon quartier.

— Je suis contre le fait que tu y habites. Tu as largement les moyens de t'installer à Society Hill ou dans une maison de Rittenhouse Square. Je ne comprends pas ce qui t'a poussée à aller vivre près des docks. C'est complètement fou.

Il se laissa aller au fond de son fauteuil et le fit pivoter. Il lui tournait le dos à présent.

— J'ai parfois l'impression d'être ta mère, Laura. Je te mets ta jolie robe du dimanche et tu vas aussitôt te rouler dans la boue.

Elle hocha la tête. Will savait parfaitement comment l'atteindre. Son allusion était claire : il avait été le seul à la défendre quand les avocats de Caruthers avaient demandé son renvoi. Grâce à lui, elle avait non seulement obtenu un congé de longue durée pour se faire opérer, mais elle avait ensuite retrouvé son poste.

Et durant les affreux mois qui avaient suivi son hospitalisation, Will l'avait soutenue comme un véritable ami. Elle ne pouvait pas le nier. Il avait toujours été là dans les moments les plus durs, la couvrant d'attentions et essayant de la distraire. Elle s'était confiée à lui, elle avait pleuré sur son épaule, et jamais il ne s'était dérobé. Oui, elle lui devait beaucoup et il pouvait compter sur elle, n'importe quand et n'importe où. Mais pas cette fois. Les disparitions et le meurtre de Terri avaient la priorité, et elle était décidée à tenir bon.

— Qu'est-ce que tu attends de moi ? demanda-t-elle. Ta soi-disant obéissance aux règles de la maison ne m'a pas convaincue.

Will sembla hésiter.

— Tu es une fille intelligente, je l'ai toujours dit, déclara-t-il enfin. Je veux que tu fasses une petite enquête et un papier sur un certain Felix Ducroit. Il me le faut au plus tard pour Halloween, c'est-à-dire, si j'ai bonne mémoire, pour la fin octobre.

— Felix Ducroit ?

— Un promoteur...

— Je sais qui il est. Mais pourquoi veux-tu un papier sur lui ?

— J'ai reçu plusieurs appels de personnes qui s'intéressent à lui.

— Et les filles disparues ?

— Je suis désolé, mais pour l'instant c'est Felix Ducroit qui prime.

— Will, j'ai rencontré Felix Ducroit. Je ne peux pas imaginer qu'il ait plus d'importance que la vie — ou plutôt la mort — de ces adolescentes. Mais je te propose un marché. Laisse-moi suivre cette affaire et je te ferai ton papier.

Will pivota pour lui faire face.

— Et quelle sera ta priorité ?

Laura savait qu'il n'y avait qu'une réponse possible :

— Felix Ducroit.

— Et souviens-toi d'une chose : je ne veux pas que tu parles de meurtres en série. Tu traiteras cette affaire comme un incident isolé. Les gens vont paniquer si tu leur dis qu'un tueur se balade dans les rues. Et ni moi ni notre vénéré patron n'aimons la panique.

Sloan rappela à l'ordre les agents de la 7e brigade. Cette réunion semblait tout droit sortie d'un feuilleton de série B. La pièce était opaque tellement elle était enfumée et tout le monde était affalé derrière les bureaux métalliques. L'épuisement de cette matinée passée à l'ancien entrepôt se lisait sur les visages.

— Bon. Voyons ce que nous avons, dit-il.

Les mots résonnèrent douloureusement sous son crâne fiévreux. Il jeta un œil au dossier posé sur son bureau.

— Je ne vois pas le rapport du labo. Où est-il, Evans ?

Evans, un homme trapu dont la cravate atteignait à peine le troisième bouton d'une chemise étriquée, répondit :

— J'ai fait faire les analyses par Wakefield et Pollack, comme vous l'avez demandé. Nous aurons les résultats dans environ deux heures.

Le laboratoire de la police avait été surchargé ce week-end et on avait confié les analyses à un laboratoire privé. Wakefield et Pollack était réputé pour son excellent travail.

— Vous avez tous pris connaissance du reste du dossier, poursuivit Sloan. La victime a été identifiée. Il s'agit de Terri DiFranco, l'une des filles portées disparues. Je suis prêt à parier que nous sommes en présence d'un psychopathe et que le fameux Peter est notre homme. Nous savons aussi qu'il a été en contact avec au moins deux des autres filles disparues. Il est sorti avec elles un moment, jusqu'au jour où on n'a plus retrouvé leur trace.

La seule femme de l'équipe leva la main.

— Oui, Kane ?

— On n'a pas retrouvé le corps des autres filles.

Pourquoi l'assassin a-t-il fait une exception avec Terri DiFranco ?

— Je ne sais pas. Peut-être que cette fois il a agi sans préméditation. Ou peut-être a-t-il été pris de court.

Un jeune inspecteur aux cheveux bouclés et aux lunettes rondes demanda :

— Et où sont passés les autres corps ?

— Je n'en sais rien pour l'instant, Spivak. Mais il n'y a rien d'étonnant à ce qu'on ne les ait pas retrouvés. Il y a plein de bâtiments déserts dans les Cinquième et Septième Rues ; il a pu les y entasser ou les enterrer. On est encore loin d'avoir tout fouillé. Et il y a aussi la rivière et le nord de Philadelphie. On pourrait y cacher une armée entière. Alors je ne sais pas. Mais ça ne me préoccupe pas trop. Nous avons un corps et ça suffit pour démarrer une enquête. C'est l'essentiel. Il faut retrouver ce Peter et l'épingler. Vous me suivez ?

Il jeta un coup d'œil sur le dossier.

— Nous avons une description, mais ça ne nous avance pas beaucoup. Personne n'a jamais vraiment vu ce type. Brun, barbu, des lunettes noires et un blouson de cuir... La moitié des gars de la ville correspondent à ce signalement. Et ça peut aussi être un déguisement. Notre homme est peut-être chauve. Evans, je veux que vous alliez voir les costumiers de Walnut. Ramenez la liste des personnes qui ont acheté des perruques et des fausses barbes. Deux choses encore. Il conduit une voiture de sport gris métallisé. On ignore encore la marque. Et il se fait passer pour un flic en mission spéciale.

— Pas très original ! fit remarquer Rafferty.

— Jusqu'à présent il n'a pas commis d'erreur. Mais un petit détail pourrait bien lui avoir échappé.

Sloan montra une pochette d'allumettes. Le mot « Lagniappe » y était inscrit en lettres d'or sur fond noir.

— On a retrouvé ceci dans le sac de la victime. Le

Lagniappe est un restaurant de Society Hill. Très chic : show-biz, peintres à la mode, politiciens... enfin le gratin. Pas exactement le genre d'endroit que fréquente une gamine du sud de Philadelphie. Il y avait aussi un paquet de Marlboro entamé dans son sac. D'après ses parents, elle fumait, mais jamais à la maison. Elle n'avait peut-être pas de feu et il a pu lui donner sa pochette.

— C'est un peu léger, intervint Spivak. Elle a pu trouver ces allumettes n'importe où.

— Exact. Mais c'est notre seul élément concret pour l'instant. Je préfère penser qu'il nous mènera quelque part. Je veux que vous et Kane deveniez des habitués du Lagniappe. Essayez de trouver quelque chose.

— Tous frais payés ? demanda Kane.

Sloan ne releva pas la plaisanterie.

— Et moi et Rafferty ? demanda Evans. Ça nous aurait pas déplu de traîner dans un restaurant chic.

Sloan esquissa un sourire.

— Avec l'allure que vous avez, ils ne vous laisseraient pas entrer. Et puis, Evans, votre femme m'écorcherait vif si je vous confiais une mission aussi dangereuse.

— Dangereuse ?

— Pour toi, idiot ! renchérit Rafferty. Mission ou pas, ta femme te ferait passer un sale quart d'heure si elle apprenait que tu t'es payé du bon temps sans elle !

Sloan laissa les railleries suivre leur cours un moment, puis redevint sérieux.

— Inutile de vous préciser que vous devez rester très discrets, dit-il à Spivak et Kane. Notre homme ne doit se douter de rien. Pas avant que nous soyons prêts.

— Avons-nous plus de détails sur le Lagniappe ?

— Ça a l'air d'être un endroit sans histoires. Pas de drogue ni d'affaires louches. Ah ! une chose, quand même : il y a quelques années, une des serveuses a accusé le propriétaire d'avoir tenté de la violer. Sa plainte n'a pas abouti parce que le patron... (il s'arrêta pour consulter le dossier) — il s'appelle Justin Fortier — ... venait de renvoyer la fille pour vol. Je ne sais pas si c'est une piste sérieuse. Mais vous savez au moins par quoi commencer.

5

Missy jeta un regard ennuyé à sa montre Piaget en or sertie de diamants tandis que Felix Ducroit se garait devant le centre médical Rothstein. Dix heures dix. Elle serait en retard pour son jour de reprise. Mais peu importait. Felix comptait bien plus que son travail...

Rien de tel que la compagnie d'un homme comme lui pour vous remettre sur les rails. Surtout après l'humiliation que Carl lui avait infligée au Lagniappe. Carl, sa bécasse de journaliste et leurs merveilleux projets... Après tout ce qu'elle avait fait pour lui... Eh bien, adieu, Carl ; bonjour, Felix.

Elle posa la main sur sa cuisse et le regarda, attendant une réaction. Elle éprouvait à la fois une forte attirance pour lui et une sorte de ressentiment. Il avait été très gentil ; là n'était pas la question. Il avait accepté de prendre un verre chez elle après le dîner et l'avait écoutée comme jamais Carl n'avait su — ou voulu — le faire. Elle s'était même surprise à lui parler de son père, lui dévoilant des sentiments qu'elle n'avait jamais confiés à personne. Pourtant elle connaissait à peine Felix. Peut-être était-ce cela qui avait facilité les choses. Mais cet homme avait surtout le pouvoir d'abattre ses défenses. Un pouvoir qui plaisait à Missy tout en la mettant mal à l'aise. C'était comme autrefois, avec son père...

Il n'avait pas essayé de coucher avec elle. Elle en avait été à la fois impressionnée et intriguée, et même contrariée. Pas le moindre geste d'approche ! Et c'était la même chose maintenant, dans la voiture... Elle remonta la main le long de sa cuisse et sentit son sexe réagir. Au moins, il avait tout ce qu'il fallait de ce côté-là, se dit-elle. Et il était vraiment superbe, avec sa barbe et son air sévère. Elle se sentit beaucoup mieux, à nouveau maîtresse de la situation.

— A ce soir ?

C'était plus une affirmation qu'une question et Missy n'attendit pas la réponse. Elle se pencha pour déposer un léger baiser sur sa joue et sortit rapidement de la voiture. Sans se retourner, elle se dirigea d'un pas décidé vers l'entrée du centre médical.

Un sourire satisfait aux lèvres, elle entra dans l'ascenseur et pressa le bouton du dixième étage où se trouvait le cabinet médical Wakefield et Pollack, spécialisé dans le traitement de la stérilité masculine et des dysfonctionnements sexuels.

Kate, la réceptionniste, leva les yeux de son travail et lui sourit nerveusement quand elle passa la double porte vitrée de l'entrée.

— Bienvenue, miss Wakefield.

— Bonjour, Kate.

Missy jeta un coup d'œil dans la salle d'attente. La plupart des médecins étaient encore à la clinique pour la visite du matin et la salle était pleine. Elle reconnut plusieurs patients. D'autres, l'air angoissé, accompagnés de leur femme, étaient des nouveaux. Son regard s'arrêta sur le portrait de son père accroché en face de la porte. Son visage à l'expression sévère imposait le respect et l'obéissance, plus encore que de son vivant.

Missy passa derrière le bureau de la réception et se pencha par-dessus l'épaule de Kate pour consulter le carnet de rendez-vous. Trois noms attirèrent de suite son attention. Ces hommes étaient là pour une dernière consultation avant leur entrée à la clinique dans l'après-midi.

Le premier, un ancien sex-symbole de Hollywood, avait le système nerveux irrémédiablement détraqué par l'abus des drogues et de l'alcool. On devait lui greffer un implant, un système hydraulique miniature. Après cette intervention, il pourrait provoquer ses érections sur commande. Une légère pression sur les testicules insufflerait de l'air dans le système, et hop ! la verge se redresserait aussitôt. Il n'aurait pas d'orgasme, mais préserverait au moins sa réputation d'amant infatigable. Quelle ironie ! L'étalon du siècle obligé d'appuyer sur une poire pour bander ! Enfin, songea Missy avec un sourire, la science fait des merveilles, mais les hommes ne changeront jamais...

Le deuxième nom était celui d'un Anglais homosexuel, une star du rock dont le comportement sexuel était notoirement obsessionnel. Son psychiatre avait prescrit l'implantation d'une petite pile, semblable à un pacemaker, dans son bas-ventre. Quand il perdrait le contrôle de lui-même, ce système lui permettrait d'envoyer une légère secousse à ses parties génitales et de calmer ses ardeurs.

Le troisième patient était un roi du pétrole qui avait contracté une maladie vénérienne. Il avait été contaminé par l'une de ses nombreuses femmes et on racontait qu'il avait fait tailler la coupable en morceaux et disperser ses restes dans le désert.

Missy pointa le doigt sur les trois noms.

— Naturellement, vous les avez introduits par l'entrée privée ? demanda-t-elle à Kate.

— Oui. La limousine a fait la navette toute la matinée pour aller les chercher à l'aéroport.

— Ils sont en salle d'examen ?

— Oui.

Il y eut un silence. Kate attendait visiblement que Missy engage la conversation, lui fasse quelques confidences. Mais rien ne vint. Missy trouvait déjà bien suffisant de ne pas l'avoir virée quand elle avait appris sa liaison avec le plus jeune médecin du cabinet. Sa tolérance et sa sympathie n'iraient pas plus loin.

Tout en se dirigeant vers la salle des vestiaires, elle se dit que les choses allaient être bien différentes sans son père. Jusqu'à présent, elle avait travaillé pour lui, comme on travaille pour le maître d'un domaine. Il aurait voulu qu'elle devienne médecin, mais cela avait été hors de question pour elle. Cela aurait signifié devenir son égal et c'était justement ce qu'elle ne voulait pas, ne pouvait pas envisager. De plus, la médecine ne l'avait jamais intéressée. Seul son père comptait : être près de lui et lui donner satisfaction suffisait à son bonheur. Il n'avait bien sûr jamais compris son refus d'embrasser la même carrière que lui. Et elle n'avait jamais pu lui expliquer ses raisons.

Elle voulait qu'ils forment une équipe, qu'ils travaillent côte à côte. C'est pourquoi elle était devenue infirmière et gérait l'administration du cabinet. Oui, ici ils avaient formé une équipe, un couple. Un père et sa fille...

Dans le vestiaire, elle trouva une pile de blouses blanches ayant appartenu à son père. Son nom, Wakefield, était brodé en rouge sur la poche de gauche. Elle suivit le tracé des lettres du bout du doigt puis, d'un mouvement impulsif, déplia la blouse et l'enfila. Elle en remonta le col et se regarda dans le miroir placé derrière la porte. Depuis combien de temps n'avait-elle pas porté un de ces vêtements ? Cela faisait douze ans. Elle venait juste de fêter ses seize ans et, comme cadeau d'anniversaire, il l'avait emmenée dans leur cabanon de Poconos pour une partie de pêche. Le premier jour, ils avaient été surpris par un orage et il lui avait mis sa veste sur les épaules. Quel bonheur elle avait ressenti alors, serrée dans ses bras protecteurs, tandis qu'ils couraient pour rejoindre le cabanon... Elle pensa un instant garder la blouse sur elle, en souvenir de lui. Mais elle rejeta rapidement cette idée, honteuse, même, d'y avoir pensé. Son père ne l'aurait pas admis... Depuis ce fameux voyage, aucun témoignage d'affection ou d'intimité n'avait plus été possible entre eux...

Ce qui s'était passé, s'était-elle répété durant toutes ces années, n'avait pas été sa faute. Tout était arrivé à cause de Roy Curtis, le jeune fils du banquier propriétaire du cabanon voisin. Mais c'était elle qui avait été punie.

Elle voulait seulement pêcher avec son père, être avec lui. Mais Roy était toujours dans les parages, comme un chien en rut. Missy avait déjà eu sa première expérience sexuelle trois ans auparavant, avec un cow-boy de vingt-sept ans, dans un ranch du Montana. Mais le sexe ne l'intéressait pas beaucoup. Elle préférait les chevaux et la compagnie de son père. Pourtant, Roy ne se décourageait pas. Il continuait à tourner autour d'elle comme une mouche autour d'un pot de miel. Finalement, pour se débarrasser de lui, elle avait cédé.

Cela s'était passé dans le hangar à bateaux et Roy avait été aussi décevant qu'elle l'avait imaginé. Elle avait fait de son mieux pour suivre son rythme et l'aider à en finir au plus vite. C'était presque terminé quand elle avait aperçu le visage de son père derrière la fenêtre. Leurs regards s'étaient croisés tandis que Roy se dégageait d'elle. Missy aurait voulu mourir. La terreur la paralysait, montant en elle par vagues irrépressibles. Quand elle avait enfin réagi et s'était débarrassée de Roy, elle s'était précipitée au-dehors. Mais son père n'était plus là. Elle venait de le perdre, pour toujours...

Pendant plusieurs heures, elle s'était cachée, n'osant pas rentrer au cabanon. Puis elle avait rassemblé son courage pour affronter son père. Il était assis et l'attendait. Les bagages étaient dans la voiture. Ils n'avaient pas échangé un seul mot. Missy avait passé tout le voyage blottie dans le coin de son siège, glacée et tremblante. Si seulement il l'avait enveloppée dans sa vieille veste de pêche et lui avait dit que tout allait bien, qu'il lui pardonnait... Mais non. Pas un mot, pas un geste, pas même un regard...

Et, durant les douze années qui suivirent, il ne lui pardonna jamais. Missy enleva la blouse blanche, la replia soigneusement et la remit sur le dessus de la pile. Elle s'apprêtait à prendre son uniforme d'infirmière dans le placard quand la porte du vestiaire s'ouvrit. L'une des secrétaires passa la tête dans l'entrebâillement.

— Ah ! Vous êtes là. Le Dr Pollack voudrait vous voir avant que vous ne vous changiez.

— J'y vais tout de suite.

Nathan Pollack, le collaborateur de son père, n'était pas seul dans son bureau. Sa femme, Beverly, était là aussi, avec son habituel regard de glace. Aux yeux de Missy, les Pollack formaient le couple le plus répugnant qui puisse exister. Ils lui rappelaient Laurel et Hardy, l'humour en moins. Nathan tenait le rôle de Laurel. Personne ne l'avait jamais appelé Nat, pas même le père de Missy. Il était petit, portait des lunettes et avait toujours des tas de stylos dans ses poches. Pour un homme comme lui, l'acte le plus spontané équivalait à sortir en ville avec sa BMW sans emporter de parapluie. Mais, comparé à sa femme, il était supportable. Missy était dégoûtée à la vue des poils noirs qui lui piquetaient le menton et la lèvre supérieure, de ses cent kilos passés et de ses seins énormes.

Nathan se leva de derrière son bureau et montra une chaise à Missy comme s'il essayait de la lui vendre.

— Asseyez-vous, je vous en prie.

Sa voix tremblait un peu. Elle se demanda pourquoi.

— Laissez-moi vous dire une fois encore — et je suis sûr d'exprimer aussi les sentiments de Beverly et de toute la corporation — combien je suis triste au sujet de Cyrus.

Elle lui en voulut d'employer le prénom de son père. Seuls ses amis intimes avaient le droit de l'appeler ainsi. Et Nathan avait peut-être été son collaborateur, mais jamais son ami ou son confident.

— J'espère que ces quelques jours de repos vous ont aidée à surmonter le choc.

— Oui.

Elle se retint de dire que Beverly ne l'avait pas beaucoup aidée, lors des obsèques, en se jetant littéralement sur le buffet et en ingurgitant assez de nourriture pour ravitailler tous les sans-abri de Philadelphie.

— Bon. Nous voulions vous mettre au courant des quelques changements que nous avons effectués durant votre absence.

— Quelle *sorte* de changements ?

— Comme vous le savez, votre père était un brillant médecin...

— Oui, je sais. Ne tournez pas autour du pot, Nathan.

— Je vous demande pardon ?

— Désolée. Je suis un peu nerveuse ces temps-ci.

— Oui. Eh bien, comme je m'apprêtais à vous le dire, sans votre père, le cabinet marchera certainement moins bien. Pour éviter de futurs problèmes financiers, nous avons donc donné leur congé à quatre de nos assistantes.

A présent, Missy comprenait mieux son air gêné. Du temps de son père, il y avait assez de travail pour au moins quatre assistantes. Désormais elles n'étaient plus nécessaires. C'était logique. Mais Missy n'appréciait pas les procédés de Nathan. Elle était d'ailleurs convaincue que Beverly était derrière tout ça et qu'elle avait suggéré à son mari d'agir durant son absence.

— Si mes souvenirs sont exacts, vous ne possédez que vingt-cinq pour cent des parts, souligna Missy.

— Plus maintenant. A la mort de votre père, j'ai racheté ses parts.

— Quoi ? Ce n'est pas possible...

— Je pensais que vous étiez au courant de notre accord. Si l'un de nous deux mourait, il était convenu que l'autre rachèterait ses parts.

Sa voix était pleine de la même fausse compassion qu'il employait pour expliquer à un patient qu'il avait un cancer des testicules et qu'il fallait les lui enlever. Sa voix de mauvais augure. Missy était dégoûtée.

— Pouvez-vous m'expliquer plus en détail ? demanda-t-elle en essayant de paraître calme.

— C'est simple. Nous avions signé une convention et pris une police d'assurance-vie. Quand Cyrus est mort, la compagnie d'assurances a versé deux millions et demi de dollars à votre mère qui s'est en échange départie en ma faveur des biens professionnels de votre père.

— Et les autres biens ?

— Votre résidence principale et la voiture reviennent à votre mère. Le reste — le cabanon de pêche, la maison au bord de la mer et celle de Saint-Martin — va avec les biens professionnels.

— Et vous appartient...

— Ce qui m'amène au point suivant.

Avec lui, il y avait toujours un primo, puis un secundo, songea Missy. Il adorait ça.

— Dans l'intérêt de nos finances, notre comptable a recommandé que Beverly gère l'administration du cabinet et que vous preniez en charge le laboratoire.

— Le laboratoire ?

— Vous êtes infirmière diplômée, n'est-ce pas ? Ce poste vous conviendra parfaitement... Eh bien, je crois qu'il n'y a plus rien à ajouter et qu'il est temps de se mettre au travail. La police a apporté ce matin le sperme prélevé dans le corps d'une jeune fille. C'était une des filles portées disparues dans le sud de la ville. Il leur faut les résultats d'analyse au plus vite.

— Ils peuvent attendre, objecta Missy. Je voudrais d'abord entendre la fin de votre histoire.

— Bien. Comme je vous le disais, vous serez désormais responsable du laboratoire et de l'équipe qui y travaille ; sous notre supervision, bien sûr. Je suis certain, vu la progression de nos affaires, que vous dépasserez rapidement votre ancien salaire.

— Qu'entendez-vous par « dépasser mon *ancien* salaire » ?

— J'ai bien peur que votre salaire de mille dollars par semaine, avec les avantages que vous accordait votre père, ne se justifie plus. Mais vos appointements augmenteront en fonction de la croissance des activités du laboratoire, jusqu'à atteindre à nouveau cette somme et peut-être même la dépasser.

— Et quel est mon nouveau salaire ?

— Nous pensons que vingt-deux mille dollars par an seraient plus en rapport avec votre tâche. Et naturellement, en tant qu'actionnaire vous toucherez des dividendes.

« Actionnaire ». Voilà le mot qu'elle avait souhaité entendre. Nathan ne possédait pas toutes les parts. Elle était toujours détentrice des dix pour cent que lui avait donnés son père.

Pas de panique, Missy, se dit-elle. *Ne t'avoue surtout pas vaincue.* Elle se força à sourire.

— Je crois que je ferais mieux d'aller travailler.

Sa sortie avait été parfaite et avait laissé les Pollack complètement désappointés. C'était comme ça que Missy aimait les voir.

Elle alla directement au laboratoire, sans passer par les vestiaires. Tout le monde la regarda quand elle entra, mais personne ne paraissait surpris de la voir là. L'équipe était bien sûr au courant de sa mutation et on avait même aménagé un bureau pour elle, dans un coin de la pièce. Finalement, cela ne serait peut-être pas désagréable de passer plus de temps dans le labo, se dit-elle. C'était l'endroit où elle avait toujours préféré travailler.

— Ça va ?

Missy leva les yeux et vit Gladys, l'une des laborantines, debout devant son bureau.

— Très bien, merci. Où on en est avec les analyses qu'a demandées la police ? ajouta-t-elle très vite pour changer le cours de la conversation.

— L'analyse du sperme prélevé sur le corps de cette gamine ?

— Je crois, oui.

— Tout est prêt. Mais le Dr Pollack tient à signer le rapport avant qu'on le remette à la police, au cas où on aurait besoin de son témoignage.

Évidemment. Il ferait n'importe quoi pour avoir son nom dans les journaux, pensa Missy. Mais elle ne fit aucun commentaire.

— Quoi d'autre ? demanda-t-elle.

— Un patient attend dans la salle d'examen numéro 2. Le Dr Pollack voudrait que vous vous en occupiez.

C'était un ouvrier en bleu de travail. Il avait posé sa casquette et sa musette sur la table d'examen et était en train de lire *Globe.* Missy consulta sa fiche. Il s'appelait Roland Morris et était là pour un test de fertilité.

Un certain malaise passa dans son regard quand il aperçut Missy. Elle avait l'habitude. Les patients étaient toujours embarrassés de constater qu'ils avaient affaire à une femme.

— Bonjour, monsieur Morris. Vous êtes bien ici pour un test de fertilité ? Avez-vous apporté un échantillon de votre sperme ?

— Euh... ouais, bien sûr.

Il ouvrit sa musette et en sortit un petit flacon contenant l'équivalent d'une cuillère à café de liquide blanc. La quantité pouvait être le signe d'un manque de fertilité, mais ce n'était pas sûr. Missy regarda le récipient à la lumière.

— Ça date de quand, monsieur Morris ?
— D'hier soir... juste avant de me coucher.
— Et où l'avez-vous mis pendant la nuit ?
— Dans le frigidaire. La personne à qui j'ai parlé au téléphone m'a dit de le faire.

Missy ne demanda pas qui. Ces questions-là ne la regardaient plus. Du moins pour l'instant...

Elle traversa la salle d'examen pour chercher un verre gradué.

— Je regrette, mais il va falloir que vous recommenciez, dit-elle en le lui tendant.
— Maintenant ? Ici ?
— J'en ai bien peur. Pour que le test soit efficace, il nous faut un échantillon récent, datant de moins d'une heure. Et de toute façon, ça ne se conserve pas dans la glace mais au chaud. Un peu comme quand on couve un œuf. Si ce n'est pas chaud, ça ne marche pas.
— Où est-ce que je dois le faire ? demanda-t-il d'une voix d'outre-tombe.
— Ici. Je vais vous laisser. Quand vous aurez fini, revenez me voir au laboratoire. Je ferai les analyses et le Dr... (elle consulta la fiche)... le Dr Baker vous donnera les résultats.

En attendant, Missy retourna à son bureau et appela sa mère. Soucieuse de ne pas en dire trop parce qu'elle n'était pas seule, elle demanda simplement si elles pouvaient se voir dans la soirée.

— Oui, bien sûr, répondit sa mère, mais il y avait une légère hésitation dans sa voix, comme si la visite de sa fille l'obligeait à bouleverser ses projets.

Puis Missy appela Felix sur le chantier. Elle lui dit qu'elle devait voir sa mère dans la soirée, mais pourquoi ne viendrait-il pas ensuite prendre un verre chez elle, vers minuit ? Il accepta, mais lui parut un peu distant. Sans doute n'aimait-il pas être dérangé pendant son travail...

Dix minutes plus tard, M. Morris revint avec son échantillon et Missy se mit au travail.

Elle versa d'abord le sperme dans une éprouvette pour en mesurer le volume, puis vérifia le pH pour déterminer le taux d'acidité. Il était légèrement alcalin. Elle examina ensuite une goutte du liquide au microscope. Environ soixante-dix pour cent des spermatozoïdes étaient actifs. Elle se pencha sur leur morphologie. Ceux dont la tête est trop petite sont souvent trop faibles pour féconder l'ovule. Mais ici ce n'était pas le cas. Le test de viscosité fut lui aussi positif. Seule la numération — quatre-vingts millions — était légèrement au-dessous de la moyenne. Ce facteur, ajouté à l'alcalinité, pouvait expliquer la stérilité du couple. Le problème n'était pas bien grave. Une douche vaginale avec une solution acide avant les rapports devait y remédier.

Missy était en train de terminer son rapport quand le téléphone sonna. C'était Kate, la réceptionniste.

— Deux policiers sont là pour des résultats d'analyses.

— Bien. Faites-les patienter.

Elle envoya Gladys les chercher.

Les deux hommes étaient en civil. L'un avait le front dégarni, l'autre, petit et trapu, portait une cravate ridiculement courte. Le plus grand se présenta :

— Lieutenant Sloan. Et voici mon collègue, l'inspecteur Evans.

— Que puis-je faire pour vous, messieurs ?

— Nous venons chercher les résultats des analyses DiFranco, dit Sloan.

— Gladys, est-ce que le Dr Pollack a signé le rapport ?

— Oui. Le voici.

Sloan le lui arracha presque des mains. Il le parcourut rapidement et eut l'air déçu.

— C'est ce que vous espériez ? demanda Missy.

— Pas exactement, répondit-il.

6

Laura n'avait pas encore pu se résoudre à commencer son dossier sur Felix Ducroit. L'image du corps de Terri DiFranco la poursuivait. Elle revoyait l'entrepôt désert, la pièce avec son cercle de bougies... Que s'était-il passé dans la tête de la pauvre gosse quand Peter avait serré les mains autour de sa gorge ?

Laura se regarda dans le miroir : paupières gonflées, des valises sous les yeux... Ma vieille, on dirait que tu viens de passer trois jours à te soûler, se dit-elle.

Plongée dans ses pensées, elle retourna à son bureau. Jusqu'au moment où elle avait demandé à Sloan de lui montrer le corps, cette affaire l'avait intéressée d'un point de vue professionnel. Elle tenait là un excellent sujet d'article. Mais maintenant, elle se sentait personnellement concernée. Elle connaissait la douleur, la peur de la mort. Le cancer du sein et l'opération l'avaient plongée dans la souffrance, amenée à la frontière de la mort... Elle savait, elle comprenait... Cette fille et elle étaient liées par le même secret... Laura secoua la tête pour chasser ces idées morbides. Elle ne devait pas se laisser aller. Et puis, elle ne devait pas non plus oublier un détail : la petite était morte, mais elle, elle avait survécu.

La sonnerie du téléphone la ramena brusquement à la réalité. Elle regarda sa montre. Logiquement, ça ne pouvait pas être un appel de Sloan. Qui savait le nombre de choses qu'il aurait à mener à bien avant d'être prêt à parler à la presse ?

En attendant, Laura devait honorer son marché avec Will Stuart et lui fournir un papier sur Felix Ducroit. Elle commença par appeler Justin et Lois Fortier au Lagniappe. Elle en profita pour parler aussi à Carl Laredo. Ils évoquèrent la soirée qu'ils avaient passée ensemble et comment Felix Ducroit, avec beaucoup d'habileté et de gentillesse, avait éloigné d'eux une Missy Wakefield en plein délire. D'ailleurs, Felix avait certainement eu ses raisons pour agir ainsi. Missy était peut-être une garce, mais elle avait du sex-appeal. Hélas...

Carl n'avait pas grand-chose à dire sur Felix. Lois non plus. Elle lui rappela seulement que Cynthia Ducroit, propriétaire de la charcuterie de Pine Street, était l'ex-femme de Felix. Quant à Justin, il se lança dans le récit émouvant de son amitié d'enfance avec Felix. Comment ils jouaient aux cow-boys et aux Indiens, perchés sur les chevaux de bois que leur avait fabriqués le père de Felix... Felix portant un chapeau noir, Justin toujours un chapeau rouge... Tout cela était très charmant mais Laura n'en était pas plus avancée pour autant.

Pourtant, elle se plut à imaginer ces deux hommes séduisants en galopins turbulents. Justin avait parlé de Felix comme de l'image même de l'insouciance. Une image qui ne lui correspondait plus. Laura se souvenait plutôt d'un homme calme et introverti. Elle s'était même demandé à quoi il pouvait bien penser, ce qui le préoccupait. Et c'était justement son air lointain qui l'avait attirée. Rien d'étonnant à cela : Laura avait toujours eu un faible pour les hommes mystérieux et songeurs.

Quand elle eût terminé sa conversation avec Justin, elle appela Cynthia et elles fixèrent une date pour déjeuner ensemble. Elles s'étaient rencontrées à l'occasion d'une enquête de Laura sur les femmes chefs d'entreprise de Philadelphie. Depuis, elles étaient devenues amies. C'était aussi à cette occasion-là que Laura avait entendu pour la première fois le nom de Felix Ducroit...

Quand Sloan appela enfin, elle venait juste de terminer ses coups de fil. Le dernier avait été pour une amie journaliste de La Nouvelle-Orléans qui lui avait promis de lui envoyer tous les renseignements dont elle disposait sur Felix Ducroit. Sloan téléphonait de son bureau et lui donna rendez-vous à la Liberty Bell — la Cloche de la Liberté —, vingt minutes plus tard. Laura prit son manteau et partit aussitôt.

Elle se gara dans le parking souterrain de la Cinquième Rue et s'engagea dans Independence Mall, sous une petite pluie glaciale.

La Liberty Bell se trouvait dans un petit bâtiment de brique, de métal et de verre qui avait la forme d'un avion. Laura y entra et, en attendant Sloan, écouta distraitement les explications que donnait le gardien à un groupe de lycéens. La fêlure sur la cloche n'était pas l'essentiel, disait-il. Le plus important était les mots sur la liberté gravés tout en haut et ce qu'ils avaient représenté pour les hommes et les femmes qui avaient peuplé l'Amérique. Les jeunes semblaient être dans de bonnes dispositions. Ni la pluie ni cette leçon ennuyeuse n'altéraient leur bonne humeur. En observant leur enthousiasme et leur insouciance, Laura ne put s'empêcher de penser à une autre jeune fille... Une jeune fille dont le corps avait été retrouvé dans un entrepôt désaffecté du sud de Philadelphie.

— Qu'est-ce qui ne va pas ? demanda Sloan en arrivant.

— Rien. J'étais en train de penser à la gosse... Terri DiFranco, n'est-ce pas ?

— Venez, marchons un peu, dit-il en la prenant par le bras. (Il eut une seconde d'hésitation.) Ça ne vous dérange pas de marcher sous la pluie ?

— Pas du tout. Ce n'est pas moi qui ai la grippe.

Dehors, il s'arrêta le temps de relever le col de son imperméable. Laura nota qu'il ne portait pas de chapeau. Détail peu habituel pour un homme au front dégarni...

Il n'avait pas l'air pressé de parler du meurtre et,

tandis qu'ils marchaient entre les rangées de bancs du parc, il déclara :

— Il faut plus qu'une petite pluie pour décourager les promeneurs, ici. Quelle que soit l'heure du jour ou de la nuit, même par temps de neige, ces bancs sont toujours pris. Je n'ai jamais compris pourquoi ce parc attirait tant de monde. (Comme Laura ne répondait pas, il poursuivit d'un ton badin :) Il y a des années, j'ai rencontré une fille au Doc Watson, dans le bas de la Onzième Rue. C'était l'heure de la fermeture et je l'ai convaincue d'aller manger quelque chose dans un des restaurants grecs du coin. Après, nous sommes venus ici, pour être un peu seuls. Eh bien, à quatre heures du matin, il n'y avait pas un seul banc de libre !

Laura ne réagissait toujours pas, regardant droit devant elle.

— Bon... Je crois que je ferais mieux d'en venir à notre affaire. Nous avons déjà bien avancé... (Il hésita un moment, puis reprit :) Les parents venaient juste de partir quand je vous ai appelée. Il s'agit bien de Terri DiFranco.

— Mon Dieu, comment avez-vous pu leur montrer le corps de leur fille, dans l'état où il était ?

— Nous ne l'avons pas fait. Nous avons pris ses vêtements et sa mère les a reconnus. Puis nous sommes allés chercher le dossier dentaire de Terri. Cela nous a permis de confirmer l'identification. Mais quand nous sommes retournés chez les parents, ils ont insisté pour voir le corps. J'ai essayé de les en dissuader, mais ils n'ont pas voulu m'écouter.

— Comment ont-ils réagi ? demanda Laura, se rendant compte aussitôt de la stupidité de sa question.

— Mal. Aussi je vous conseille de ne pas faire appel à eux tout de suite pour votre article.

— A quoi ressemblent-ils ?

— Comment ça, à quoi ils ressemblent ? A des parents, c'est tout.

Il y avait de la colère dans sa voix et Laura songea

qu'elle n'avait pas été la seule à être affectée par cette journée. Même Sloan, qui, dans son métier, avait l'habitude d'affronter ce genre de situations, devait étouffer ses sentiments personnels pour pouvoir continuer à travailler.

— Terri était l'aînée de deux enfants, reprit-il. Elle avait un frère. Ses parents sont nés et ont toujours vécu dans le sud de Philadelphie. Le père travaille aux docks, la mère est employée deux jours par semaine comme caissière dans un supermarché de l'avenue Oregon. Ils ont environ trente-cinq ans, sont catholiques et vont sans doute à la messe tous les dimanches. La mère est jolie : très italienne, encore mince, des cheveux noirs et courts. Le père aussi est brun, mais il n'a presque plus de cheveux, comme moi.

Il s'arrêta un instant avant de demander :

— Vous n'avez pas d'enfants, n'est-ce pas ?

— Non. Je ne suis pas mariée, dit-elle, s'étonnant qu'il lui pose une telle question.

— Moi non plus... Je suppose qu'il faut avoir des enfants pour vraiment comprendre ce que ressentent les parents de Terri.

Ils marchèrent en silence pendant quelques minutes. La pluie s'était intensifiée mais, comme l'avait souligné Sloan, les bancs ne désemplissaient pas pour autant. Les seuls à se mettre à l'abri étaient apparemment des touristes.

Laura fut la première à briser le silence.

— Que leur avez-vous dit sur ce qui est arrivé à leur fille ?

— La vérité. Ce qu'a montré l'autopsie : elle est morte par strangulation et a été violée.

— Vu l'état du corps... Je veux dire : comment pouvez-vous être sûr qu'elle a été violée ?

— On a retrouvé des traces de sperme.

Sperme, un mot bien aseptisé, pensa Laura, bien en dessous de l'horreur qu'avait subie Terri.

— D'autre part — mais ça n'a d'importance que pour ses parents, j'imagine —, elle était vierge.
— C'est terrible. Mais peut-être faut-il être une femme pour comprendre... Et les empreintes ?
— Il n'y avait que celles de la victime.
— Vous n'avez donc encore aucune piste.
— Je n'ai pas dit ça.
Il semblait sur la défensive.
— Bon. Alors, que savez-vous ?
Sloan resserra la ceinture de son imperméable. Il lui en avait déjà dit plus qu'il n'aurait dû, mais il savait qu'il pouvait lui faire confiance. Il aimait beaucoup Laura... Oh, il ne se faisait aucune illusion sur ce qui pourrait arriver un jour entre eux (ou s'en faisait-il ?), mais c'était agréable de partager des idées avec quelqu'un d'autre que les collègues du boulot. Il n'avait personne à qui parler. Pas de femme, pas d'enfants... Et, après tout, il n'était qu'un homme...
— O.K., Laura, je vais tout vous dire. Mais souvenez-vous de votre promesse : vous ne publiez rien sans mon accord. Dans cette affaire, notre procédure a, en quelque sorte, été inversée. D'habitude, nous tenons un suspect et nous analysons son sperme et ses poils pubiens. Ces analyses ne suffisent pas toujours à faire d'un suspect un coupable, mais elles nous amènent à certaines convictions. Dans ce cas, nous avons les résultats des analyses, mais pas de suspect. Il faut espérer que ces éléments serviront à démasquer notre homme quand nous l'arrêterons.
— Et quels sont ces éléments ?
— Nous avons tout d'abord fait une recherche de maladie vénérienne. Le gars est tout à fait sain...
— Quelle chance pour lui !
— Écoutez, Laura, vous me demandez des précisions et j'essaie de vous les donner. Maintenant, si vous voulez, je peux vous épargner les détails ennuyeux.
— Je suis désolée, Sloan. Continuez, s'il vous plaît...

— Bien. Nous avons ensuite recherché le groupe sanguin. Ce que l'on appelle les agents ABH du sang permet de déterminer le groupe : A, B, O, A positif ou B négatif. Je suis A positif.

Il se sentit idiot d'avoir dit cela. Ne pouvait-il trouver mieux pour communiquer avec Laura ?

— Je suis O, dit-elle en souriant, pour détendre l'atmosphère.

— C'est le groupe le plus répandu, nota Sloan. Ensuite, les choses se compliquent. Chez environ quatre-vingts pour cent de la population, les agents ABH sont solubles dans l'eau. Ce qui veut dire qu'ils peuvent se retrouver dans n'importe quel autre liquide du corps et qu'on peut alors obtenir le groupe sanguin à partir du sperme, de l'urine, de la salive ou même des larmes. Les personnes ayant un ABH soluble sont des « sécréteurs ». Les autres, les vingt pour cent dont le groupe sanguin ne peut être déterminé qu'à partir du sang, sont les « non-sécréteurs ». Le laboratoire a testé le sperme prélevé dans le corps de Terri pour savoir s'il appartenait à un sécréteur ou à un non-sécréteur.

— Et... ?

— Vous ne direz rien ? J'ai votre parole ?

— Allez, Sloan, je vous ai déjà promis de ne rien publier sans votre accord. Si vous y tenez, je peux même vous le jurer.

— C'est un sécréteur.

Laura enfonça plus profondément les mains dans les poches de son trench-coat.

— Il fait donc partie des quatre-vingts pour cent. Vous avez du pain sur la planche ! Je suppose que vous auriez préféré qu'il soit non sécréteur ?

— Ça a été ma première réaction quand j'ai vu les résultats. Mais finalement, le fait qu'il soit sécréteur comporte certains avantages. S'il ne l'avait pas été, les analyses se seraient arrêtées là. Le sperme ne nous aurait pas permis de déterminer le groupe sanguin.

Au lieu de cela, nous possédons maintenant deux informations importantes : l'assassin est un sécréteur et nous connaissons son groupe. Si nous arrêtons un suspect, nous testerons sa salive. Et si les résultats concordent avec ceux obtenus à partir du sperme retrouvé sur le corps de Terri, nous tiendrons une pièce à conviction contre le suspect. De la même façon, et c'est peut-être encore plus important, nous pourrons déterminer qui n'est *pas* coupable, sans aucun doute possible.

— J'ai l'impression d'assister à un cours de médecine légale. Tous ces détails me sont très utiles, mais quel est le groupe sanguin de l'assassin ? Vous ne l'avez pas dit.

— Et je ne vous le dirai pas.

Laura n'insista pas. C'était inutile.

— Vous avez mentionné les poils pubiens, lui rappela-t-elle. Que pouvez-vous dire à ce sujet ?

— Théoriquement, on peut déduire beaucoup de choses à partir des poils pubiens. En plus de la couleur des cheveux, on peut parfois déterminer le sexe et la race. Mais ce n'est pas toujours fiable. Par exemple, prenons le cas de Jeffrey Mac Donald. Vous vous souvenez ? Cet officier accusé d'avoir tué toute sa famille. La pièce à conviction principale était une touffe de cheveux qu'on avait retrouvée et qui était censée lui appartenir. On s'est rendu compte plus tard qu'il ne s'agissait pas de ses cheveux mais des poils de leur poney !

— Cette méthode d'investigation n'a pas l'air très fiable, en effet. Mais j'avais l'impression, tout à l'heure, que vous lui accordiez une certaine importance.

— Eh bien, dans ce cas précis, nous avons trouvé quelque chose d'intéressant.

— Quoi ?

— Encore une confidence que vous ne devrez pas dévoiler... Nous n'avons rien trouvé. Pas un seul poil.

— C'est inhabituel ?

— Très. Un rapport sexuel, à fortiori un viol avec tout ce que cela implique de mouvements violents, laisse toujours ce genre de traces.

— Peut-être que l'assassin se rase.

Sloan s'arrêta, sortit son mouchoir et s'essuya le visage.

— Peut-être que cette promenade n'était pas une bonne idée. Je ne me sens pas très bien. Ça vous ennuie si nous rebroussons chemin ?

— Pas du tout.

Il était évident qu'il lui en avait dit bien plus qu'il n'aurait souhaité. *Ne force pas ta chance*, se dit Laura. Tandis qu'ils revenaient sur leurs pas, elle demanda :

— Et que pensez-vous de ces horribles accessoires qu'il a utilisés... la chaîne et les menottes ?

— Terrain dangereux.

— Ce qui veut dire ?

— Ce qui veut dire que je ne peux pas vous empêcher d'en parler, mais que ce serait une erreur. Dans une ville comme Philadelphie, de telles images risquent d'échauffer les esprits. Surtout les esprits pervers, à qui vous risqueriez de donner des idées. Je ne crois pas que nous ayons besoin de ça.

— Je comprends. Peut-être devriez-vous me dire ce que je *peux* écrire.

— C'est simple. Je vous demande de garder le plus de discrétion possible. Vous pouvez parler du meurtre et du viol, mais ne donnez pas de détails sur ce que vous avez vu. Vous êtes la seule à avoir vu le corps, excepté la police et les deux gamins qui l'ont retrouvé. C'est amplement suffisant. Je ne veux pas de sensationnel sur cette affaire. Ça ne pourrait que nuire à l'enquête et mettre d'autres personnes en danger.

— Ne pas encourager les imitateurs...

— C'est ça.

— O.K., ni menottes ni chaîne. Mais avez-vous pu en retirer quelque chose ?

— Nous avons parcouru les boutiques de la ville pour voir si quelqu'un se souvenait d'un acheteur. Peine perdue. Ces objets sont bien trop courants. Les parents n'ont pas reconnu la chaîne et, bien sûr, ils ne savaient rien des menottes. Nous pensons que l'assassin a offert la chaîne à Terri. Ainsi, il a pu la lui passer autour du cou à l'avance.

— Vous parlez comme si Terri le connaissait.

— Nous avons retrouvé seulement les empreintes de Terri sur le lieu du crime. Il y en avait partout : sur les murs, sur les portes... Nous avons aussi montré le poste radio à ses parents. Il appartenait à Terri...

Laura l'interrompit d'un geste.

— Une minute, Sloan. Je ne vous suis pas très bien...

— J'essaie de vous expliquer que l'endroit, les bougies et tout le reste étaient une idée de Terri, pas de l'assassin. Ce qui explique peut-être pourquoi on a retrouvé le corps, cette fois.

— Cette fois ? Vous pensez donc que ce meurtre est lié aux autres disparitions ? Qu'il ne s'agit pas de l'œuvre d'un petit ami ou d'un voisin ?

— Pour l'instant, nous recherchons un homme brun, barbu, qui porte des lunettes noires et répond au prénom de Peter. Comme vous le savez, il a été le petit ami de Terri. Il a été aussi celui d'au moins deux autres filles portées disparues. Évidemment, la barbe peut être fausse. Il peut être en réalité blond et parfaitement rasé. Nous ne sommes encore sûrs de rien à ce sujet. Mais nous travaillons sur les éléments que nous possédons.

— Il s'agit de meurtres en série, affirma Laura.

Le fait que Peter ait connu au moins deux des autres filles portées disparues semblait le prouver.

— Ça en a tout l'air, en effet, admit Sloan. Mais les méthodes de l'assassin ne correspondent pas au schéma classique. Il n'est pas spontané. Il calcule tout. Il sort avec les filles pendant un moment, puis...

— Ça aussi, c'est confidentiel ?

— Non.

— Ce n'est pas ce que vous disiez quand nous étions à l'entrepôt.

— Parce que je n'avais pas encore tous ces éléments. Maintenant, je suis sûr qu'un fou meurtrier rôde dans la ville et que la population a le droit de savoir. Simplement, allez-y doucement...

7

Prenant les virages à la corde, Missy roulait à tombeau ouvert sur la petite route sinueuse longeant les hangars à bateaux d'East River Drive. Normalement, ce parcours le long de la rivière la relaxait. Mais pas ce soir. Ce soir, elle n'avait qu'une envie : atteindre Chesnut Hill au plus vite, prendre un verre avec sa mère et repartir.

La grande maison de pierre était soigneusement dissimulée aux regards des passants indiscrets par une bordure d'arbres et de haies. Toutes les maisons de Chesnut Hill étaient ainsi : très grandes et très privées.

Missy avait toujours vécu là avec sa famille. C'était là qu'elle avait appris à nager, dans la piscine à l'arrière de la maison, près du terrain de croquet. Là aussi qu'elle avait monté son premier cheval, aux écuries de Hillsgate. Son propre pur-sang y était encore.

Missy s'engagea dans l'allée principale et la forme imposante de la demeure à deux étages apparut à la lueur des phares. Missy la trouva lugubre, comme toujours. Avec ses nombreuses pièces et l'office, elle était bien trop grande pour eux trois et Edgar, le majordome de son père, qui cumulait les fonctions de maître d'hôtel, de cuisinier et de valet de chambre.

Missy se gara et se dirigea vers l'entrée de service. Seul le tube fluorescent au-dessus de la cuisinière trouait l'obscurité. Dans le couloir, menant d'un côté à la salle à manger et de l'autre au salon et au bureau de son père, Missy tomba sur Edgar. Edgar Kirby, grand, mince, les cheveux blancs, était au service de la famille depuis son installation ici. Missy ne l'aimait pas, même si à une époque elle l'avait appelé « oncle Edgar ».

— Votre mère vous attend dans le salon.

C'était tout ce que cet « ex-oncle » avait à lui dire.

Sa mère était assise sur un canapé de velours vert. Missy embrassa la joue qu'elle lui tendit puis se laissa tomber dans un fauteuil et posa ses pieds sur une table basse encombrée de revues d'art et de dépliants d'agences de voyages.

— Quand es-tu rentrée ?

— La nuit dernière.

Helen la regarda droit dans les yeux, comme pour lui dire qu'elle savait qu'elle mentait.

La mère et la fille se ressemblaient beaucoup. Grandes et minces toutes les deux, elles avaient la même manière distinguée de se tenir très droites. Leurs traits aussi étaient similaires. Mais le visage d'Helen, marqué par l'âge, accusait des rides accentuées par l'abus de soleil, de tabac et d'alcool. Cette profonde ressemblance mettait toujours Missy mal à l'aise. Face à sa mère, elle avait l'impression désagréable de voir son propre reflet fatigué, vieilli.

Edgar, sans prendre la peine de s'annoncer, entra avec des boissons. Un Martini sec pour Helen et un gin-tonic pour Missy.

Missy prit son verre sans même lever les yeux vers Edgar. Elle savait depuis environ quinze ans ce qui se passait entre lui et sa mère. Au début, elle n'avait eu que des soupçons, qui s'étaient confirmés par la suite. Et des deux, c'était à Edgar qu'elle en avait voulu le plus. Du moins à l'époque. Edgar était l'ami de son père et il avait trahi sa confiance. C'était impardonnable. Sa mère aussi était coupable mais, secrètement, cela avait arrangé Missy. Elle avait eu l'impression que cette trahison avait renforcé les liens qui l'unissaient à son père. Les petites filles se bercent souvent d'illusions...

Sa mère prit une gorgée de Martini avant d'en venir aux choses sérieuses :

— Qu'est-ce qui me vaut l'honneur de ta visite ?

— Je pense que tu le sais. Pourquoi as-tu cédé tes parts à Nathan, sans même m'avoir consultée ?

— Pourquoi aurais-je dû te consulter ?

— Parce que tu sais très bien que papa et moi avons créé ce cabinet ensemble. Nous avons travaillé comme des esclaves pour en faire ce qu'il est aujourd'hui. Et toi, papa à peine mort, tu profites de ce que j'ai le dos tourné pour tout vendre !

— Ce n'est pas exactement ce qui s'est passé.

— Vraiment ? Peux-tu m'expliquer ce qui s'est passé, alors ?

— Comme tu le sais sans doute... après tout, tu étais plus proche que moi de ton père... Nathan et Cyrus avaient signé une convention et pris une police d'assurance-vie. C'était l'idée de ton père. Nathan a simplement mis leur accord à exécution. Il a racheté les parts et j'ai touché le produit de l'assurance.

— C'était bien ce que j'avais cru comprendre. Et moi, qu'est-ce que je deviens dans tout ça ?

— Tu veux dire, pourquoi n'est-ce pas *toi* qui diriges le cabinet ?

— Ce serait logique, sachant ce que papa et moi...

— Ne sois pas naïve. Qui voudrait travailler pour toi ? Tu n'es même pas médecin. Rappelle-toi : ton père voulait que tu fasses ta médecine, mais tu as refusé. Tu voulais être infirmière et travailler à ses côtés, le servir, comme une de ces héroïnes effroyablement sentimentales de Hemingway. Tu ne récoltes que ce que tu as semé.

Missy ne pouvait pas supporter d'évoquer cela maintenant, surtout pas avec sa mère. Elle reparla donc du cabinet, du fait qu'on l'avait mutée au laboratoire et que Beverly avait pris sa place.

— Ils ont réduit mon salaire de plus de cinquante pour cent.

— Tu n'as pas beaucoup de frais. Ton appartement m'appartient et ce n'est pas moi qui te ferai payer un loyer. Mais si ce salaire ne te suffit pas, je te suggère de trouver un autre emploi.

Missy en resta presque sans voix.

— Mais... tu ne comprends pas. Je ne peux pas trouver un emploi comme celui-ci...

— Tu veux dire que pour le même travail on ne te paierait jamais autant ? Ou que tu n'es pas capable de trouver un autre job ?

— Je peux trouver autre chose. Mais tu sais parfaitement que les médecins ne paient pas bien.

— Si je m'en tiens à ce que tu dis, Nathan n'a donc fait qu'aligner ton salaire sur les normes du marché.

— Ça te fait plaisir, n'est-ce pas ?

— Non. J'essaie simplement de te faire prendre conscience des réalités de la vie...

— Ben voyons ! Toi et ton sale type, vous...

— N'utilise pas ce genre de vocabulaire avec moi. Ton père appréciait peut-être ton langage de charretier, mais pas moi.

— Je suis désolée, dit Missy, plus par diplomatie que par réel repentir.

Helen ignora son excuse.

— Ton père avait un sens de l'humour très particulier, si on peut appeler cela de l'humour, en ce qui te concernait. Je me souviens combien il a été ravi d'apprendre que tu avais chiqué du tabac en camp de vacances.

C'était vrai. Missy et son père avaient beaucoup ri de cette histoire. C'était avant la partie de pêche.

Helen but une autre gorgée de Martini.

— Trêve d'heureuses réminiscences familiales. Je veux que tu comprennes que je ne suis pas prête à t'entretenir. Tu as vingt-huit ans, tu es intelligente et assez belle. Tu peux te prendre en charge.

— Tu n'as pas l'air de comprendre que ce salaire ne suffira pas à...

— Eh bien, il te faudra changer de mode de vie.

— Ce n'est pas ce que papa voulait.

— Détrompe-toi. C'est *exactement* ce qu'il voulait. Il savait très bien que tu es incapable de gérer un budget. Tu n'as aucune discipline. Tu bois trop. Je te suspecte même de prendre de la drogue. Et en plus tu n'as aucun goût en ce qui concerne les hommes. Il faudrait être fou pour t'accorder une rente.

— C'est ce que tu dis qui est complètement fou...

— Je ne pense pas que tu aies jamais compris qui était ton père.

— Nous étions très proches, se défendit Missy.

— Oh, je ne te blâme pas pour cela, poursuivit sa mère, ignorant l'objection. Moi aussi j'ai été éblouie par lui quand je l'ai épousé. C'était un jeune et beau médecin et tout le monde disait que je pouvais être fière d'être sa femme. Mais c'était avant que je ne comprenne quel homme il était vraiment. Il haïssait les femmes...

Missy prit aussitôt la défense de son père. Elle savait pourtant que sa mère avait raison. N'avait-il pas toujours voulu qu'elle soit un garçon, ne l'avait-il pas rejetée quand il l'avait vue agir comme une femme... ?

Mais Missy ne voulait pas être d'accord avec sa mère, elle n'allait pas lui donner cette satisfaction. Le rejet de son père avait été une épreuve à passer. Une épreuve qu'elle n'avait jamais réussi à surmonter et qui, encore maintenant, la poussait à choisir des hommes ressemblant à son père. Comme Felix Ducroit... attirant et distant. Qu'ils aillent tous au diable !

Sa mère s'était tue et la regardait, comme si elle attendait une autre objection de sa part. Mais rien ne vint, alors elle poursuivit le récit de ses souvenirs.

— J'ai été incroyablement heureuse d'apprendre que j'étais enceinte. J'allais donner à Cyrus ce qu'il désirait le plus au monde : un enfant — ou plutôt ce que je *pensais* qu'il désirait le plus. Nous étions tellement proches pendant ma grossesse... Il me traitait comme une petite reine... J'ai eu mes premiers doutes quand nous avons commencé à parler du prénom de notre futur enfant. Il n'évoquait que des prénoms masculins, ne voulant même pas envisager que je puisse avoir une fille. Au début, je ne me suis pas trop inquiétée : la plupart des hommes rêvent d'avoir un fils. Je me disais que si je lui donnais une fille, il serait tout aussi heureux. Mais à mon septième mois de grossesse, j'ai compris qu'il y avait vraiment un problème. J'avais choisi un nom de fille et j'avais décidé de le lui dire, le moment venu. C'est ce que je fis, une nuit... Il avait eu une journée éreintante à l'hôpital et il m'accusa de vouloir faire de notre enfant une fille avant même sa naissance ! Et ces paroles incroyables sortaient de la bouche d'un médecin... Ensuite, il m'a giflée et je suis tombée sur le coin d'une table. J'ai eu une hémorragie...

Missy avait du mal à croire ce qu'elle entendait. Et pourtant elle savait... Elle avait vu dans le regard de son père qu'il était capable de faire mal, peut-être même de tuer...

— Il m'a emmenée d'urgence à l'hôpital, poursuivit sa mère. Mon état était assez inquiétant. Les médecins ont pensé pratiquer une césarienne en prenant le risque que tu ne survives pas. J'ai refusé et leur ai demandé d'attendre. Finalement, les choses se sont arrangées. Ton père se sentait coupable, bien sûr, mais il gardait quand même son idée fixe. Quand je fus sur le point d'accoucher, il ne cessait de me répéter : « Sois positive, pense à un garçon, tout se passera bien. » C'était complètement absurde ! On aurait dit qu'il faisait une incantation pour que son enfant soit un fils. Dans un sens c'était touchant, mais c'était aussi effrayant. Pendant l'accouchement, j'ai prié pour que tu sois en bonne santé et que Cyrus ne soit pas déçu, quel que soit ton sexe... Mais quand il a appris la nouvelle, il a quitté l'hôpital. Il a même suggéré de te faire adopter...

— Quoi ?

— C'est la vérité. Et à ton avis, qui l'en a empêché ? Moi. Ton horrible mère. Depuis, il n'a pas cessé de me punir — et de te punir. Et il continue, même après sa mort.

Missy ne voulait pas y croire. Elle haïssait sa mère de lui avoir raconté tout ça, même si elle pressentait que c'était la vérité.

Helen se tut un moment puis se força à poursuivre :

— J'ai eu une seule fois de l'espoir pour toi : quand ton père t'a surprise avec ce garçon, dans le garage à bateaux. J'étais fière de toi. Enfin tu agissais comme une fille de ton âge devait le faire et non comme une marionnette au service de ton père. Les choses auraient peut-être été différentes s'il ne t'avait pas surprise ou si tu étais venue demander mon aide. Peut-être aurions-nous été plus proches l'une de l'autre. Mais au lieu de cela, tu as continué à vouloir à tout prix t'accrocher à lui et à me repousser... J'ai dit que ton père, même mort, te punissait encore. C'est vrai. Il l'a fait en ne te laissant rien. Parce que tu n'es qu'une fille...

Elle n'ajouta pas qu'elle était sûre que Cyrus désirait sa fille, presque autant qu'il la rejetait. Elle voulait épargner cela à Missy...

— Et maintenant, que va-t-il se passer ? demanda Missy, tremblante.

— L'hiver arrive. Edgar et moi fermons la maison demain. Nous partons pour Rio.

— Pourquoi Rio ?
— Ni lui ni moi n'y sommes jamais allés. J'ai envie de soleil et Edgar veut me voir en string, ces maillots de bain fabriqués au Brésil. Compte tenu de mon âge, je trouve cela adorable de sa part. Avec lui, j'ai encore l'illusion d'être une jeune femme.
— Combien de temps partez-vous ?
— Je ne sais pas au juste. Nous avons loué une maison là-bas, pour au moins six mois.
— Et si je ne t'avais pas appelée ? Je n'aurais même pas été au courant de ton départ...
— Nous t'aurions envoyé une carte postale... Je sais que tu ne fais pas grand cas de mes opinions, mais si j'ai un conseil de mère à te donner, c'est de te trouver un mari capable de subvenir à tes besoins. Ce n'est peut-être pas l'idéal mais ça a ses bons côtés.

8

Sloan se leva et alla ranger le dossier dans un classeur. Eh bien, ils avaient au moins un corps, la description — vraie ou fausse — de Peter, et les résultats du laboratoire éliminaient vingt pour cent de la population masculine. Rien de concluant, mais c'était un début. Maintenant, il fallait laisser mûrir les choses. Il était surtout temps de sortir d'ici.

Il enfila son manteau et marcha sous la pluie jusqu'à sa voiture. A chaque pas, il se sentait un peu plus mal. Cette foutue grippe allait l'achever ! Il décida de s'arrêter au Doc Watson pour prendre un scotch avant d'aller se coucher.

Le contact du siège en vinyle de sa voiture lui glaça le dos et il se mit à claquer des dents. Il mit le chauffage au maximum et le premier appel d'air froid le fit encore plus frissonner. Tandis qu'il conduisait, il essaya de ne pas penser à l'affaire ; en vain. Kane et Spivak trouveraient peut-être quelque chose au Lagniappe, une piste plus intéressante qu'un patron accusé de tentative de viol par une employée congédiée. Enquête de routine, mais aucun élément ne devait être laissé au hasard. Le moindre indice comptait.

A plusieurs reprises, Sloan aperçut la même voiture dans son rétroviseur. Était-il suivi ? Mais qui pouvait avoir l'idée de suivre un flic ? Il se gara dans la Onzième Rue, près de l'hôpital Jefferson, et marcha jusqu'au Doc Watson. La voiture qu'il avait repérée n'était pas en vue. Tu deviens nerveux avec l'âge, se dit-il.

Dans le bar, il choisit une table dans un box près de la porte et fit signe à Barry Sandrow, le patron. Il parcourut distraitement la carte en attendant sa boisson habituelle. Quand la serveuse apporta son verre, il entendit une voix dire :

— Je prendrai la même chose.

Sloan leva les yeux et vit une jeune femme vêtue d'une veste en toile de jean, d'une jupe en cuir et de boots. Ses cheveux roux étaient coiffés dans le style punk ; elle portait des lunettes de soleil. Sloan lui indiqua la banquette en face de lui. Elle ne se présenta pas. C'était inutile : Sloan la connaissait.

Quand la serveuse lui apporta sa consommation, elle leva son verre.

— A votre santé !

Sloan hocha la tête et leva aussi son verre.

— Qu'est-ce que tu fabriques ici ?

— Je vous ai suivi depuis votre bureau. Un homme dans votre branche devrait être plus observateur.

— J'ai la grippe... J'ai bien cru te repérer, mais j'ai pensé que mon imagination me jouait des tours.

Elle s'appelait Delores Inverso, fille bien-aimée de Nicholas Inverso, un des pontes de la Mafia de Philadelphie. Du moins pour l'instant. Delores avait déjà perdu deux frères à cause d'une querelle familiale vieille de quatre-vingts ans qui avait aussi coûté la vie à quelque quarante autres personnalités de la Mafia. La plupart des affaires de son père, comme il se plaisait lui-même à le souligner, étaient tout à fait légitimes et, dans la famille, il était considéré comme la voix de la raison.

— Que pense ton père de ta nouvelle coiffure ?

— Je suis aux Beaux-Arts, maintenant. Il comprend que les artistes ont besoin d'être libres pour s'exprimer.

— J'avais entendu dire que tu étais entrée dans une école. Comment ça se passe ?

— Bien, à part que papa s'attend à ce que je peigne les plafonds des églises. Vous savez, tous ces nus pleins de cellulite.

— Tu n'aimes pas les nus ?

— C'est chiant. Mon truc, c'est la création de tissus.

— C'est un bon secteur. Si je me souviens bien, ta famille a des intérêts dans le prêt-à-porter.

Elle se raidit à cette remarque.

— C'est de l'histoire ancienne, Sloan. Vous devriez le savoir.

Il sourit et se moucha. La Mafia n'aimait habituellement pas faire appel aux femmes. Mais Sloan avait entendu dire que, depuis la mort de ses deux frères, Delores ne se débrouillait pas mal au sein de la famille. Elle avait du cran.

— Écoutez, dit-elle, revenant à des considérations plus sérieuses. Nous savons que vous avez retrouvé le corps de Terri DiFranco. Nous nous demandons ce que vous comptez faire. Les gens du quartier sont allés voir mon père. Il tient à éclaircir cette affaire de filles disparues et à coincer l'assassin de DiFranco.

Classique, pensa Sloan. Comme la plupart de ses congénères, Inverso vivait encore dans les quartiers populaires du sud de Philadelphie où il avait été élevé.

Malgré leur fortune, les truands préféraient rester discrets.

— Dis à ton père que nous nous en occupons. Comme il le sait, nous ne pouvions rien faire tant que nous n'avions pas retrouvé de corps.

— Il apprécie que ce soit vous qui vous en chargiez.

— Remercie-le de ma part.

— Il voudrait savoir ce que vous comptez faire avec la piste du Lagniappe.

D'abord surpris, Sloan dut admettre qu'il n'avait aucune raison de l'être : la Mafia avait plus d'indicateurs que lui. Pour la forme, il prétendit ne pas comprendre.

Elle but une gorgée de son scotch.

— Papa savait que vous diriez ça. Il m'a aussi dit de vous dire que nous avions trouvé quelque chose. Un homme — il n'a pas mentionné son nom — a contacté quelqu'un que mon père connaît. Cet homme cherche des jeunes filles de douze-treize ans... Vous voyez ce que je veux dire ?

— Et cet homme est un habitué du Lagniappe ?

— Je ne peux pas en dire plus. Nous ne tenons pas à figurer dans vos rapports...

— C'est une plaisanterie ? Vous avez repéré un salaud qui achète des gamines et tu ne peux pas en dire plus ! Remercie ton père pour ses précieux renseignements et ne compte pas sur moi pour payer ton verre.

— Du calme. Je sais que vous essayez de m'impressionner, mais ça ne marche pas. Je ne vous dirai rien de plus. Nous voulons que cette affaire soit réglée, et vite. Les gens sont facilement tentés d'accuser des hommes comme mon père et ça nuit à nos affaires. Alors bonne chance, Sloan. Et n'oubliez pas que nous sommes là. Si vous ne faites pas le travail correctement, nous le ferons à votre place et vous pourrez tout lire dans les journaux. Et prenez soin de ce rhume. On ne tient pas à vous perdre...

Elle l'embrassa sur la joue, lança un billet sur la table et partit.

9

Il était un peu plus de huit heures quand Laura Ramsey termina son article sur Terri DiFranco. Écrire cette histoire s'était avéré plus compliqué qu'elle ne l'avait cru au départ. Il avait fallu trouver les mots justes pour à la fois accrocher les lecteurs et préserver la vie privée et la dignité de la famille de Terri.

La pluie tombait encore quand elle alla chercher sa voiture au parking. Arrivée à proximité de l'avenue Delaware, elle se dit qu'il serait raisonnable de rentrer, manger une soupe en boîte, prendre un bain chaud et dormir. Mais elle ne se sentait pas d'humeur raisonnable. Elle avait envie de quelque chose de pas diététique pour un sou, arrosé d'une bonne bière fraîche. Son estomac le lui ferait sans doute payer ensuite, mais, pour l'instant, son choix était fait.

Elle pensa d'abord au Doggie Diner, où elle pourrait prendre des saucisses chaudes et un paquet de chips, mais y renonça. Il était trop tôt. Le Doggie Diner était plutôt l'endroit rêvé pour calmer les petites fringales qui vous prenaient au milieu de la nuit. Elle se décida pour Costello, tourna dans l'avenue Washington et s'engagea dans Front Street. Elle se gara à quelques mètres du restaurant et se dirigea lentement vers l'entrée, tête baissée, trop fatiguée pour courir sous la pluie.

Le Costello : murs tapissés de faux bois, plafond carrelé, lampes clinquantes, deux jeux vidéo, un juke-box et un énorme distributeur automatique de cigarettes.

Excepté un groupe d'adolescentes qui bavardaient près du juke-box, il n'y avait pas grand monde.

Laura alla directement au comptoir passer sa commande à la petite serveuse brune. Un double cheeseburger, avec des champignons, des oignons frits, de la sauce tomate et des piments. Elle espérait qu'elle aurait la sagesse de n'en manger que la moitié...

Elle attendait d'être servie quand une des filles près du juke-box l'interpella :

— Hé ! vous n'êtes pas la journaliste qui était là ce matin, quand on a retrouvé Terri ?

— Si.

La fille se retourna vers ses amies.

— Vous voyez, je vous l'avais dit.

Elles s'approchèrent de Laura. Elles portaient toutes les trois des jeans et des sweaters moulants. Celle qui s'était adressée à Laura était chaussée de boots dans lesquels elle avait rentré le bas de son jean. Les deux autres étaient en tennis. Deux étaient en train de fumer, la troisième tenait un paquet de Marlboro.

La fille aux boots tira sur sa cigarette avant de reprendre la parole :

— Ma mère m'a dit qu'elle vous avait vue ce matin, quand ils ont découvert son corps...

Laura se demanda laquelle des femmes à qui elle avait parlé pouvait bien être sa mère.

— Vous allez écrire un article ?

— Il paraîtra dans l'édition de demain.

Elle s'attendait à être assaillie de questions. Mais ce ne fut pas le cas. C'était logique : dans le quartier, le bouche à oreille fonctionnait très bien et elles devaient en savoir plus qu'elle sur cette affaire.

— Vous croyez qu'ils attraperont le coupable ?

— La police le pense.

— On a entendu dire que c'est son petit ami qui a fait ça, dit la fille aux Marlboro.

— La police ne l'a pas dit. A quoi ressemble-t-il ?

— Nous savons seulement ce que Terri nous avait

dit sur lui. Nous, on l'a jamais vu. Mais si vous voulez en savoir plus, demandez à Marie. Je ne pense pas qu'elle l'ait vu non plus, mais elle était la meilleure amie de Terri. Elle en sait plus que n'importe qui.

La fille aux boots désigna une adolescente penchée sur le juke-box. Marie était une sorte de vilain petit canard, avec des cheveux roux en épis, des lunettes, et un corps qui gardait encore les rondeurs de l'enfance. Elle portait un pantalon de jogging, des tennis et un sweater de sport trois fois trop grand pour elle, vert et blanc, aux couleurs des Eagles, l'équipe de football. Le chiffre 7 et le nom du célèbre joueur Jaworski y étaient imprimés. Les filles poussèrent pratiquement Laura jusqu'au juke-box.

— Hé, Marie, c'est la journaliste dont on parlait.

— Je sais, dit-elle sans lever les yeux.

— Bonjour, Marie, dit simplement Laura.

Marie ne répondit pas et la fille aux boots reprit :

— Nous lui avons dit que tu étais la meilleure amie de Terri et que tu en savais plus que nous sur son petit ami...

— J'étais là. Je vous ai entendues. Vous croyez que je suis sourde, ou quoi ?

— Ne faites pas attention, dit la fille aux boots à Laura. Elle est encore sous le choc. Vous le seriez aussi si on vous apprenait, le premier jour de votre retour au lycée, qu'on a retrouvé le corps de votre meilleure amie.

— Tu as été absente du lycée ? demanda Laura sur le ton de la conversation.

— Ouais.

— Tu as peut-être attrapé cette grippe qui court en ce moment ?

— Ouais, j'avais la grippe.

— Pendant combien de temps ?

Pas de réponse.

— C'était vraiment une grosse grippe, intervint la fille aux boots. Elle a manqué pendant deux semaines.

— C'est beaucoup pour se remettre sur pied.

— Ouais. Je l'ai eue et puis c'est passé, et puis c'est revenu...

— J'espère que ça va mieux ?

— Ça va mieux.

Marie n'était pas très communicative. Laura décida de l'attaquer de front.

— J'étais là-bas ce matin et j'ai vu le corps de Terri. J'ai écrit un article qui paraîtra demain et je compte suivre l'affaire jusqu'à ce qu'on arrête l'assassin. J'ai besoin que tu m'aides, que tu me dises ce que tu sais. Ça ne ramènera pas Terri, mais ça peut servir à trouver le coupable ou au moins à éviter qu'une telle horreur ne se reproduise. Tu veux bien m'aider ?

— Est-ce que j'aurai mon nom dans le journal ? demanda-t-elle, les yeux toujours baissés vers le juke-box.

— Tu veux qu'il y soit ?

Cette fois elle regarda Laura.

— Non, dit-elle.

— Alors je te promets de ne pas le publier.

— Que voulez-vous savoir ?

— Je voudrais que tu me parles de Terri et de votre amitié.

Marie lui dit qu'elles se connaissaient depuis toujours et qu'elles étaient très proches. Quand elle en arriva au chapitre de Peter, elle se fit plus réticente. Elle répugnait visiblement à en parler. Et c'est avec beaucoup d'hésitation qu'elle raconta comment Terri avait rencontré Peter, combien elle l'avait aimé et sa colère quand elle avait vu deux femmes entrer dans la voiture de Peter, un soir, alors qu'elles étaient en train de manger une pizza.

— Mais tu n'as pas vu ces deux femmes, n'est-ce pas ?

— Non, je ne les ai pas vues.

— Et la voiture ?

— Non plus. Terri ne m'a rien dit sur le moment, alors je n'ai rien vu.

— Mais tu as dû voir la voiture à d'autres occasions. Ils ont eu beaucoup de rendez-vous et tu as dû...

— Non. Terri aurait bien voulu me le présenter, mais lui, en tant que flic en mission spéciale, préférait ne pas se montrer.

— Est-ce que tu crois qu'il était vraiment policier ?

— Je suppose que non. Mais Terri le croyait.

— Étais-tu au courant de l'entrepôt et de ce que Terri allait y faire ?

— Non.

— Tu étais sa meilleure amie. Tu devais être au courant.

— Hé, je ne mens pas ! J'étais malade à ce moment-là.

— Une minute, intervint la fille aux boots. Je me souviens que nous avons eu un examen d'anglais cette semaine-là. Tu y étais. Tu as attrapé la grippe plus tard.

— Écoutez, je vous dis ce que je sais. Si vous ne voulez pas me croire, je m'en fous. Je rentre.

Elle poussa les autres filles pour passer et fut dehors avant que Laura n'ait pu la retenir. Celle-ci mit de la monnaie sur le comptoir et se précipita derrière elle.

Marie courait en direction de la patinoire construite sous l'autoroute I-95.

— Marie ! Attends ! cria Laura, se mettant à courir aussi.

Marie ralentit, comme si elle voulait que Laura la rattrape. Laura courut de plus belle, soulagée que la patinoire soit au moins protégée de la pluie.

Marie l'attendait, appuyée contre la rambarde jaune entourant la piste. Laura s'approcha doucement d'elle. Il était clair que la gamine en savait plus qu'elle ne voulait le dire sur la mort de Terri. Mais pourquoi se refusait-elle à parler ? Pourquoi ne voulait-elle pas l'aider à démasquer l'assassin ? Elle était pourtant la meilleure amie de Terri...

Laura ne savait pas comment s'y prendre pour communiquer avec Marie. Elle avait peu de contacts avec les adolescents et se sentait aussi démunie que si elle s'était trouvée en face d'un Martien. Mais elle savait au moins une chose : elle devait faire le premier pas. Elle prit une profonde inspiration et dit quelque chose, qui lui parut aussitôt stupide :

— Merci d'avoir ralenti. Je suis un peu trop vieille pour ce genre d'exercice !

Évidemment, Marie ne répondit rien à cette banalité.

— C'est dur de perdre quelqu'un qu'on aime, dit alors Laura, optant pour un ton plus direct. C'est la première fois que ça t'arrive ?

— Oui, répondit Marie d'une toute petite voix.

— Ce n'est jamais facile.

Marie ne répondit pas non plus à cette remarque hautement philosophique. Laura se sentit découragée. *Allez, Marie, mets-y un peu du tien...* Mais Marie n'était visiblement pas prête à faire des efforts.

Laura essaya un autre angle d'approche.

— Est-ce que tu crois en Dieu, Marie ?

— Quoi ? Dieu ? Bien sûr... Mais quel rapport avec...

— Penses-tu que Dieu a voulu que Terri meure ?

— Non. Enfin... je ne sais pas.

Elle se tourna pour cacher les larmes qu'elle sentait venir.

— Eh bien moi, je sais que ce n'est pas Dieu qui l'a voulu. C'est le diable. Et ça mérite une punition.

— Je sais.

Laura s'était une fois de plus montrée stupide. Évidemment que Marie savait cela. Elle avait l'impression d'être une novice, qui en est à sa première interview et qui, par maladresse, se met elle-même dans une impasse. Mais elle n'avait pas d'autre choix que de continuer...

— Tu *dois* m'aider, Marie.
Silence.
— Quoi que tu veuilles cacher, ça te rend malheureuse. Tu te sentiras mieux quand tu l'auras dit.
Laura était sur le point de perdre tout espoir quand Marie déclara :
— J'ai vu la voiture. C'est une Datsun 300ZX avec un autocollant de Bruce Springsteen sur le parechocs.
Les mots étaient sortis d'une traite.
Avant de crier victoire, Laura devait vérifier :
— Tu t'y connais en voitures ?
— Non.
— Alors comment sais-tu que c'était une Datsun 300ZX ?
— Parce qu'il y a un petit signe à l'arrière qui le dit, répondit Marie en se retournant à nouveau.
— Mais comment as-tu pu distinguer ce petit signe, de nuit ?
Laura eut soudain une idée.
— A moins que... Tu n'as pu le voir que si la voiture était garée.
Elle attrapa Marie par le bras pour la forcer à la regarder et vit dans ses yeux qu'elle avait raison.
— C'est bien ça, n'est-ce pas ? Tu as vu la voiture garée ? Où ? Où l'as-tu vue ?
— A l'entrepôt, répondit Marie d'une voix honteuse.
Laura mit du temps à comprendre ce qu'elle venait d'entendre.
— Ô mon Dieu !
Elle se retint de demander pourquoi Marie n'avait pas parlé plus tôt. Ce n'était pas le moment. La petite était en larmes. Laura la prit tendrement dans ses bras. Quand les sanglots se calmèrent, elle demanda :
— Dis-moi ce qui s'est passé.
Marie enleva ses lunettes et s'essuya les yeux avec le revers de sa manche.

— Vous aviez raison. J'étais au courant pour l'entrepôt, mais je ne l'avais pas vu. Tout ce que je savais, c'était ce que Terri m'en avait dit...

— Continue.

— Les choses ne se passaient pas comme Terri le voulait. Elle voulait se marier avec lui, mais il avait l'air de s'éloigner ou quelque chose comme ça. Elle avait peur qu'il la quitte si...

— Si elle ne couchait pas avec lui ?

— Oui. Mais ce n'était pas exactement ça. Avant Peter, Terri était sortie avec Joey, un garçon du quartier. Elle s'était refusée à lui et Joey l'avait quittée pour aller avec Lisa. Et puis, un soir, les parents de Terri se sont disputés et sont montés dans leur chambre... Terri savait ce qu'ils faisaient. Ils le faisaient souvent et ça la dégoûtait. Mais elle m'a dit que ce soir-là ça ne l'avait pas dégoûtée et qu'elle avait compris pourquoi ils le faisaient. C'est après ça qu'elle a décidé de coucher avec Peter...

— Qui a eu l'idée de l'entrepôt ?

— Terri... Les hommes ne nous respectent pas si on se donne à eux à l'arrière d'une voiture. Terri n'avait pas d'endroit, alors elle a choisi l'entrepôt.

— Mais tu ne l'as pas vu.

Marie hésita.

— Pas pendant qu'elle l'installait. Je lui ai demandé de m'y emmener, mais elle n'a pas voulu. Elle disait que c'était leur endroit et qu'elle me le montrerait plus tard.

— Et tu t'es sentie mise à l'écart ?

— Non. Enfin, peut-être un peu, mais je n'étais pas jalouse. Je voulais juste le voir...

— Qu'est-ce que ça te faisait que Terri couche avec Peter... Comment as-tu dit qu'il s'appelait, déjà ?

— Je ne sais pas comment il s'appelait. Même Terri ne le savait pas. C'était Peter, c'est tout. Je n'aimais pas l'idée qu'elle couche avec lui et je le lui ai dit. C'est un péché de faire ça avec un homme avant le mariage.

— Qu'en pensait Terri ?
— Elle disait que ce n'était pas un péché puisque Peter et elle allaient se marier.
— Elle croyait donc qu'ils allaient se marier. Et que s'est-il passé ensuite ?
Marie se retourna et s'appuya à nouveau contre la rambarde. Laura commençait à se sentir glacée. Ses chaussures étaient trempées et de l'eau était entrée par le col de son trench-coat. C'était pire encore pour Marie, qui n'avait même pas d'imperméable et qui en plus devait vivre avec sa peine et un profond sentiment de culpabilité.
— Ensuite, j'ai fait quelque chose de pas bien. Je suis allée à l'entrepôt.
— Le samedi ? La nuit où Terri a été tuée ?
Laura avait presque peur d'entendre la réponse.
— Oui. Mais je n'essayais pas de les espionner, vous savez. Je voulais juste voir l'endroit... et voir à quoi ressemblait Peter. Après tout, j'étais sa meilleure amie...
— Tu n'as rien fait de mal, Marie. C'est normal de vouloir connaître la personne que votre meilleure amie fréquente... Étais-tu à l'intérieur ou à l'extérieur de l'entrepôt ?
— A l'extérieur. J'ai pensé aller à l'intérieur, mais ça aurait été mal.
— Peux-tu me raconter ce que tu as vu ?
— Je suis arrivée là-bas tôt, avant eux. C'est là que j'ai pensé à aller à l'intérieur. Terri m'avait expliqué comment on y entrait.
— Mais tu ne l'as pas fait.
— Non. Je me suis cachée dans un endroit d'où ils ne pourraient pas me voir en arrivant.
Laura retint son souffle.
— Ils sont arrivés et ont garé la voiture dans la petite impasse. Terri est descendue, a ouvert la fenêtre pour entrer dans l'entrepôt et ouvrir la porte.
— Et lui ?

— Il est resté dans la voiture jusqu'à ce que Terri ouvre la porte, puis il est entré aussi.

— Comment était-il ?

— Pas vraiment grand, mais plus que Terri. Ils allaient bien ensemble. Il était brun, il avait une barbe. Il portait des lunettes noires, un blouson de cuir et un foulard blanc. Terri disait qu'il les portait toujours.

— Rien d'autre ? Je veux dire... sur son aspect physique ?

— Non. Il était beau, comme elle l'avait dit.

Cette description n'avançait pas à grand-chose, pensa Laura. Même un témoin comme Marie serait incapable de reconnaître le coupable avec l'aide de tels détails. La barbe pouvait être fausse, ou il pouvait l'avoir rasée ensuite...

— Qu'est-ce qui s'est passé après ?

— Ils ont fermé la porte.

— C'est donc tout ce que tu as vu... Et quand ils sont ressortis ?

— Je n'étais plus là. Il s'est mis à pleuvoir et je savais qu'ils en auraient pour un moment. Je n'avais pas envie d'être trempée, alors je suis partie.

— Qu'as-tu pensé quand Terri ne s'est pas montrée au lycée, le lundi ?

— J'étais malade. Je ne suis pas allée au lycée, le lundi.

— Mais tu savais déjà qu'elle avait disparu, n'est-ce pas ? Ses parents avaient dû t'appeler.

Laura sentit qu'elle venait de toucher le point sensible.

— Pourquoi n'as-tu rien dit jusqu'à maintenant ?

— Parce que Terri m'avait fait promettre de ne rien dire à personne, surtout pas à ses parents. Elle était sûre que, si les choses se passaient comme elle l'espérait, Peter et elle s'enfuiraient pour se marier.

— Tu n'étais pas inquiète ?

— Si...

Elle éclata à nouveau en sanglots.

— C'était ma meilleure amie. J'avais peur pour elle, je ne voulais pas qu'elle fasse ça.

— As-tu parlé à la police ?

— Oui.

— Pourquoi ne leur as-tu rien dit, ou à tes parents ?

Marie se mit à pleurer de plus belle.

— J'avais peur que tout le monde me haïsse pour ce que j'avais fait. Espionner comme ça...

Laura la reprit dans ses bras.

— Ça n'a aucune importance. Tu n'as rien fait de mal, crois-moi... (Elle la garda dans ses bras jusqu'à ce qu'elle se calme.) Mais tu devras aller à la police, Marie. Et cette fois, il faudra tout leur raconter.

— Je sais...

Tandis qu'elles rebroussaient chemin sous la pluie, Laura pensa que sa journée n'était pas encore terminée. Elle devrait d'abord appeler Sloan et lui parler de Marie, puis téléphoner au journal. Après tout, elle n'avait jamais promis à Sloan de ne pas utiliser la déposition d'un témoin anonyme.

10

Le carrefour de l'Opéra était encombré par une foule de taxis déchargeant des passagers. D'habitude, Missy devenait folle dans les embouteillages ou dans n'importe quelle file d'attente. Mais pas ce soir. Seule avec Felix, à l'arrière de la limousine de Wakefield et Pollack, elle se sentait presque sereine. Un sentiment rare pour elle.

Rien à voir avec l'état où elle s'était trouvée quand elle avait quitté sa mère, le lundi soir. Elle était retournée en ville, pleurant de rage et passant ses nerfs sur le volant de sa voiture. A tel point qu'elle avait dérapé sur la route rendue glissante par la pluie, avait presque percuté la butée du pont et s'était retrouvée sur un parking au bord de la rivière. Seuls ses très bons réflexes l'avaient sauvée d'une mort certaine.

Une fois en ville, elle s'était arrêtée à une cabine téléphonique pour appeler un de ses dealers. Elle était ensuite allée chercher la cocaïne puis avait fini au Christian, un bar sur Samson Street. Après avoir avalé plusieurs tequilas, elle avait entraîné avec elle quatre étudiants — trois jeunes gens de bonne famille et une fille de dix-neuf ans qui semblait tout droit sortie de l'époque des beatniks, avec son col roulé et ses longs cheveux noirs. Carl n'était pas le seul à avoir parfois besoin de chair fraîche pour se stimuler. Tout le monde en avait besoin, même sa sacro-sainte mère...

Chez elle, l'effet du stress, de la drogue et de l'alcool aidant, Missy s'était déshabillée devant les jeunes gens et les avait sucés à tour de rôle. Au début, la fille avait été réticente. Mais ses préjugés avaient vite été balayés par la drogue et elle s'était laissé faire. Ça avait duré toute la nuit et une partie du lendemain. Finalement, c'était la fille qui s'était montrée la plus réceptive aux exigences de Missy. Mais quand ils l'avaient quittée, Missy s'était rendu compte que la fête était finie... et bien finie. Elle avait fait d'eux ce qu'elle avait voulu, mais ça n'avait rien changé. Elle s'était retrouvée seule et complètement brisée...

Elle s'était préparée sans enthousiasme pour aller travailler et avait écouté des messages sur son répondeur. Elle avait alors entendu la voix de Felix, à la fois irritée et inquiète. Dans l'agitation de ces dernières heures, elle avait complètement oublié leur rendez-vous. Felix avait appelé avant son retour chez elle avec les étudiants. Tout en réécoutant son message, elle s'était dit qu'elle avait eu tort de se sentir désespérée. Elle n'était pas seule. Quelqu'un pensait à elle...

Elle l'avait immédiatement appelé et il lui avait donné rendez-vous le soir même à l'Opéra...

Maintenant, assise à ses côtés, elle se sentait calme, en paix. Les dix milligrammes de Valium avalés avec une vodka et le nouvel ensemble acheté l'après-midi même y étaient pour quelque chose.

Tandis qu'ils attendaient dans l'embouteillage, Missy se sentait si bien dans son cocon de bonheur qu'elle mit un moment avant de saisir ce que lui disait Felix. Il s'agissait, crut-elle comprendre, d'un article du *Globe* écrit par cette horrible Laura Ramsey. On aurait retrouvé un témoin au sujet du meurtre de cette adolescente du sud de Philadelphie... Mais Missy était loin de ce genre de considérations. Elle préférait penser à son nouvel ensemble de chez Calvin Klein et à l'effet qu'il faisait à Felix. Un bustier ivoire et une jupe de soie noire, s'arrêtant juste au-dessus du genou. Elle n'avait pas hésité une seconde devant les mille dollars à débourser. Elle était immédiatement tombée amoureuse de cet ensemble, et avait mis la note sur le compte de sa mère. Ça lui apprendrait à lui avoir dit ces atrocités. D'ailleurs, à présent, Missy était sûre qu'elle lui avait menti et que son père n'avait jamais voulu la faire adopter. C'était une invention de sa mère pour se justifier d'avoir pris un amant.

La limousine s'arrêta devant l'Opéra et Albert, le chauffeur, sortit leur ouvrir la portière. Ils se joignirent à la foule qui gravissait les marches et dépassèrent les affiches annonçant le spectacle. L'orchestre de Philadelphie jouait *Madame Butterfly*, de Puccini. Missy détailla du regard les tenues coûteuses des femmes. *Tant d'argent, et si peu d'imagination*, pensa-t-elle.

Tandis qu'ils se dirigeaient vers le bar, elle se plut à penser que Felix et elle formaient un beau couple. Felix avait de l'allure dans son smoking. Il lui manquait juste une touche de gris dans les cheveux et la barbe pour être parfait. Cela viendrait avec le temps. Et elle serait encore avec lui pour le voir...

Felix, bien qu'il ne fût installé à Philadelphie que depuis peu, rencontra plusieurs personnes qui semblaient le connaître. Il reçut des compliments sur la qualité de son travail et Missy n'eut droit qu'à des sourires de circonstance.

Elle ne supportait pas d'être traitée ainsi, mais elle se consola en pensant que Felix, lui, était apprécié et respecté. Cela renforçait sa conviction profonde : cet homme était fait pour elle.

Ils étaient en train de prendre un verre au bar — elle une vodka, lui un Jack Daniels — quand Missy vit soudain le visage de Felix se durcir. Elle se retourna pour voir la cause de ce changement d'humeur. Une jeune femme brune, d'environ trente ans, s'avançait vers eux. Elle avait un air pincé, les cheveux mi-longs, et portait une robe à fleurs que Missy identifia comme venant de chez Ralph Lauren. Elle aurait pu s'épargner tant de frais, se dit-elle. L'encolure de la robe mettait davantage en valeur son cou trop maigre et ses salières que sa poitrine.

— Bonsoir, Cyn. Comment vas-tu ? dit Felix.

— Bien, Felix. Très bien.

— Missy, je ne sais pas si vous vous connaissez — tout le monde a l'air de se connaître à Philadelphie. Je vous présente Cynthia, ma... mon ex-femme.

Missy se revit soudain au Lagniappe, le soir de sa rencontre avec Felix ; une série d'images défila dans sa tête. Son humiliation devant Laura Ramsey... La trahison de Carl... Et surtout Lois Fortier lui racontant que Felix était venu à Philadelphie pour récupérer son ex-femme...

Eh bien, cela n'arriverait pas. C'était elle que Felix voulait. Cynthia n'avait plus aucune importance.

Cynthia ignora Missy, concentrant toute son attention sur Felix.

— J'ai entendu dire que tu étais à Philadelphie...

Elle laissa la phrase en suspens, comme pour dire : « Et j'ai attendu ton coup de fil. »

Felix comprit le message.

— Oui. J'avais l'intention de te contacter, mais j'ai été très occupé.

Missy afficha un sourire tout miel, pour bien faire comprendre à Cynthia ce qui avait occupé Felix. Cynthia fit mine de ne rien voir.

— On parle de toi dans toute la ville, tu sais. De ton projet ici... J'ai même reçu un appel d'une journaliste qui veut m'interviewer à ton sujet.

Felix n'apprécia visiblement pas cette nouvelle, mais tenta de faire bonne figure.

— J'espère que tu diras des choses gentilles...

— Tu le sais bien, dit-elle, abandonnant quelques secondes son air pincé. Bon. C'est bientôt le lever de rideau. Je ferais mieux de regagner ma place.

En partant, elle se retourna et sourit à Felix.

— Si tu veux savoir comment s'est passée l'interview, appelle-moi.

Felix ne répondit pas, mais Missy sentit sa gorge se serrer. Les « ex », tous les « ex », femmes, amants ou autres, étaient toujours source de problèmes...

— Votre ex-femme est charmante, dit-elle sur le ton qu'on emploie pour parler d'une vieille dame ou d'une jolie maison.

— Oui.

— Étiez-vous proches... je veux dire, quand vous étiez mariés ?

— Au début, dit-il en buvant une gorgée de son whisky.

— Je ne voudrais pas être indiscrète, mais qu'est-il arrivé ?

— C'est plutôt ce qui n'est pas arrivé. Les enfants...

— Elle en voulait et vous n'en vouliez pas ?

— Non. C'est le contraire.

— Oh ! Eh bien, c'est assez inhabituel.

— Je suppose que oui...

Il semblait avoir envie de se confier.

— Quand nous nous sommes rencontrés à La Nouvelle-Orléans, je venais de faire faillite. Ça n'avait pas l'air de la déranger. C'était même elle qui payait les factures quand nous avons commencé à vivre ensemble. Elle recevait de l'argent de sa famille et dirigeait un petit hôtel dans le quartier français. Elle se débrouillait bien. J'ai toujours admiré ses talents de femme d'affaires... Finalement, j'ai réussi à remonter la pente, suffisamment pour nous faire vivre tous les deux très confortablement. J'ai pensé que c'était le bon moment pour que Cynthia arrête de travailler et que nous fondions une famille...

— Mais elle n'a pas voulu ?

— C'est ça. Je n'avais pas réalisé à quel point sa carrière comptait pour elle. Ou peut-être était-elle mal à l'aise par rapport à mes propres succès... Quoi qu'il en soit, j'ai trop insisté sur ma volonté d'avoir des enfants. Et voilà.

Missy ne dit rien, lui pressa tendrement le bras et l'entraîna jusqu'à leurs places. En l'écoutant, elle avait appris quelque chose sur lui qui lui plaisait. Malgré sa puissance — ses succès financiers, sa beauté, son charme —, Felix était aussi un homme qui, à cause de sa sensibilité, pouvait être manipulé. Cela lui rappela un des graffiti inscrits dans les toilettes pour femmes du Lagniappe : « Un homme sensible c'est un homme qui fait ce qu'on lui demande de faire. » Amen.

Le rideau se leva et le public applaudit le décor reproduisant la petite ville de Nagasaki. Missy n'y prêta pas attention. Toutes ses pensées étaient tournées vers l'homme assis à côté d'elle. Jamais un homme ne l'avait autant émue. Les autres avaient été des sortes de beaux objets sans profondeur qu'elle utilisait et rejetait au gré de ses caprices. Mais elle avait senti dès le début que Felix était différent. Il lui faisait penser à son père. Aux bons côtés de son père...

Aucun doute, c'était l'homme qu'il lui fallait. Beau,

intelligent, riche et issu d'un bon milieu... Sophistiqué, mais aussi réaliste... Et un peu lointain, mystérieux... Elle devrait percer ce mystère. C'était comme un défi. Et elle se doutait que ce ne serait pas le seul qu'elle aurait à relever.

Elle regarda Felix à la dérobée. De profil, les lignes de son visage étaient dures. Elle eut le sentiment qu'il devait être un amant exigeant et des frissons la parcoururent. Son ex-femme — ou plutôt l'histoire de sa rupture avec lui — lui avait appris ce qu'il désirait le plus : des enfants.

Serait-elle capable de lui en donner ? Elle regarda le spectacle sans le voir... La seule idée d'être à nouveau enceinte la rendait malade... Irrésistiblement, les souvenirs de la première fois affluèrent. C'était arrivé l'été de ses seize ans, l'été où son père l'avait surprise avec Roy Curtis. Après ça, elle s'était jetée dans la débauche. Elle avait couché avec tous ceux qui l'avaient voulu, se pliant à tous leurs caprices. Elle l'avait fait pour se punir elle-même... le sexe ne l'intéressait pas... seul son père l'intéressait. Elle aurait fait n'importe quoi pour au moins attirer son attention, briser le mur qui s'était dressé entre eux. Mais ça n'avait pas marché. Et elle s'était retrouvée enceinte.

Sur la scène, Butterfly entonnait *Un Bel Di, vedremo*. La musique plongea Missy dans des pensées qu'elle aurait voulu écarter... Elle ne savait pas qui était le père, ça lui était égal. Sa mère se trouvait en Europe cet été-là. Edgar était en « vacances », probablement avec elle. Elle était donc seule dans la maison avec son père quand elle lui avait appris qu'elle était enceinte.

Elle sentit la cicatrice sur son ventre lui faire mal et la brûler. Comme toujours. La cicatrice était vieille de douze ans, mais la faisait toujours souffrir quand elle repensait à cette époque. *N'y pense pas*, s'ordonna-t-elle. *Pas maintenant. Tu vas gâcher ta soirée et peut-être même tes chances avec Felix.*

La douleur, la brûlure ne venaient que lorsqu'elle essayait de se rappeler ce qui s'était passé cette nuit-là, quand elle avait tout dit à son père. Elle se revoyait, debout devant la porte de son bureau, terrifiée. Il était assis à sa table de travail, les lignes dures de son visage accentuées par le jeu de lumière et d'ombre. Avec ses épais sourcils, il ressemblait à Méphistophélès. Il avait levé les yeux de ses dossiers... C'est tout ce dont Missy se rappelait.

Ça se passait toujours comme ça. Elle se souvenait de tout, jusqu'à ce moment-là. Son inquiétude, les vêtements larges qu'elle portait pour cacher son ventre, ses prières pour que ses règles arrivent. Mais rien d'autre. Pendant douze ans, elle avait seulement pu se rappeler cette image d'elle-même, debout devant le bureau de son père, terrifiée à l'idée de tout lui dire. Et à chaque souvenir la douleur s'intensifiait, jusqu'à devenir intolérable, si horrible que sa mémoire se bloquait.

La musique tournoyait dans sa tête. Elle mit la main sur son ventre pour essayer d'étouffer la douleur. Mais celle-ci arrivait par vagues si intenses qu'elle fut prise d'un vertige... elle ne distinguait plus que des couleurs floues autour d'elle, son cœur battait à tout rompre. Prise de panique, elle se leva, passa devant Felix et les autres spectateurs du rang et courut presque pour atteindre le bar. Elle commanda une double vodka.

En attendant son verre, elle avala un autre comprimé de Valium. Ses mains tremblaient. Des années auparavant, elle avait voulu de toutes ses forces se souvenir, mais elle n'y était pas arrivée. Maintenant, tout ce qu'elle voulait c'était oublier, mais elle n'y arrivait pas non plus.

— Est-ce que ça va ? demanda Felix qui l'avait suivie.

Elle le regarda et se rendit compte qu'elle le haïssait à cet instant. Tout était de sa faute. S'il n'avait pas parlé de son désir d'avoir des enfants, elle n'aurait pas pensé à tout ça, la douleur ne serait pas revenue.

— Je vais très bien, dit-elle en prenant son verre.

— Ça n'en a pas l'air. Qu'est-ce qui se passe ?

— Je vais *très* bien, répéta-t-elle, les dents serrées.

— Je crois que vous devriez rentrer. Vous avez besoin d'une bonne nuit de sommeil.

Elle ne dit rien et ne bougea pas quand il lui enleva son verre des mains, le posa sur le comptoir et laissa un billet de cinq dollars. Il passa ensuite un bras autour de ses épaules et la conduisit jusqu'à la sortie.

Dehors, ils attendirent qu'Albert avance la limousine. Essayant de retrouver son calme, Missy expliqua à Felix qu'elle préférait rentrer seule. Elle s'excusa d'avoir gâché la soirée et lui demanda de l'appeler le lendemain. Puis, sans lui laisser le temps de répondre, elle monta dans la limousine et dit à Albert de se dépêcher de la ramener.

Albert démarra et il aurait pu jurer qu'il l'avait entendue murmurer :

— Sois maudit, papa... J'ai fait de mon mieux, mais ce n'était pas assez. Ce n'était jamais assez...

11

L'inspecteur Rafferty comprit au regard du lieutenant Sloan qu'il n'aurait pas dû arriver en retard à la réunion de la 7e brigade. Et ses excuses ne suffirent pas à briser la glace.

— Désolé d'être en retard, lieutenant. Je me suis arrêté pour prendre un café au Rindelaub. Je ne supporte plus le jus de chaussette d'ici. Après, j'ai été bloqué par les embouteillages... Vous savez ce que c'est, à cette heure...

Sloan hocha la tête et ne dit rien. En fait, il était

satisfait d'avoir Rafferty dans son équipe. C'était le plus ancien et il n'avait rien perdu avec l'âge. Il était aussi efficace qu'il y a dix ans. Peut-être même plus, si on comptait la force de l'expérience et les coups durs. A l'époque de la formation de la brigade, Rafferty avait été mis momentanément au rancart de la Criminelle. Il avait eu le malheur de se trouver par hasard sur les lieux d'un hold-up et d'échanger des coups de feu avec le malfaiteur. Celui-ci était tombé mort. Rafferty n'était pas dans son tort ; personne n'avait pensé ça. Mais il y avait un petit problème : le malfrat n'était autre que le fils d'un leader politique.

La Criminelle avait limogé Rafferty, et Sloan et la 7e brigade l'avaient récupéré.

— La nuit dernière, j'ai reçu un appel de Laura Ramsey, commença Sloan. Je suis sûr que vous avez tous lu son article sur l'affaire. Il semble qu'elle ait trouvé un témoin. Marie, la meilleure amie de Terri DiFranco.

Le silence était total maintenant.

— Ce matin, je suis allé la chercher moi-même. Elle m'a décrit l'assassin dans ses grands traits. Il faisait nuit, mais elle l'a vu. Sa description correspond aux éléments que nous avons : mince, brun, barbu, des lunettes noires. Elle est à côté, maintenant, en train de regarder des photos de détraqués fichés.

— Une sacrée récréation...

— Ce qui m'amène à mon deuxième point, Spivak. Avant de monter sur vos grands chevaux, pourriez-vous m'expliquer pourquoi nous avons besoin d'une journaliste pour faire notre travail ? Cette fille était la meilleure amie de Terri DiFranco. Pas une extraterrestre ! Compris ? (Il feuilleta les dossiers.) Evans, je ne vois pas le rapport sur les costumiers. Qu'est-ce que ça a donné ?

Evans avait l'air d'un bouddha en pleine méditation.

— Nous avons fait les recherches, lieutenant. Et nous avons une liste d'au moins quatre ou cinq cents personnes ayant acheté des fausses barbes et des perruques au cours des deux dernières années. Pour l'instant, nous la confrontons avec celle des violeurs fichés. C'est tout ce que nous pouvons faire... Il nous faudrait au moins un an pour tout contrôler.

Sloan se calma un peu.

— Je suppose que vous avez raison. De toute façon, nous ne sommes pas sûrs que le gars a utilisé un déguisement. Et s'il l'a fait, il a probablement donné un faux nom au vendeur. Mais continuez. On ne sait jamais.

L'inspecteur Kane se leva.

— Lieutenant...

— Oui ?

— Je suis retournée au Lagniappe...

— Je croyais vous avoir dit de prendre du repos.

— Oui. Mais vous nous avez dit aussi d'apprendre à utiliser notre propre jugement. Alors j'y suis retournée et j'y ai rencontré un certain Carl Laredo, un peintre. Nous avons discuté et il m'a présentée au propriétaire, Justin Fortier. Vous vous souvenez qu'une des serveuses avait porté plainte contre lui ? Je pense que nous devrions voir ça de plus près.

— Spivak, vous l'avez entendue ? Rafferty et Evans, vous continuez sur les listes des costumiers. Kane, vous venez avec moi. Je vais avoir besoin de vous pour parler à Marie. Elle est encore effrayée et vous pourriez m'aider à la calmer.

Ils se rendirent dans la salle d'interrogatoire. Marie regardait à présent des photos de voitures. Un policier en uniforme se tenait à ses côtés pour l'aider.

— Des résultats ? demanda Sloan.

Le policier hocha négativement la tête. Marie leva les yeux vers Sloan.

— Je... je ne l'ai pas reconnu.

Elle lui montra une des photos de voitures.

— Mais sa voiture ressemblait à celle-là.

Sloan prit la photo et la retourna. La marque, Datsun 300ZX, était inscrite au dos.

Marie avait déjà dit que c'était une Datsun 300ZX.

— Kane, je veux la liste complète des propriétaires de Datsun 300ZX à Philadelphie. Je me fous de leur nombre. On ne peut pas se permettre de laisser un seul détail au hasard. Comparez les noms avec ceux des violeurs fichés. Et voyez aussi quel genre de voiture possède Justin Fortier. (Il se tourna vers le policier :) Pendant que Kane et moi discutons avec Marie, allez chercher l'artiste de la maison. Voyons si Rembrandt peut nous faire un portrait-robot.

12

Laura arriva en avance à son rendez-vous avec Cynthia. Elle poussa les portes battantes du Reading Terminal. A sa construction, dans les années 1800, le bâtiment n'abritait qu'un simple marché où les fermiers venaient vendre leurs produits. Depuis, il s'était transformé en véritable complexe commercial, avec des restaurants et des stands proposant des produits de différentes ethnies et régions. Laura aimait beaucoup cet endroit.

Elle s'arrêta un moment devant le stand Amish, humant la bonne odeur du poulet sauce barbecue. Derrière les comptoirs, les Amish, avec leurs barbes, leurs chapeaux et leurs vêtements démodés, s'affairaient et servaient les déjeuners. Laura se dirigea ensuite vers le centre du marché en prenant le temps de flâner parmi les étalages. Elle s'arrêta encore pour dire bonjour à Harry Ochs, son boucher favori. Puis elle poursuivit son chemin jusqu'à la Coastal Cave

Trading Company, où elle devait déjeuner avec Cynthia.

Cynthia, en avance elle aussi, était déjà assise au comptoir et discutait avec le patron, Lobster Bob. La spécialité du restaurant était le homard et les fruits de mer. Laura prit un tabouret et s'assit à côté de Cynthia. Elles commandèrent toutes les deux une salade au homard.

— Comme je te l'ai déjà dit, commença Laura, j'ai été chargée d'écrire un article sur Felix. Tu es bien placée pour m'aider. Mais tu n'es pas obligée de répondre à toutes mes questions si tu n'en as pas envie. D'accord ?

— D'accord.

— C'était comment d'être mariée avec lui ?

— Très instable. Un jour on roulait sur l'or, le lendemain on était sur la paille. C'était un peu comme vivre avec un joueur invétéré.

— Et tu souhaitais plus de sécurité ?

Cynthia n'eut pas le temps de répondre. Elle fut interrompue par l'apparition — c'était bien le mot qui convenait — de Carl Laredo. Il portait un blouson de sport, un foulard noir serré autour du cou et un T-shirt gris sombre avec une publicité pour la bière Rolling Rock. Il avait quelque chose de changé et Laura mit un moment à trouver quoi : il avait rasé sa barbe.

— Ça alors ! Mes deux femmes préférées ! Je peux me joindre à vous ?

— Bien sûr, dit Cynthia avant que Laura puisse objecter quoi que ce soit. Laura est en train de m'interviewer au sujet de Felix.

Pendant qu'il s'installait à côté d'elle, Cynthia posa la question qui brûlait les lèvres de Laura :

— Qu'est-ce qui s'est passé avec ta barbe, Carl ?

— J'en avais marre, grogna-t-il.

Il commanda des huîtres et de la truite fumée.

— Allez, dis-moi la vérité, le taquina-t-elle. Un

homme a toujours une bonne raison pour raser sa barbe.

— En réalité, je l'ai fait pour mon exposition à New York. Pour soigner mon look. Les barbes ne sont plus à la mode, en tout cas pas dans le milieu artistique.

Il se pencha pour regarder Laura.

— Tes articles sur cette fille du sud de Philadelphie sont vraiment bien. Je les ai trouvés très émouvants.

— C'est vrai, dit Cynthia. Si tu continues comme ça, tu as une chance de gagner un prix, peut-être même le Pulitzer. J'ai pleuré en lisant ton histoire.

— Ce qui m'a le plus impressionné, renchérit Carl, c'est la déclaration du témoin. Ça, c'était vraiment un coup de maître !

— J'apprécie vos compliments, dit Laura, mais si je ne veux pas me retrouver au chômage, il faut que je termine cet article sur Felix. Ça ne t'ennuie pas si on continue, Cynthia ? Comment était Felix quand ça n'allait pas financièrement ?

— Il pouvait être deux personnages complètement différents. Il ne restait jamais sur un échec, mais il se repliait sur lui-même, il devenait silencieux et maussade.

— C'est normal, intervint Carl. Beaucoup de gens réagissent comme ça quand ils sont sous pression. Pourquoi l'as-tu quitté ? Je ne t'ai jamais entendue le dire.

Laura commençait à se sentir de trop.

— Il voulait des enfants et je n'en voulais pas, répondit Laura après un instant d'hésitation. Maintenant, je vois les choses différemment...

— La fameuse horloge biologique ? demanda Laura.

— Je suppose...

Carl avait l'air de s'ennuyer profondément.

— Aucun intérêt, votre histoire d'horloge biologique. Moi, ce qui m'intrigue, Laura, c'est ton témoin. Tu n'as même pas dit si c'était une fille ou un garçon.

En regardant Carl, Laura pensa qu'une description, même détaillée, était finalement peu utile. Carl, d'après ce qu'avait dit Marie et si l'on exceptait la barbe, correspondait tout à fait à la description de l'assassin. Et c'était vrai aussi pour une grande partie de la population masculine.

— Si nous faisions un marché ? proposa Cynthia. Si Laura t'en dit plus sur son témoin, tu devras nous dire ce que ça fait de sortir avec Missy Wakefield.

— Pourquoi ?

— Je l'ai vue hier, avec Felix, à l'Opéra. Ils sont partis avant la fin du premier acte. Pas très discrètement... Je me demandais juste comment elle était...

— Tu veux dire, ce que Felix lui trouve ?

Cynthia était encore visiblement attachée à son ex-mari.

— Si tu veux...

— D'accord pour le marché. Et toi, Laura ?

— Tu dois accepter, Laura, dit Cynthia. Sinon je ne te dirai plus rien sur Felix.

Étrange comme les deux affaires qu'elle suivait étaient liées, pensa Laura. Elle décida de jouer le jeu pour voir où ça la mènerait.

— Que veux-tu savoir ?

— Des choses sur ton témoin. En te lisant, on a envie de savoir ce que tu ne dis pas. Je sais que tu dois rester prudente tant que l'assassin n'a pas été arrêté. Mais je voudrais te poser une ou deux questions. Est-ce que la jalousie intervient dans cette affaire ? Je veux dire : est-ce que le témoin était jaloux de Terri ou du petit ami ?

— Bonne question.

Carl avait peut-être raté sa vocation. Savoir poser les bonnes questions était une qualité essentielle chez un journaliste.

— Je suppose que le témoin a pu ressentir une certaine jalousie, poursuivit-elle. Mais si tu me demandes si la jalousie a pu être le mobile du crime, si le témoin a pu tuer Terri et laisser porter les soupçons sur le petit ami, je te répondrai que c'est impossible. C'est tout ce que je peux te dire.

— C'est suffisant. Tu as répondu à toutes mes questions avec un seul mot.

— Quel mot ?

— Je suis peintre. Quand j'utilise des couleurs, je le fais avec précision. Par exemple, mes bleus ne sont jamais seulement bleus. Ils sont bleu ciel, bleu marine, etc. Je te connais, Laura. Nous sommes amis et je sais que tu utilises les mots comme moi les couleurs. Le fait que tu aies dit qu'il était *impossible* que le témoin soit le tueur ne peut signifier qu'une seule chose : le témoin est une fille. Mais pourquoi rôdait-elle autour de l'entrepôt ? Ne me dis rien... Elle devait être une amie du garçon ou de Terri. Or, si elle avait été l'amie du garçon, celui-ci ne l'aurait sûrement pas invitée à venir voir comment il allait tuer quelqu'un. Donc, elle était forcément l'amie de Terri. Probablement sa meilleure amie. A qui d'autre se serait-elle confiée ?

Laura s'en voulait. Elle en avait trop dit. Maintenant, il fallait essayer de rattraper les choses.

— Ça pourrait être aussi un autre petit ami de Terri, suggéra-t-elle.

— Ça n'en a pas l'air. Tu as précisé dans ton article que le témoin n'avait pas vu le meurtre. Tu ne vas pas me dire qu'un garçon, sachant que Terri et son ami allaient faire l'amour, ne serait pas resté pour profiter du spectacle ?

— Ce ne sont que des spéculations, dit Laura, se rendant compte qu'elle était à bout d'arguments.

Elle espérait ne pas avoir mis Marie en danger.

— Bon, tu as assez frimé, monsieur le détective, intervint Cynthia. Si nous en venions à Missy ?

— Eh bien, c'est une femme intéressante...

— Tu n'as rien de plus original à nous dire ?

— C'est difficile à expliquer. Elle est belle, riche et solitaire. Elle connaît tout le monde, mais n'a pas d'amis. Pas un seul, excepté peut-être...

— Écoute, nous savons tous qu'elle n'est pas la gentillesse incarnée. Ce que nous voulons...

— Ce que tu veux savoir, dit-il avec un demi-sourire, c'est comment elle est au lit.

Laura, qui jusque-là n'avait écouté qu'à moitié, fut surprise de s'entendre dire :

— Oui, Carl, essaie de nous dire ça en un seul mot.

— Touché ! dit Carl.

Il hésita un instant.

— Créative, décréta-t-il enfin.

Il les regarda.

— Et c'est tout ce que vous obtiendrez de moi. Après tout, un gentleman doit savoir rester discret.

Elles commencèrent à protester mais il les arrêta d'un geste.

— Pas la peine d'insister... C'est ton tour, Cynthia. Parle-nous de Felix.

Cynthia se tourna vers Laura.

— Vas-tu l'interviewer ?

— Ce soir. Nous dînons ensemble.

— Qui a eu l'idée de ce dîner ?

— Lui.

Il s'était gardé de le lui dire quand ils s'étaient rencontrés à l'Opéra, pensa Cynthia.

— Eh bien, que veux-tu savoir d'autre ?

— Parle-moi de sa condamnation.

— Comment es-tu au courant ?

— Par quelqu'un de La Nouvelle-Orléans.

— Je ne peux pas t'en dire grand-chose. Ça s'est passé après notre divorce. Tout ce que je sais, c'est que, contrairement à son habitude, Felix travaillait en collaboration avec un partenaire sur un projet de développement, et qu'ils partageaient les bénéfices. Un jour, il y a eu un accident et deux ouvriers du chantier sont morts. Felix et son partenaire ont été inculpés pour homicide involontaire et incarcérés. Mais finalement Felix a été gracié.

Le récit de Cynthia correspondait aux informations qu'avait déjà eues Laura.

— Tu ne sais rien d'autre ? demanda-t-elle.

— J'ai cru comprendre qu'une fois en prison le partenaire de Felix est revenu sur ses déclarations et a pris tous les torts à sa charge. Ensuite, le gouverneur a gracié Felix.

— Alors tu es convaincue qu'il était innocent ? demanda Carl.

— Bien sûr. Felix n'est pas le genre d'homme à faire une chose pareille. Il a toujours été très scrupuleux dans son travail. Une telle négligence ne lui ressemble pas.

Après le déjeuner, Laura décida de ne pas retourner à son bureau. Elle n'avait pas de rendez-vous et se sentait épuisée. Un peu de repos ne serait pas de trop et en plus elle devait se préparer pour sa soirée avec Felix.

Elle devait reconnaître qu'elle avait porté un intérêt tout particulier à cette discussion sur Felix. Dès leur première rencontre au Lagniappe, elle l'avait trouvé très séduisant. Les traits ciselés de son visage, sa barbe sombre lui donnaient un air mystérieux, presque dangereux, qu'elle trouvait assez excitant. Elle s'était surprise plusieurs fois à s'imaginer dans ses bras, à sentir le contact de sa bouche sur ses lèvres... Il était clair qu'elle n'était pas la seule à avoir de telles pensées. Cynthia et Missy Wakefield semblaient elles aussi très attirées par Felix. Quoi qu'il en soit, la perspective de cette soirée en tête à tête avec lui plaisait à Laura. Même s'il ne s'agissait que d'un dîner d'affaires. Dîner ensemble, prendre un verre ensemble... cela ressemblait à un vrai rendez-vous. Et cela faisait si longtemps qu'elle n'était pas sortie avec un homme...

Laura trouva facilement une place où se garer sur Front Street et descendit Emily Street à pied. Chez elle, elle prit une bière dans le frigo et monta se faire couler un bain. Puis elle alla dans sa chambre où elle commença à se déshabiller tranquillement.

Une fois en slip et soutien-gorge, elle choisit de nouveaux dessous dans sa commode, un ensemble d'un bleu lumineux, et les posa sur le lit. D'un geste impulsif, elle mit le porte-jarretelles autour de sa taille. Même sans les bas, cet accessoire lui donnait la sensation d'être plus féminine, plus sexy.

Elle traversa la pièce et ferma la porte, derrière laquelle se trouvait un grand miroir. Elle resta là, debout, à se contempler. Elle imagina Felix la voyant ainsi.

Elle croisa les bras et fit courir ses doigts sur ses épaules, son cou, puis descendit plus bas, s'arrêtant un instant sur ses seins. Elle se cambra, effleura son ventre, puis remonta, s'attardant à nouveau sur ses seins. Un léger frisson la parcourut et son visage s'assombrit tandis qu'elle se forçait à détacher son soutien-gorge. Croisant à nouveau les bras sur sa poitrine, elle fit glisser une bretelle, puis l'autre. Elle se regardait, maintenant le soutien-gorge contre elle, comme si un miracle avait pu se produire depuis la dernière fois.

Elle baissa lentement son soutien-gorge. Sur le côté droit, il y avait un sein. Mais à gauche il n'y avait plus rien. Rien qu'une série de cicatrices.

Une simple mastectomie, avait dit le docteur. La cause, une petite tumeur, indolore et presque imperceptible au toucher. Mais cette tumeur était maligne.

La mère de Laura avait dit que c'était un signe de la colère de Dieu. Il l'avait punie parce qu'elle lui avait tourné le dos en n'accomplissant pas son destin de femme et en ne cherchant qu'à réussir sa carrière. Sa mère était une croyante fanatique. Mais Laura avait dû admettre qu'elle aurait mieux fait de profiter pleinement de son corps avant qu'il ne la trahisse. Elle avait tout sacrifié à sa carrière. Et à présent c'était trop tard. Elle ne pourrait plus jamais revenir en arrière...

Laura s'éloigna du miroir. Bien après son opération, elle avait courageusement tenté d'avoir des relations sexuelles avec Phil, un professeur. Il avait été son amant, ou du moins avait-il lui aussi courageusement essayé. Mais il ne supportait pas la vue de ses cicatrices. Il n'avait pas eu besoin de le dire pour qu'elle s'en rende compte. Et quand elle avait voulu en parler avec lui, il avait dit que son infirmité le faisait se sentir vieux, bien trop mortel. Elle l'avait haï pour sa pseudo-sensibilité. Mais elle l'avait surtout haï pour avoir été le premier à lui dire que, désormais, elle était condamnée à la solitude...

Elle se dirigea vers la salle de bains. Le porte-jarretelles gisait maintenant sur le sol, dérisoire, inutile.

13

Les membres de la 7e brigade n'étaient pas beaux à voir. Yeux cernés, mines grises... Sloan ne faisait pas exception. Il semblait s'être débarrassé de sa grippe, mais il était épuisé.

Seule l'inspecteur Mary Kane paraissait en forme. Ses heures supplémentaires au Lagniappe, en compagnie de Spivak, ne l'avaient visiblement pas perturbée.

— Quel est le nom de votre vitamine magique ? lui demanda Sloan.

— Pardon, lieutenant ?

— Regardez autour de vous. On dirait un rassemblement de morts-vivants. Mais vous, vous avez l'air en pleine forme. Vous avez un secret ?

— Je serai franche avec vous. Passer ses soirées

dans un restaurant chic, en compagnie d'un beau garçon, n'est pas vraiment une épreuve...

— Désolé, les gars, lança Spivak d'un ton moqueur. J'ai toujours eu un charme fou...

Une bonne équipe, la 7e brigade, pensa Sloan. Evans, Rafferty, Spivak, Kane. Et lui-même. Unis comme les cinq doigts de la main...

— Bon. Finie la récréation. Où en est-on avec Peter ? Avez-vous appris quelque chose auprès des familles et des amis des autres filles disparues ?

Il y eut d'abord un silence, puis Rafferty prit la parole :

— Rien, lieutenant. Pas l'ombre d'une information.

— Vous avez des suggestions ?

— Peut-être que ce n'est pas le même gars, dit Spivak. Peut-être que Peter n'est pas mêlé aux autres cas.

— Détrompe-toi, grogna Rafferty. C'est le même type.

Sloan était d'accord. Même si l'hypothèse de Spivak était plausible, il n'y croyait pas. Il ne sentait pas les choses comme ça. Son expérience lui soufflait que Peter était responsable de toutes les disparitions. Et son expérience ne l'avait pas souvent trompé.

— Si c'est le même gars, pourquoi a-t-il changé sa façon d'opérer ?

— Peut-être y a-t-il eu une progression, intervint Kane. Prendre plus de risques... Fréquenter la fille, l'amener à l'aimer, faire durer le plaisir... Et pendant tout ce temps, penser au moment où il la tuerait... Ça devait lui procurer des sensations fortes. Car c'est bien à ce genre de meurtrier que nous avons affaire, non ? Une espèce de malade qui prend son plaisir en tuant.

— Et les premières filles ? demanda Sloan.

— Il devait être inquiet, au début. Il les draguait, les entraînait dans sa voiture et les tuait presque aussitôt. Et puis, peu à peu, il a pris de l'assurance. Il a voulu quelque chose de moins rapide, de plus raffiné et surtout de beaucoup plus risqué.

— Tu deviens psychologue, ou quoi ? lança Spivak.
— Laissez-la parler, dit Sloan.
— Ce ne sont que des spéculations, admit Kane. Mais je pense que Peter ne ressent rien. Pour se procurer des sensations, de l'émotion, il a besoin que ces filles lui tombent dans les bras. Il est froid. Un peu comme un serpent. Il prend chez les autres la chaleur qu'il n'a pas.
— S'il a tellement besoin que des filles lui tombent dans les bras et le réchauffent, pourquoi les tue-t-il ? demanda Spivak. Il pourrait sortir avec elles et en profiter.
— Peut-être est-il impuissant, suggéra Kane. Arrivé à un certain point, plus personne. Alors, il se sent humilié, croit que la fille se moque de lui. Il devient fou de rage et la tue. C'est une attitude courante chez les violeurs.
— D'autres commentaires ? demanda Sloan.
— Je pense aussi que ce type ne doit rien ressentir, dit Evans.
— Il vaut mieux réserver notre jugement, dit Sloan. Quoi de neuf au Lagniappe ?
— Rien.
— Rien du tout ?
— Non. Nous avons tenu à l'œil Justin Fortier et discuté avec certains clients. On ne peut rien reprocher à Fortier. Tout le monde, même sa femme, semble penser le plus grand bien de lui.
— O.K., dit Sloan en soupirant. Ne vous montrez pas là-bas pendant quelques jours. On vous a peut-être repérés. En attendant, ouvrez l'œil. Parce que c'est pas avec des théories qu'on attrapera Peter.

14

Aux abords du parc situé entre Morris Street et Tasker Street, Marie se demanda pour la deuxième fois si elle irait rejoindre les autres au Costello.

La soirée était fraîche et les enfants avaient déserté l'aire de jeux. Marie était seule. Elle grimpa sur le dos de la grande tortue de pierre et resta assise là un long moment, fumant cigarette sur cigarette.

Depuis la mort de Terri, tout avait changé pour elle. Elle n'avait plus d'énergie, vivait comme un véritable zombi, plongée dans un état de perpétuelle tristesse. Plusieurs jours étaient passés depuis sa conversation avec la journaliste. Celle-ci avait tenu ses promesses : son nom n'avait pas été mentionné dans l'article. Mais tout le monde avait deviné. Contrairement à ce qu'elle avait craint, personne ne lui en avait voulu de ce qu'elle avait fait. En fait, on l'avait plutôt traitée comme une héroïne.

La police l'avait interrogée et lui avait montré des photos. Elle avait pu identifier la voiture, mais pour Peter, ça avait été plus difficile... Alors ils avaient décidé de faire faire un portrait-robot. Mais le dessinateur n'était pas parvenu à un résultat satisfaisant. Malgré cet échec, ils avaient tous été très gentils avec elle.

A la maison, ses parents aussi avaient été très compréhensifs, comme jamais ils ne l'avaient été. Sa mère lui avait offert le nouvel album de Phil Collins et son père les avait tous emmenés au restaurant, un soir de semaine. Il était même resté sobre le samedi soir, pour pouvoir les accompagner à la messe le dimanche matin.

Pendant toute la semaine, elle avait aussi joui d'une popularité inhabituelle au lycée. Avant, elle n'avait été que la fille boulotte à lunettes qui était l'amie de Terri. Rien de plus. Mais cette popularité ne la consolait pas d'avoir perdu Terri. Sa meilleure amie. Au plus profond d'elle-même, elle savait qu'elle avait laissé tomber Terri au moment où elle avait eu le plus besoin d'elle. Personne ne l'avait dit, mais Terri avait dû crier, se débattre. Si elle n'était pas partie à cause d'un peu de pluie, elle lui aurait sauvé la vie.

Elle avait eu l'idée d'aller se confesser, mais y avait renoncé. Le vieux prêtre, avec ses épaules toujours couvertes de pellicules, la dégoûtait. Et puis, faire pénitence n'aurait servi à rien. Elle aurait pu réciter des centaines de fois le « Je vous salue, Marie », ça ne lui aurait pas donné l'absolution pour avoir abandonné Terri. Elle avait aussi essayé de prier, mais ça ne l'avait pas soulagée. Peut-être aurait-ce été différent si elle s'était confessée à une sœur. Les sœurs pouvaient être si fortes. Elles savaient toujours quelle punition appliquer à un péché. Mais Marie n'avait pas pu s'y résoudre. Dans son cas, la religion n'était d'aucun secours, n'avait plus de sens.

Ce qui avait un sens, c'était l'histoire qu'elle avait entendue aux informations de dix-huit heures. Des adolescents du New Jersey avaient fait un pacte et s'étaient suicidés collectivement, laissant derrière eux une cassette vidéo montrant tout le déroulement de leur acte. Marie était allée acheter le journal pour en savoir plus et avait gardé la coupure sur elle.

Elle sortit l'article de sa poche mais ne réussit même pas à lire le titre. Il lui suffisait de tenir ce bout de journal dans sa main pour se sentir mieux... Se suicider était un péché mortel qui vous menait en enfer, elle le savait. Mais que pouvait-elle attendre d'autre maintenant ? Si Dieu était vraiment miséricordieux, peut-être lui permettrait-il de rejoindre Terri au purgatoire. Elle ne lui en demandait pas plus.

Toute la semaine, une question l'avait obsédée : méritait-elle de vivre ou non ? Elle avait la réponse.

Mais aurait-elle le courage de se tuer, le moment venu ? Ça, elle l'ignorait.

Elle chercha une cigarette et se rendit compte qu'elle n'en avait plus. Elle réfléchissait toujours mieux en fumant. Et elle avait plus que jamais besoin de réfléchir. Le distributeur de Costello était l'endroit le plus proche. Elle descendit de son promontoire et traversa le parc pour rejoindre Morris Street. Une voiture la dépassa lentement et s'arrêta un peu plus loin. Elle était gris métallisé, avec un autocollant de Springsteen sur le pare-chocs.

Marie se figea. Elle distinguait mal le conducteur, mais cela n'avait pas d'importance. Elle savait qui était là. Elle pouvait sentir sa présence. La nuit devint soudain menaçante. Cette rue si familière se transforma en un lieu terrifiant. Les arbres devinrent d'horribles créatures grimaçantes, tordant leurs branches vers elle pour l'attraper et la livrer à Peter. Les ombres semblaient ramper à ses pieds, attendant le moment propice pour l'attaquer et la tourmenter jusqu'à la mort.

Son instinct lui disait de s'enfuir en courant et d'aller à la police. Mais quelque chose la retint, quelque chose qu'elle prit pour son sens du devoir. Elle avait déjà fui une fois et abandonné Terri. Elle ne devait pas refaire la même erreur... Elle avança lentement vers la voiture.

Soudain, tout fut clair dans son esprit... elle allait passer l'épreuve du feu. Elle avait appris ce que c'était au lycée. Elle devait passer devant la voiture. Si Peter ne la reconnaissait pas, cela voudrait dire qu'elle était innocente et pardonnée. S'il la reconnaissait, elle était coupable et méritait un châtiment.

Elle continua d'avancer, sentant à présent Terri à ses côtés qui l'encourageait. Oui, elle était sur la bonne voie, la seule issue possible.

Avance sans regarder autour de toi, se dit-elle.

Arrivée près de la voiture, elle se mit à prier. « Mon

Dieu, bénissez les membres de ma famille et préservez-les du mal » — plus que quelques pas — « et guidez-les sur le chemin de la vérité et de la lumière ». Du coin de l'œil, elle pouvait voir la portière et l'obscurité au-delà de la vitre ouverte — « Surtout, mon Dieu, bénissez mon père et éloignez-le de... ».

— Bonsoir, Marie, dit une voix douce de l'intérieur de la voiture.

Elle claqua comme un coup de tonnerre aux oreilles de Marie. Elle ne termina pas sa prière et s'arrêta, tremblante, incapable de se tourner pour affronter son juge.

— Viens, je voudrais te parler, lui dit-il gentiment.

Elle obéit. L'heure du châtiment était arrivée.

— C'était toi, n'est-ce pas ? C'est toi dont on a parlé dans le journal. Tu nous as vus et tu l'as dit à la police, n'est-ce pas, Marie ?

Elle ne répondit pas. C'était inutile. Le jugement était tombé : elle était coupable.

— Réponds-moi.

— Oui, murmura-t-elle.

— Regarde-moi quand je te parle.

Marie leva les yeux pour voir le démon, mais elle ne vit qu'un homme... beau, barbu, avec des lunettes noires, un blouson de cuir, un foulard en soie blanche et des gants de cuir ajourés.

— C'est vrai, ce que tu as raconté ? demanda-t-il. Tu t'étais cachée dehors ?

— Oui.

— Pourquoi, Marie ? Pourquoi as-tu fait ça ?

— Parce que je voulais vous voir, répondit-elle sans essayer de se dérober à son châtiment.

Elle avait eu raison de ne pas fuir. Maintenant elle pouvait rendre compte de ses péchés et sentait se dissiper la brûlure de la culpabilité.

Ils se regardèrent un moment sans parler.

— Ça doit être dur pour toi, sans Terri, n'est-ce pas ? reprit-il.

Marie hocha la tête.

— Elle me manque aussi, dit-il. C'était une fille merveilleuse.

Avant de se soumettre, Marie devait avoir la réponse à une question.

— Elle vous aimait. Pourquoi avez-vous fait ça ?

— Parce que son heure était venue.

Marie comprenait. C'était pareil pour elle. Elle et Terri... Pour toutes les deux, l'heure était venue...

— Tu sais que c'est dans l'ordre des choses. Chacun de nous a son heure. Tu comprends cela, n'est-ce pas ?

— Oui.

— Tu comprends que je l'aimais moi aussi et que je ne l'ai pas fait souffrir. Je lui ai donné du plaisir, beaucoup de plaisir, jusqu'à ce qu'elle soit prête... Maintenant je suis de retour, parce que je ne peux pas te laisser seule et malheureuse, pas quand il y a tant de plaisir à te donner. Alors viens, Marie. Ton heure est venue.

Sa voix était calme, presque un murmure. Mais pour Marie elle avait la force d'un commandement divin.

Elle regarda le siège vide à côté de lui. Pendant un instant, elle imagina Terri assise là, souriante, attendant.

Marie n'hésita pas. Elle contourna la voiture et monta. Elle n'était plus seule. Elle n'avait plus peur.

15

Laura trouva finalement une place sur Spruce Street, près de la Vingtième Rue. Un jeune en blouson de cuir, chemise de flanelle rouge et jean délavé était nonchalamment appuyé contre son parcmètre. Tout le long de la rue, d'autres hommes au même air insouciant discutaient par petits groupes ou flânaient. Comme beaucoup de femmes seules, Laura avait autrefois habité dans ce quartier. Il était sûr et propre, même s'il était bruyant dès les premières heures du jour.

Elle marcha un peu pour rejoindre la Vingtième Rue où se trouvait le restaurant Clarisse. Un endroit élégant et intime qui, autrefois, avait successivement été une pharmacie, un magasin de literie et une friperie spécialisée dans le look Joan Crawford.

Le maître d'hôtel l'accueillit avec empressement. Il lui apprit que Felix n'était pas encore arrivé et l'installa au bar, dans un petit box pour quatre personnes. Quand le barman vint prendre la commande, Laura hésita à demander un verre de vin blanc ou un kir, le genre de boisson convenable pour une femme. Mais elle se décida pour une bière. Le barman lui lança alors un regard qui en disait long. Comme si Laura était l'incarnation même du vieux dicton : « Chassez le naturel, il revient au galop ».

L'attention de Laura fut attirée par un tableau accroché derrière le bar. C'était le portrait d'une jeune fille brune. A ses vêtements, Laura estima qu'il devait s'agir d'une peinture du XIXe siècle. Le patron du Clarisse avait dû payer une coquette somme pour l'avoir. Mais ce n'était pas le prix ou l'ancienneté de la toile qui intriguait Laura. C'était le portrait lui-même. Cette jeune fille, avec son air d'adolescente farouche, lui faisait penser à la photo de Terri sur l'avis de recherche qu'elle avait encore dans son sac. Elle retrouvait le même mélange de sensualité et d'innocence...

— Si seulement je pouvais lire dans vos pensées...

Laura était si concentrée qu'elle n'avait pas vu Felix arriver.

Avant qu'elle puisse répondre, le barman vint prendre la commande de Felix.

— Je prendrai la même chose que madame, dit-il.
Cette fois, le barman ne parut pas le moins du monde choqué.

— J'en ai assez de ces vins blancs et champagnes hors de prix que les gens s'obstinent à vouloir me faire boire. Je préfère de loin la bière.

— Moi aussi, dit Laura.

— Et maintenant, dites-moi à quoi vous pensiez...
Laura lui montra le tableau et lui dit ce qu'il lui avait rappelé.

— Ah oui... Vous voulez parler de Terri DiFranco, n'est-ce pas ?

— Oui. Je suis surprise que vous sachiez de qui il s'agit, mais je dois avouer que ça me fait plaisir.

— Je sais non seulement de qui il s'agit, Laura, mais j'ai aussi lu très attentivement vos articles. Je dois dire que j'ai d'abord été étonné. Je ne m'attendais pas à voir votre signature au bas d'un tel papier. Comme je vous avais rencontrée en compagnie de Carl, je croyais que vous ne traitiez que des sujets artistiques ou mondains. Et j'ai été agréablement surpris. J'espère ne pas vous embarrasser si je vous dis que vos articles m'ont réellement ému. Vous avez retracé la vie de cette fille avec une telle intensité que sa mort n'en a que plus de poids. Je suppose que vous vous êtes engagée à fond dans cette histoire, comme si elle vous concernait personnellement. Est-ce que je me trompe ?

— Non, vous ne vous trompez pas. Et vous ne m'embarrassez pas en disant que mon travail vous a touché. Croyez-moi, ça a été un grand soulagement d'écrire autre chose que des potins mondains. Même si mon patron n'était pas d'accord au début... Je dois d'ailleurs vous avouer que c'est lui qui a eu l'idée de cet article sur vous, et que ma première réaction a été de refuser. Je voulais consacrer tout mon temps à l'histoire de Terri... J'espère que ma franchise ne vous blesse pas...

— Pas du tout. Et, très honnêtement, j'aurais préféré que vous restiez sur votre première position. Je n'aime pas trop les interviews. En plus, je pense que ma petite personne est sans intérêt par rapport au drame de Terri.

De mieux en mieux, pensa Laura. Felix était non seulement séduisant, mais aussi modeste. Et il paraissait sincère.

— Il y a une chose qui m'inquiète un peu, dit-il. Je ne voudrais pas vous alarmer, mais vous devez y avoir pensé aussi. L'assassin n'a pas dû apprécier autant que moi vos articles.

Une idée à vous glacer le sang, et que Laura n'avait pas vraiment prise en compte. Grâce à Felix, elle le ferait maintenant.

— C'est très gentil de vous inquiéter pour moi, dit-elle. Mais je ne pense pas être en danger. J'ai de très bonnes relations avec le lieutenant chargé de l'affaire. Et, en général, les criminels ne s'attaquent ni aux journalistes ni aux flics. Ils essaient d'utiliser les premiers et évitent les seconds. En tout cas, merci. *Pas trop de considérations personnelles avant l'interview, Laura. Ce n'est pas très professionnel, tout ça.*

— Si ça ne vous ennuie pas, reprit Felix, avant d'en venir à moi, j'aimerais en savoir plus sur la voiture...

Par chance, il n'avait pas mentionné le témoin anonyme. Laura n'avait pas du tout envie de recommencer à jongler avec ça.

— Comme je l'ai dit dans mon article, c'est une Datsun 300ZX. La police a fait des recherches mais ne s'attend pas à un miracle. Il y a plusieurs milliers de voitures de cette marque à Philadelphie. (Elle sourit.) C'est la voiture de sport des comptables.

— Oui, vous l'avez écrit dans votre article. J'aurais dû m'en souvenir... Bon. Assez d'histoires tristes. Que diriez-vous d'un bon dîner ? Je suis affamé.

Ils prirent place et Laura tenta d'oublier combien

elle le trouvait séduisant et se sentait bien avec lui. Il était temps de se mettre au travail.

— « Finalement, j'aimerais mieux être à Philadelphie. » C'est la phrase que, paraît-il, W.C. Fields aurait voulue comme épitaphe. Il y a aussi la fameuse blague des comédiens : « Le premier prix gagne un séjour d'une semaine à Philadelphie, le deuxième, deux semaines dans notre belle ville. » Question : qu'est-ce qui a amené un homme comme vous, qui pourrait travailler n'importe où, à réaliser un projet immobilier ici ?

— On se met au travail, c'est ça ?

— C'est ça. Vous pensiez que c'était une soirée d'agrément ?

— Non, mais j'avoue que je l'espérais.

Laura oublia à nouveau son professionnalisme.

— Si c'est ce que vous vouliez, pourquoi ne m'avez-vous pas appelée ?

Vraiment, ma vieille, quelle subtilité ! Tu veux le faire fuir, ou quoi ?

— Parce que... (il hésita, visiblement embarrassé)... quand je vous ai rencontrée, vous étiez avec Carl. Je n'ai pas l'habitude de courir après les femmes des autres.

— Alors vous attendez que la femme fasse le premier pas ?

Ce qu'elle était — elle s'en rendit compte aussitôt après avoir prononcé ces mots maladroits — exactement en train de faire.

— Je suis désolée, nous nous écartons du sujet. Nous en étions à : pourquoi Philadelphie ?

— Parce que la demande en biens immobiliers y est croissante et que les banques sont assez solides pour appuyer un tel projet.

— Je croyais que vous assuriez votre propre financement ?

Il la regarda.

— Je vois que vous n'avez pas chômé. Je suppose que votre déjeuner avec Cyn... Cynthia... a été fructueux. Mais c'est vrai. Je procédais comme ça au début. C'était très risqué et à la mesure de mon orgueil à l'époque. J'avais même une conception poétique de ma manière d'opérer. La guerre et l'art... La guerre quand je capturais une propriété ; l'art quand je la transformais pour la rendre esthétique. J'essaie toujours de faire ça, mais un peu différemment... Si nous commandions ?

Il fit un signe au maître d'hôtel et choisit du saumon et du caviar.

Laura attendit la fin du dîner pour continuer l'interview.

— Vous avez dit que vous aviez changé de méthode. Qu'entendez-vous par là ?

Felix soupira.

— Je voulais dire que je fais appel à des partenaires locaux. Des gens qui connaissent bien la région et peuvent obtenir le soutien de la communauté. Ça comporte beaucoup d'avantages et tout le monde y trouve son intérêt.

Laura comprenait mieux pourquoi Will Stuart tenait tant à cet article sur Felix Ducroit. *Globe* avait pour politique d'encourager le développement commercial de la ville, mettant en avant la théorie selon laquelle le bien-être de la population dépendait du progrès économique. Des entrepreneurs comme Felix Ducroit étaient chose courante dans une ville comme New York mais étaient très rares à Philadelphie. Laura prit une profonde inspiration avant d'en venir au sujet qu'elle savait délicat...

— Je suis étonnée que vous fassiez encore appel à des partenaires, vu ce qui s'est passé à La Nouvelle-Orléans.

Felix se raidit.

— Je suppose que vous faites allusion à mon incarcération ? (Elle attendit, craignant d'être allée trop loin.) Je pense que vous pourrez trouver tous les détails dans la presse de l'époque... Vous ne voulez pas qu'on s'en aille d'ici ?

— Pour aller où ?

— Dans un endroit beaucoup plus agréable... Excusez mon manque de coopération, mais je ne me sens plus très bien ici. Nous avons travaillé, maintenant je vous propose de nous détendre en venant prendre un verre chez moi.

Devait-elle accepter ? Elle savait ce qu'il avait probablement en tête et, à vrai dire, elle était tentée. Très tentée. Cet homme l'attirait énormément. Il possédait des qualités indéniables, était intelligent, honnête. Il la traitait aussi comme peu de femmes étaient encore traitées. Rien d'extraordinaire, simplement des bonnes manières et une certaine capacité d'écoute. Et puis il y avait de la sincérité dans son regard. Mais il existait un risque qu'elle ne se sentait plus capable de prendre, depuis l'opération...

— Alors, nous y allons ? Vous semblez être complètement ailleurs. Je vous ennuie ?

— Pardon ? Oh non ! D'accord. Mais juste un verre. Après, je dois rentrer me coucher.

Faible, Laura, se dit-elle, *très faible. Tu aurais pu trouver mieux.*

Il n'eut aucune réaction et lui prit le bras. Et, tandis qu'ils marchaient tranquillement en direction de la place Rittenhouse, Felix en vint tout naturellement à parler de lui-même.

— Vous savez, j'ai souvent pensé réaliser un projet pour l'Angola. Je pourrais vraiment faire quelque chose là-bas.

— En Angola ?

— Oh, excusez-moi ! Je ne parlais pas du pays du tiers-monde mais du pénitencier de la Louisiane. Comme vous le savez, j'ai eu la chance de le voir de l'intérieur.

Elle le regarda, étonnée qu'il veuille revenir sur le sujet.

— Peut-être devriez-vous essayer de réaliser ce projet ici, à la prison Fairmount.

— Je ne crois pas. Je n'y ai pas d'aussi bons souvenirs.

Elle appréciait le tour léger que prenait la conversation. C'était beaucoup mieux pour eux deux, et sans doute plus encore pour elle. Elle eut envie d'en savoir plus, mais cette fois ce n'était pas seulement pour son article.

— Pourquoi votre partenaire a-t-il modifié sa déposition, une fois en prison ? Pourquoi a-t-il pris tous les torts sur lui ?

— Qui sait ? Mais il a prétendu qu'un sentiment religieux l'y avait poussé, qu'il avait vu la lumière. Il semble que ce phénomène de réveil spirituel soit commun aux officiels du Watergate et de la Maison-Blanche, comme aux entrepreneurs de La Nouvelle-Orléans... Je ne vais pas le récuser ou essayer d'y croire. Je suis simplement content qu'il ait dit la vérité et m'ait lavé de tout soupçon, comme ils disent.

— Vous n'avez aucun grief contre lui ?

— Plus maintenant. Ou, du moins, je ne leur laisse plus libre cours comme au début. L'important pour moi est d'avancer, pas de perdre mon temps et mon énergie à ressasser le passé.

Il y avait quelque chose de touchant dans sa manière de parler. Il disait ce qu'il pensait, ouvertement, sans se chercher d'excuses. Mais, d'un autre côté, elle le connaissait depuis trop peu de temps pour être certaine de sa sincérité. Elle avait déjà eu affaire à de très bons comédiens... *Te voilà repartie*, se dit-elle tandis qu'ils entraient dans l'ascenseur de son immeuble. *Suis l'exemple de Felix et oublie le passé. Fais-le. Essaie, au moins. S'il y a un homme sur lequel tu peux miser, c'est bien celui-là. Alors détends-toi. La soirée se passe bien. Jusqu'à maintenant...*

L'appartement, situé au vingt et unième étage, jouissait d'une magnifique vue sur la place, mais était trop moderne pour paraître confortable ou même vivable. Laura fut soulagée d'apprendre que Felix le sous-louait à une amie de Justin partie en Europe pour plusieurs mois et qu'il ne correspondait donc pas forcément à ses goûts.

Felix leur prépara quelque chose à boire. Quand il lui apporta son verre, Laura regardait toujours la place par la fenêtre.

— C'est une belle vue, dit-elle.

— Oui.

Allez, Laura, tu es capable de faire mieux ! Pourquoi pas « Beau temps pour la saison... », pendant que tu y es ?

Elle se laissa imprégner de sa présence toute proche, même s'ils ne se touchaient pas. C'était délicieux, comme un léger vertige. Elle croisa les bras, non pas pour se protéger mais pour conserver cette sensation le plus longtemps possible.

Felix la toucha et elle se retourna. Ils s'enlacèrent, restant ainsi, immobiles, juste serrés l'un contre l'autre. Puis, sans rien dire, Felix se pencha pour l'embrasser. Elle se laissa envelopper par lui, goûtant la saveur inconnue de ses lèvres. Elle était comme ivre...

Et soudain la réalité, *sa* réalité, resurgit, l'empêchant de faire ce dont elle avait le plus envie. Continuer signifierait revivre le cauchemar insupportable. Plus ils iraient loin, plus Felix serait près de découvrir son secret. Elle verrait alors dans son regard la pitié qu'elle avait lue dans celui de Phil...

Elle le repoussa, sans le regarder, sans voir la surprise sur son visage.

— Je ne peux pas, dit-elle, le souffle court. Je suis désolée. Je voudrais, mais je ne peux pas...

Elle prit ses affaires et s'enfuit, sans oser une seule fois le regarder.

16

C'était vraiment trop. Missy venait d'apprendre que son crédit était fermé au très exclusif Old City Club. Et ce n'était pas à cause des chèques en bois. Mais la nouvelle avait circulé : son père ne lui avait rien laissé. Désormais, elle ne faisait plus partie de leur monde, ne possédait plus les qualités requises... une question de gènes et d'absence d'héritage. Finalement, elle avait dû leur signer une reconnaissance de dette.

Elle se gara dans Chesnut Street et marcha jusqu'à la Troisième Rue où elle pénétra dans un immeuble de lofts. Elle appela l'ascenseur, tapant du pied avec impatience en attendant qu'il arrive.

L'immeuble de cinq étages avait autrefois abrité des ateliers de confection et l'ascenseur était en fait un ancien monte-charge. Quand il arriva enfin, Missy se baissa pour soulever les lourdes portes qui s'ouvraient horizontalement. Une fois à l'intérieur, elle les referma, descendit la palissade de sécurité et appuya sur le bouton du dernier étage. Pour sortir, elle répéta la même laborieuse opération, mais ne se soucia pas de refermer les portes derrière elle.

La première partie de l'étage était l'atelier de Klaus Knopfler, un sculpteur. Missy se fraya un chemin à travers les nombreuses sculptures inachevées. Elles étaient en pierre, en bois ou en métal soudé, et il y avait assez d'outils pour ouvrir une quincaillerie.

Elle atteignit la porte encastrée dans une espèce de mur provisoire séparant le loft en deux parties. C'était là qu'habitait Carl Laredo. Missy frappa à la porte. Elle aurait pu utiliser sa clé, mais, après ce qu'il lui avait fait l'autre soir, avec cette Laura, Carl ne méritait pas d'être réveillé en douceur. Elle savait qu'il aurait préféré une autre sorte de réveil. Cela viendrait plus tard, s'il se montrait gentil...

Quelques minutes plus tard, un Carl grincheux et à moitié endormi, seulement vêtu d'une robe de chambre en satin, vint lui ouvrir la porte. Il s'attendait probablement à voir quelqu'un d'autre, pensa-t-elle. Laura, sans doute.

Sans y être invitée, elle entra et se dirigea vers la cuisine. Elle s'assit sur une chaise à la grande table ronde, alluma une cigarette et regarda Carl qui était resté debout.

— J'avais un travail à finir ce matin et j'ai pensé prendre le petit déjeuner avec toi, avant d'aller au laboratoire. Tu m'offres un café ?

— Bien sûr... Écoute, pour cette soirée au Lagniappe et Laura... il n'y a rien entre nous, tu sais. Nous sommes juste amis...

Missy sourit.

— C'est vrai, comment va Laura ? Tu l'as vue récemment ?

Carl commença à préparer le café.

— En fait, j'ai déjeuné avec elle hier. Je l'ai rencontrée par hasard au Reading Terminal. Elle était en compagnie de Cynthia Ducroit et elles m'ont invité à me joindre à elles.

L'intérêt de Missy s'éveilla. Ainsi, les deux femmes qu'elle détestait le plus à Philadelphie étaient amies...

— Et Laura, t'a-t-elle invité aussi ?

— Non. Elle était en train d'interviewer Cynthia au sujet de Felix.

De mieux en mieux !

— Le café est prêt, Carl.

Quand il l'apporta, elle lui désigna la chaise à côté de la sienne et lui demanda de lui raconter son déjeuner avec ces dames.

— Tu sais que j'adore les histoires de filles qui se réunissent pour papoter. Ont-elles parlé de moi ?

— Oui. Enfin, seulement Cynthia.

— Et pour quelle raison ?

— Par jalousie, bien sûr. Je suspecte Cynthia de vouloir récupérer Felix. Et tu es sur son chemin.

Missy tira sur sa cigarette.

— Pense-t-elle vraiment pouvoir récupérer Felix ? demanda-t-elle en le regardant par-dessus sa tasse.

— Elle n'en est pas sûre, mais elle va certainement essayer.

L'évident malaise de Missy faisait secrètement plaisir à Carl. Pour une fois, il lui rendait la monnaie de sa pièce. Elle le méritait, elle qui avait toujours été si exigeante, si supérieure. Il s'était senti médiocre, dépendant d'elle, alors qu'en réalité seul son talent d'artiste l'avait mené où il en était maintenant. S'il était honnête, il devait admettre que les choses s'étaient toujours passées ainsi tout au long de sa vie... sous le contrôle et la domination de femmes plus âgées que lui, comme s'il était un objet à manipuler. Ça avait commencé par sa chère sœur, de six ans son aînée, qui avait régné en maîtresse sur lui, allant même jusqu'à le frapper quand elle le surprenait en train de fumer dans la salle de bains ou derrière les arbustes qui entouraient leur maison. Une fois, elle s'était tellement acharnée sur lui à coups de brosse à cheveux qu'elle l'avait laissé inconscient. Tout ça parce qu'il avait osé entrer dans sa chambre pendant une de ses réunions privées avec ses copines. Il n'avait que dix ans à l'époque, et elle l'avait traité comme s'il avait été le plus dangereux criminel du siècle. Il n'avait jamais pu oublier ce qui s'était passé ce jour-là. Quelques années plus tard, quand sa sœur était morte, il n'avait pas versé une seule larme. Il avait essayé, par respect pour la famille et les amis, mais ses yeux étaient restés secs...

— Carl, reviens sur terre et dis-moi comment l'ex-Mme Ducroit compte récupérer Felix.

— Probablement en lui donnant ce qu'elle lui avait refusé quand ils étaient mariés.

— C'est-à-dire ? demanda-t-elle, connaissant pertinemment la réponse.

— Un enfant.

Elle se força à parler calmement.

— Qu'est-ce qui te fait penser ça ?

Carl se lança dans une description plus détaillée de son déjeuner avec Cynthia et Laura. Il raconta comment Cynthia avait admis que sa carrière était passée avant tout à l'époque, mais qu'à présent elle se sentait différente et que, si une seconde chance se présentait, elle ne commettrait pas la même erreur.

La gorge de Missy se serra. Elle avait du mal à respirer et la brûlure autour de sa cicatrice revint... Depuis la dernière attaque, à l'Opéra, elle s'était efforcée de ne plus penser à ces histoires de grossesse et d'enfant. Elle avait aussi acheté une pince à cravate en or qu'elle avait envoyée à Felix avec un petit mot d'excuse. « Pardonnez mon impétuosité. A bientôt... »

Mais maintenant que Carl confirmait ses craintes, elle savait qu'elle devait passer à l'action. Pour capturer Felix, elle ne devait plus être la passive et réservée miss Missy. La petite Cynthia, avec sa charcuterie de Pine Street, allait regretter d'avoir jamais mis les pieds à Philadelphie. L'ouverture de son magasin était une chose... l'ouverture de ses jambes pour récupérer son ex, c'était trop...

Elle prit une profonde inspiration, se forçant à revenir à ce qui l'avait amenée ici.

— Carl, dit-elle en se rapprochant et en posant la main sur son sexe. Tu m'as manqué, tu sais. Bien sûr, cette soirée au Lagniappe m'a un peu fâchée. Mais des amis peuvent se réconcilier, n'est-ce pas ? Nous avons tant de choses en commun, nous avons partagé tant de plaisirs...

Elle le caressait maintenant, alternant des pressions presque douloureuses et des mouvements l'amenant au bord de la jouissance. Elle savait qu'il ne pouvait pas résister à ça.

— Missy, pour l'amour de Dieu, arrête ! Ce n'est pas le moment. J'ai du travail, beaucoup de choses à faire avant l'inauguration à New York...

Ce qui lui valut une pression encore plus douloureuse.

— Je suis contente que tu parles de ton déménagement à New York, Carl. Je voudrais pouvoir être près de toi, vivre ce moment avec toi. Je t'assure que Laura n'est pas la seule à connaître des gens dans le milieu artistique. Nous pourrons partager des choses agréables, comme avant. Et je te jure que je ne te reprocherai plus tes escapades avec tes gamines. Après tout, un homme a besoin de variété. Je comprends ça... Mais pour pouvoir être avec toi, je vais avoir besoin de ton aide...

Pendant tout ce temps, sa main ne cessait de s'activer.

— Quoi ? Je t'en prie, Missy...

— Carl chéri, il faut que tu me signes tout de suite un chèque de quinze mille dollars. Ça me permettra de clarifier certaines absurdités survenues après la mort de mon père. Je veux être libre pour pouvoir te rejoindre quand tu auras besoin de moi. Et tu vas avoir besoin de moi, Carl...

Il tenta un refus.

— Mon argent liquide n'est pas disponible. Et de toute façon je ne suis pas aussi riche que tu sembles le croire. Il y a des limites...

Mais il n'y avait pas de limites pour Missy, pas quand elle l'entreprenait de cette façon. Finalement, Carl n'eut pas d'autre choix que de lui faire un chèque et de la supplier de le soulager. Ce qu'elle fit avec le sourire.

— Tout est beaucoup mieux, maintenant, dit-elle. (Puis elle murmura :) Nous sommes de la même espèce.

Mais elle ne parlait pas de Carl et elle, elle voulait

dire Cynthia et elle. Elles étaient deux à vouloir Felix. Et quand le combat serait terminé, il n'en resterait qu'une.

17

Dans la glace, la pâle lumière du matin renvoya à Laura l'image d'un visage épuisé. La nuit dernière avait été longue et agitée, après sa fuite de l'appartement de Felix.

Elle était en train de se brosser les dents quand quelqu'un frappa à la porte. Elle décida de ne pas répondre, mais les coups devinrent insistants. C'était probablement l'employé qui relevait les compteurs. Mais pourquoi si tôt ? Elle enfila son peignoir de bain et descendit pieds nus.

La porte d'entrée était à moitié vitrée, mais des rideaux empêchaient de voir au-dehors. Laura eut un choc quand elle l'ouvrit. Sur les marches se tenait un homme brun, barbu, avec des lunettes noires et un blouson de cuir. Pendant une seconde — c'était plus que suffisant pour ses nerfs déjà à fleur de peau — elle crut qu'elle avait affaire à l'assassin de Terri DiFranco. Puis elle chassa cette image pour se retrouver devant celle, inattendue mais bien plus agréable, de Felix.

— Oh, je croyais que c'était l'employé du gaz... Eh bien... entrez...

Elle avait pensé qu'elle ne le reverrait jamais, après avoir battu en retraite comme une vierge effarouchée.

— Désolé de vous décevoir, dit-il. Je ne viens pas relever les compteurs, mais prendre le petit déjeuner. D'accord ?

Il brandit les sacs qu'il cachait derrière son dos.

— Oui... bien sûr, dit Laura. Mais comment m'avez-vous trouvée ? Je ne vous avais pas donné mon adresse.

— Oh, j'ai fait ma petite enquête... dans l'annuaire. Au fait, vous devriez vous faire mettre sur la liste rouge, ce serait plus prudent.

— Je signe seulement avec mes initiales.

— Voyons. J'ai acheté du café, des sandwiches aux œufs, bacon et mayonnaise, accompagnés de raifort et de sauce piquante.

Elle le regarda.

— C'est gentil à vous, Felix, et je suis très contente de vous voir, mais je ne pourrai jamais manger tout ça ! Je commence ma journée avec un café et une cigarette. Je ne prends rien avant midi.

Il se dirigea vers la petite table de la cuisine et se mit à ouvrir les sacs.

— Je m'en doutais. C'est pourquoi je suis là. Quelqu'un doit vous protéger contre vous-même et le petit déjeuner est un bon début. (Il sortit quelques journaux.) J'ai pensé à la revue de presse, mais j'ai oublié le jus d'orange. Vous devez au moins avoir ça, n'est-ce pas ?

— Oui, bien sûr.

— Bien. Maintenant, je crois que vous devriez mettre quelque chose de moins suggestif, ou je ne réponds plus de rien...

Se moquait-il d'elle en faisant allusion à ce qui s'était passé ? Quoi qu'il en soit, elle se précipita dans sa chambre et y remit de l'ordre, comme si Felix était juste derrière elle. Elle ramassa ses vêtements de la veille, les mit dans le panier à linge, redressa la pile de livres sur la vieille malle qui lui servait de table de chevet, vida le cendrier et jeta la canette de bière vide dans la poubelle.

Elle prit son temps pour s'habiller, restant nue plus longtemps que nécessaire, osant espérer mais craignant en même temps que Felix n'ouvre la porte. S'il le faisait, au moins serait-elle fixée. Elle verrait son regard quand il apercevrait ses cicatrices. Et elle pourrait enfin arrêter de se faire des illusions...

Sans quitter la porte des yeux, elle enfila un slip en soie bordé de dentelle. Ce n'était pas parce que ses relations avec Felix ne pourraient pas aller bien loin qu'elle devait s'interdire de se sentir féminine en sa présence. Elle mit ensuite le soutien-gorge assorti et y plaça la prothèse. Puis elle se regarda dans le miroir : pas si mal, après tout...

Elle termina avec une jupe en laine grise, un chemisier blanc, un gros gilet et des boots.

Felix était assis à table, lisant le journal, une tasse de café fumant posée devant lui.

— Je commençais à croire que vous vous étiez enfuie.

Elle faillit s'excuser, utiliser le vieux cliché selon lequel une femme est toujours longue à se préparer, mais s'arrêta à temps. Elle lui adressa un sourire et s'assit.

— Je vois que vous avez acheté *Globe*. Merci. Mais vous, que lisez-vous ?

— Le *National Enquirer*.

— C'est vrai ? Faites voir, dit-elle en se penchant par-dessus la table pour attraper le journal. Eh bien, c'est noté. Je sais maintenant où vont vos préférences.

Elle feuilleta un instant le journal, sentant le regard de Felix posé sur elle.

— Pendant que vous étiez en haut, j'ai lu votre article dans *Globe*. J'ai aimé ce que vous avez écrit sur l'amitié de Terri avec cette vieille femme, Flora. J'admire votre façon de réfléchir sur les choses, votre engagement, votre sensibilité.

Laura était touchée par la douceur de sa voix, par son calme. La tension accumulée depuis la veille commençait à se dissiper. Elle aurait voulu qu'il n'arrête jamais de parler.

— Continuez, Laura, dit-il en la regardant droit

dans les yeux. Je serai à cent pour cent avec vous.
Il posa sa main sur la sienne.
— Merci.
Il venait de dire ce qu'elle avait désiré entendre. Mais elle n'osait toujours pas le regarder. Elle baissa les yeux vers leurs deux mains jointes. Elle aimait le contact de sa peau sur la sienne. Elle l'enveloppait, la protégeait. Sa paume était si douce. Faite pour toucher, caresser, provoquer le plaisir... Laura frissonna à cette pensée. Le dos de sa main semblait aussi rude que sa paume était douce. Deux des jointures paraissaient avoir été brisées et étaient déformées. Des cicatrices les entouraient. Laura les effléura.
— Comment avez-vous fait ça ?
— La prison.
Elle se sentit envahie d'un désir de le protéger, de couvrir de douceur ses phalanges meurtries. Et tout comme la nuit dernière, c'est lui qui vint vers elle le premier. Il se leva pour s'approcher.
— Est-ce qu'on se revoit ? demanda-t-il.
Elle comprit qu'il était aussi incertain qu'elle.
— Oui.
Elle espérait qu'il saisirait toute la signification de ce oui. C'était plus qu'une simple acceptation. Il exprimait son désir d'être aidée. Felix devrait la sortir d'elle-même, balayer ses peurs, la forcer à le revoir.
Elle se leva et le toucha, descendant lentement le long de son bras jusqu'à ce que leurs mains se rejoignent à nouveau.
— Je suis heureuse que vous soyez venu, dit-elle. Vraiment.
— C'est Halloween, aujourd'hui. Que faites-vous, ce soir ?
— Je dois aller à la soirée de Henry David au Warwick, pour le journal. Et vous ?
— Je dois voir Cyn.
— Donc, nous n'aurions pas pu être ensemble, de toute façon.

Elle était jalouse à l'idée qu'il passe la soirée avec son ex-femme. Et puis il avait employé son diminutif pour parler d'elle...

— Mais je dois la voir juste pour prendre un verre. Elle m'a appelé. Elle voudrait me parler de quelque chose. J'ai accepté de la rencontrer, mais après je suis libre.

— Et Missy ? J'aurais pensé qu'elle serait incluse dans vos projets pour Halloween.

Bravo, Laura. Voilà que tu lui fais une scène de jalousie. Juste ce qu'il a besoin d'entendre...

Il la prit par les épaules, l'obligeant à lui faire face.

— Je vous en prie, Laura. Vous n'avez pas besoin de me rappeler l'existence de mon ex-femme et de Missy. Je sais exactement où j'en suis avec elles. Et quoi qu'il en soit, la jalousie ne vous va pas du tout. Alors ne laissez pas dire ce genre de choses à vos très jolies lèvres.

— Je suis désolée... Bien sûr, vous avez raison...

— Bien. Pour ce soir, ça semble compromis. Alors nous dînons ensemble demain.

Ce n'était pas une invitation mais une évidence. Laura accepta et ils scellèrent leur accord par un baiser plein de passion retenue.

A la porte, ils s'embrassèrent encore, comme un vieux couple qui se dit au revoir. Laura suivit Felix des yeux jusqu'à ce qu'il soit hors de vue.

Elle allait rentrer quand Jean, sa voisine, sortit de chez elle, l'air complètement bouleversée.

— Que se passe-t-il ? demanda Laura.

— Je viens de recevoir un coup de fil d'une amie qui habite Mifflin Street. Il paraît qu'un flic qui faisait sa ronde près de l'ancien entrepôt a remarqué une fenêtre ouverte. Il est entré et a trouvé un autre corps. Ils pensent que c'est l'amie de Terri. Marie...

Laura n'entendit et ne vit plus rien. Pas Marie. *Non !* Elle se mit à courir dans la direction de l'ancien entrepôt. Pourvu qu'ils se soient trompés. Pourvu que ce ne soit pas Marie... Mais elle savait qu'elle espérait l'impossible... et que ses articles étaient la cause de tout.

18

Quand la situation fut sous contrôle à l'entrepôt, Sloan laissa son équipe finir le travail et retourna au quartier général. Il se sentait abattu. Les choses lui glissaient entre les doigts et il était en partie responsable.

Ce n'était pas seulement parce qu'il aimait bien Laura qu'il l'avait mise au courant, mais aussi parce qu'il avait surestimé ses pouvoirs. Ça lui avait paru simple et inoffensif à l'époque. Prendre la liste des autres filles disparues, sillonner le quartier à la recherche d'informations sur Peter et procéder à l'arrestation. La 7e brigade en aurait retiré tous les honneurs. Il n'avait pas imaginé que dans un quartier comme celui-là personne n'aurait vu ou même aperçu Peter. Le gars était tout de même sorti avec trois filles différentes. Mais, de toute évidence, personne ne l'avait jamais vu. Personne, excepté une adolescente qui maintenant était morte.

Il avait perdu son calme à l'entrepôt. Quand Laura était arrivée, il l'avait presque accusée d'avoir causé la mort de Marie avec ses articles. Laura n'avait pas besoin de ça pour se sentir coupable. Pourtant, ce n'était pas sa faute. C'était sa faute à lui, parce qu'il n'avait pas réussi à épingler Peter. Kane lui avait fait remarquer qu'il se montrait injuste envers Laura et il avait préféré partir pour se calmer.

Un cauchemar. A part la pochette d'allumettes du Lagniappe, ils n'avaient aucun élément concret. Les recherches chez les costumiers n'avaient rien donné.

Ils avaient cru un moment tenir le coupable : Justin Fortier. Mais Spivak avait fait des recherches : l'accusation de viol portée contre lui ne tenait pas debout. L'ex-serveuse était une voleuse qui avait escroqué son propre ami. De plus, Fortier ne possédait pas de Datsun 300ZX. Evans et Rafferty avaient retrouvé la trace de deux hommes ayant déjà été inculpés pour viol et qui roulaient en 300ZX. Mais, là aussi, on était arrivé à une impasse : le premier n'avait pas le bon groupe sanguin et le deuxième était mort d'une crise cardiaque.

Sloan était donc de retour à la case départ. Seulement, cette fois, il y avait un second corps. Marie... son seul témoin.

Il se gara et se dirigeait vers son bureau quand il entendit quelqu'un appeler. La voix venait d'une Corvette garée de l'autre côté de la rue.

— Hé ! marin...

Il n'était pas d'humeur à plaisanter, mais traversa la rue pour trouver Delores Inverso au volant de la voiture. Elle avait plus que jamais l'air d'une punk avec ses cheveux roux taillés en pointes et ses mitaines, mais semblait être dans de meilleures dispositions que lors de leur dernière rencontre. Il secoua la tête. S'il commençait à avoir des vues sur la fille d'un leader de la Mafia, son cas était désespéré. Trop de solitude, sans doute.

Un prêtre de l'Église catholique était assis à côté d'elle. Sloan ne le distinguait pas bien, mais assez pour voir qu'il était de type oriental. Bizarre...

— Comment ça va, Delores ?

Il s'était appuyé sur le rebord de la fenêtre et elle posa sa main sur la sienne. Ses doigts étaient chauds.

— Ça va. Vous avez mauvaise mine. (Elle ne bougea pas sa main.) C'est le jour de marché du père Nguyen. Vous connaissez le père Nguyen, n'est-ce pas ? Il est au Sacré-Cœur.

— Bonjour, mon père.

— Dieu vous bénisse, mon fils.

Venant d'un tel personnage et dite avec un tel accent, la phrase sonnait curieusement. Sloan avait plutôt l'habitude de prêtres plus conventionnels et imposants. Il se retint de sourire. Quelques années auparavant, Bob Dylan avait chanté : « Les choses sont en train de changer. »

— Je le conduis chaque semaine à Chinatown pour qu'il fasse ses courses. Il dit qu'on ne trouve pas de bon riz dans le sud de Philadelphie.

— Ça semble logique. Les pâtes, oui. Mais pas le riz.

— Papa a entendu parler du deuxième corps et ça ne lui a pas vraiment plu. Les gens savent qu'il vous a demandé de régler rapidement cette affaire. Tout cela est très mauvais pour lui. Surtout maintenant, avec cet autre macchabée.

— Eh bien, dis à ton père que nous essayons de...

— Alors pour une fois, continua-t-elle d'une voix doucereuse, il va faire une exception. Vous vous rappelez ce que je vous ai dit la dernière fois... L'homme en question — celui qui s'intéresse aux petites filles — sera au coin de la Onzième Rue et de Washington Street à quatre heures cet après-midi. Un ami va lui faire rencontrer quelques filles. Papa pense que ce serait une bonne idée si vous alliez y faire un tour.

Elle tapota sa main avant de la serrer.

— Nous devons nous dépêcher. Le père dit la messe ce soir. Appelez-moi à l'occasion. On pourrait prendre un verre. *Ciao!*

Elle mit le moteur en marche et démarra.

Sloan regarda sa montre. Deux heures passées. Il avait à peine le temps de prévenir son équipe pour être sur Washington Street avant quatre heures.

Il retourna à sa voiture et fit un appel radio à l'entrepôt. Puis il se mit en route.

Rafferty, Evans, Kane et Spivak le rejoignirent au coin de la Onzième Rue et de Washington Street.

Vers trois heures, le manège commença. Une Mercedes marron se gara près de l'arrêt du tramway. Plusieurs filles sortirent de l'arrière de la limousine. Elles étaient toutes habillées comme des adolescentes, mais Sloan reconnut deux prostituées parmi elles. Rien à voir avec des ingénues. Avant de repartir, le chauffeur fit un clin d'œil à Sloan. C'était Sylvester Gianni, dit Sylvester le Dandy, chargé de la prostitution dans le quartier des docks.

A quatre heures tapantes, une vieille Cadillac blanche décapotable s'arrêta le long des rails. Les filles firent d'abord leur saintes nitouches, puis s'approchèrent de la voiture. Quand elles furent rassemblées près de la vitre du côté passager, l'une d'elles fit un petit signe.

— On y va, dit Sloan par radio.

Il démarra. Rafferty et Evans, qui étaient les plus près, bloquèrent immédiatement le passage à la Cadillac. Kane et Spivak firent de même de l'autre côté.

Sloan sortit, son arme et son insigne à la main. Les filles s'écartèrent.

— Police ! cria Sloan. Ne bougez pas !

Le conducteur ne tenta pas un seul geste. Rafferty ouvrit la portière et le sortit du cabriolet.

Sloan lui lut ses droits.

— Nom et prénom ? demanda-t-il ensuite.

— Carl Laredo, mais qu'est-ce que...

Ils lui passèrent les menottes et le firent entrer à l'arrière de la voiture de Sloan. Rafferty monta avec Sloan, tandis que Spivak suivait avec la Cadillac. Carl demanda encore ce qu'on lui voulait. Personne ne lui répondit.

Une fois au quartier général, ils firent immédiatement tester sa salive. S'il était non sécréteur, il était tiré d'affaire. Sinon...

En attendant les résultats, Sloan et Rafferty commencèrent l'interrogatoire, utilisant la méthode du bon et du méchant flic. Sloan était le gentil, Rafferty le méchant.

— Le commerce du sexe est un crime. Vous le savez...

— Je ne leur faisais pas de propositions. Je suis un artiste, précisa-t-il nerveusement. J'essayais de les convaincre de poser pour moi...

— Qu'est-ce qu'il va trouver ensuite ? dit Rafferty.

En effet, son histoire était un peu tirée par les cheveux. Mais le mot « artiste » rappela quelque chose à Sloan. Kane avait dit qu'elle avait rencontré un peintre au Lagniappe... Il quitta la pièce.

— Kane, est-ce que c'est le gars que vous avez rencontré au Lagniappe ?

— Oui, lieutenant.

Elle n'avait pas l'air content.

— Il dit qu'il essayait d'engager ces filles comme modèles. Vous savez quelque chose là-dessus ?

— Non, rien du tout.

Sloan retourna dans la pièce. Apparemment, Rafferty avait commencé à cuisiner Carl Laredo : celui-ci regarda Sloan comme s'il était son sauveur.

— J'essaie juste de lui expliquer que je ne draguais pas ces filles. Ce serait de la folie de vouloir coucher avec des prostituées. Avec le Sida et tout le reste... Je suis peintre...

— Nous savons cela, monsieur Laredo. Maintenant, calmez-vous et expliquez-nous ce que vous étiez en train de faire.

— Ce que je fais depuis plusieurs mois. Comme je l'ai déjà dit, je suis un artiste. J'ai vécu quelques années en France. Vous avez entendu parler des scènes de rues de Paris ; les artistes les peignent toujours. Là-bas, j'ai été très intéressé par le style des danseurs populaires des années 50. Vous savez, les bérets et les jupes fendues. J'ai pensé combiner leur style avec une scène de rue conventionnelle pour recréer l'atmosphère des quartiers pauvres de Paris. Quand je suis rentré, j'ai décidé de faire la même chose sur Philadelphie. Les filles qui correspondent le mieux à mon projet se trouvent dans ce quartier. Alors, régulièrement, je les paie pour venir chez moi et je fais quelques polaroïds. C'est tout. Pas de sexe. Pas même de nu. Ce qui m'intéresse, c'est la manière dont elles sont habillées, leurs talons hauts et leurs jeans serrés...

Kane passa la tête par l'entrebâillement de la porte.

— Je peux vous voir, lieutenant ?

Elle paraissait plus satisfaite.

Sloan la rejoignit.

— Les résultats du laboratoire sont arrivés.

— Et alors ?

— Ce n'est pas notre homme. Il est sécréteur, mais son groupe sanguin est du type A, pas O.

Son sourire en disait long sur l'intérêt qu'elle portait à Carl Laredo.

Sloan soupira. Même la Mafia pouvait se tromper de temps à autre.

19

Missy leva à hauteur d'yeux le verre rempli de glaçons, comme s'il s'agissait d'une éprouvette de chimiste. Puis elle y versa lentement la vodka glacée. Ses mains ne tremblaient pas. Elle laissa couler le liquide transparent et remplit le verre jusqu'à ras bord.

Elle posa délicatement la bouteille sur le comptoir de la cuisine, comme si elle maniait de la nitroglycérine. Juste à côté, sur la céramique noire du comptoir, se trouvaient une lame de rasoir, un petit tas de poudre blanche et une spatule en argent.

La musique de Bryan Adams chantant *Paradis* emplissait la pièce. Dehors, sur la Delaware, un remorqueur guidait un paquebot venant de Panama vers son quai d'amarrage. Missy n'y prêta pas attention.

Prenant son verre à deux mains, à la manière d'une petite fille, elle le porta à ses lèvres, le regard porté au-delà tandis qu'elle le penchait pour boire. Ses yeux brillants semblaient scruter quelque chose. Mais elle ne voyait rien, attentive seulement à ce qui se passait au plus profond d'elle-même.

Une goutte d'eau tomba du verre sur sa poitrine et glissa entre ses seins. Elle l'ignora.

Elle but encore, s'emplissant de la morsure glacée de l'alcool. Et plus le niveau du verre baissait, plus elle se sentait revenir à la réalité des choses.

Depuis la soirée à l'Opéra, sa haine pour Cynthia n'avait fait que croître. Son manège était clair : elle avait fait sa petite scène à Felix. Puis elle avait déjeuné avec Carl et cette Ramsey, leur suggérant qu'elle était même prête à tomber enceinte pour récupérer Felix. Et aujourd'hui, elle l'avait appelé pour lui donner rendez-vous, et il avait accepté. Bien sûr, ce n'était qu'une obligation pour Felix. Mais ça bouleversait quand même ce qu'elle avait prévu pour cette soirée d'Halloween.

Elle avait imaginé quelque chose de fabuleux pour Felix. Une soirée costumée. Ou plutôt savamment déshabillée. Cette nuit aurait été leur première nuit d'amour. Mais maintenant, tout était gâché à cause de Cynthia.

Quand elle avait appris qu'ils se verraient ce soir, la douleur était revenue deux fois. Elle avait essayé de la calmer, d'accepter l'idée d'être enceinte, de donner à Felix l'enfant qu'il désirait. Cynthia avait provoqué tout ça, et il n'y avait aucune raison pour que Missy le supporte. Comme elle se l'était dit en quittant Carl ce matin, à la fin du combat il n'en resterait qu'une. Ce ne serait certainement pas l'ex-Mme Ducroit.

Elle posa son verre et se pencha sur le comptoir

pour prendre un peu de poudre avec la petite spatule. Elle sniffa deux, trois fois avec chaque narine et enleva l'excédent du bout du doigt.

Cynthia ressemblait à la poupée Barbie de son enfance. Quand Barbie pensait que personne ne la voyait, elle tourmentait Ken, son compagnon, et lui faisait faire d'horribles choses. Missy avait tout essayé pour l'en empêcher. Elle la sermonnait, la grondait, séparait même les deux poupées, mais ça ne servait à rien. Dès que Missy avait le dos tourné, Barbie recommençait à torturer Ken. Missy n'avait pas d'autre choix que de la punir. Chaque nuit, seule dans sa chambre avec ses poupées, elle déshabillait Barbie et la pressait contre une ampoule brûlante tout en lui parlant doucement pour lui faire comprendre ses erreurs. Mais Barbie était têtue. Son corps devenait de plus en plus noir et déformé, mais elle continuait quand même. Elle était toujours méchante. Finalement, Missy avait dû se débarrasser d'elle.

Elle avait enterré les restes de Barbie sous un buisson, près de la piscine. Cette nuit-là, lorsque Ken lui avait demandé où était Barbie, elle lui avait dit qu'elle était partie et ne reviendrait pas. Ken s'était douté de ce qui était arrivé, mais il n'était pas triste : il savait lui aussi que Barbie était méchante...

Elle prit son verre et traversa la cuisine. Son corps nu se reflétait partiellement là où elle passait, comme des fragments épars après une destruction. Son visage, sur le carrelage en céramique noire, sa main et son avant-bras, sur la surface du grille-pain, ses jambes et ses fesses sur la vitre du four...

Felix... il était doux comme Ken. Il ne comprenait pas que les femmes puissent être des créatures fourbes comme leurs mères. Elles prenaient aux hommes sans rien donner en retour. Elles se moquaient d'eux. Les trompaient avec leurs meilleurs amis. Les ridiculisaient. Les conduisaient même à la tombe avant l'heure, comme c'était arrivé à son père. Elle ne laisserait pas faire ça à Felix. Elle le protégerait...

Dans sa chambre, sur son lit immense, étaient soigneusement alignés un blouson de cuir sombre, un foulard de soie blanc, des gants de conduite italiens, un pantalon, des chaussures et des chaussettes, un automatique dans un étui à bandoulière, un caleçon, un short de cycliste en latex, deux rouleaux de bandage élastique, une paire de menottes, une petite pile de chaînes en métal, un sac en plastique rempli de quelque chose ressemblant à des cheveux, et un godemiché couleur chair, à double extrémité.

Elle prit une bande et se tourna vers le mur tapissé de miroirs. Tandis qu'elle la déroulait sur sa poitrine, comprimant ses seins jusqu'à ce qu'ils soient aussi plats que des pectoraux d'homme, elle ressentit la vague de plaisir si familière et gémit presque à la pensée de sa propre jouissance.

Cette opération terminée, elle s'admira dans la glace. Ce qu'elle voyait était asexué. Son visage démaquillé, bien qu'encore attirant, était curieusement anguleux, presque masculin. Les bandages serrés ne laissaient pas deviner les mamelons, pas même les tétons d'un homme. Et plus bas, sur le mont de Vénus, là où une brune aurait dû normalement avoir un triangle sombre, elle était parfaitement rasée. A cette distance, les lèvres de la vulve étaient invisibles, comme si elle n'avait pas de parties génitales. C'était le moment qu'elle savourait le plus — la femme n'existait plus, l'homme naissait.

Mais aujourd'hui, la vision était imparfaite et elle mit un moment à comprendre pourquoi. La cicatrice, douloureuse ou pas, était habituellement invisible, mais ce soir elle semblait irritée et rouge. Elle baissa les yeux vers la blessure vieille de douze ans. Elle n'était pas rouge. Mais quand elle la regardait dans le miroir, elle redevenait écarlate.

Elle se retourna, craignant, si elle continuait à se

regarder, de faire resurgir les souvenirs et la douleur.

Elle avait déjà ressenti deux fois la douleur, aujourd'hui. C'était plus qu'elle n'en pouvait supporter. Elle s'était vue deux fois à la porte du bureau de son père, attendant de lui dire. Deux fois, il avait levé les yeux vers elle. Et deux fois, la douleur était revenue, aussi intense qu'une décharge électrique. Elle ne voulait pas savoir ce qui s'était passé ensuite. Plus maintenant. Elle voulait juste faire sa vie avec Felix. Ils avaient tant de choses à partager...

Elle traversa la chambre et but une longue gorgée de Smirnoff. Ses mains tremblaient maintenant, comme si elle avait froid.

L'alcool l'aidait, comme toujours. La vodka, en particulier, telle une substance chimique revivifiante, lui donnait l'impression de se stériliser, de se purifier de l'intérieur.

Elle prit une des chaînes sur le lit et l'attacha autour de sa taille, laissant l'une des extrémités pendre derrière. Le contact du métal était froid entre ses fesses.

Le double godemiché était en caoutchouc, ce qui lui conférait la rigidité d'un vrai pénis, mais aussi une certaine flexibilité. A peu près au milieu, il y avait un petit trou. Elle passa une main entre ses jambes et attrapa la chaîne pour la tirer vers elle.

Le trou était juste de la bonne taille, et elle fit glisser la chaîne dedans comme si elle enfilait une aiguille. Écartant légèrement les jambes, elle introduisit le gland du godemiché dans son vagin et poussa jusqu'à le faire pénétrer de plusieurs centimètres. Le maintenant d'une main, elle tira la chaîne de sa main libre, la serrant étroitement. La friction du métal contre le caoutchouc faisait un bruit de fermeture éclair. Elle tira encore pour l'ajuster soigneusement et l'amener au niveau de sa taille, où elle la fixa. Elle sentait sa morsure entre les lèvres de son sexe, et l'ensemble n'était pas très esthétique, mais c'était un moyen efficace de maintenir solidement, et dans le bon angle, le faux pénis.

D'un mouvement vif et familier, elle enfila ensuite le caleçon, faisant sortir le phallus par la braguette, comme si elle s'apprêtait à uriner...

Elle avait dix ans quand son père lui avait acheté son premier caleçon. Il lui avait conseillé de le porter pour monter à cheval, afin d'atténuer le frottement. L'intimité de ce cadeau ne l'avait pas embarrassée. Ça lui avait fait tellement plaisir que son père la traitât comme un garçon. Le soir même, elle s'était arrangée pour se retrouver seule avec lui et lui montrer qu'elle avait mis le caleçon. Elle n'avait pas pensé à mal. Elle avait juste voulu lui faire plaisir. Il l'avait regardée curieusement, tandis qu'elle se tenait debout devant lui, son jean baissé jusqu'aux genoux et son tee-shirt relevé. Ce n'était pas un regard de désapprobation. Elle s'était sentie tressaillir et aurait voulu qu'il la regarde toujours ainsi...

Elle enfila le short en latex par-dessus le caleçon, dégageant une fois de plus le pénis par l'ouverture de la braguette. Se tournant pour voir ses fesses dans le miroir, elle les pressa des deux mains jusqu'à ce que le latex les comprime, gommant leurs rondeurs féminines.

Satisfaite, elle tira sur le godemiché pour vérifier qu'il était fermement en place et fut récompensée par la délicieuse sensation du frottement. Il n'y avait aucun doute, elle jouirait avec Cynthia. Ce n'était pas parce que l'autre devait mourir qu'elles devraient se priver de plaisir. Ça c'était passé de cette façon avec les filles du sud de Philadelphie. Il n'y avait aucune raison pour que ça change.

Au début, elle avait seulement cherché à séduire. Rien de plus. Mais la première, bien avant Terri et Marie, avait découvert son déguisement. C'était avant qu'elle ne perfectionne l'apparence de Peter. Et cette petite pute avait essayé de la faire chanter. De l'argent, ou elle racontait tout à ses parents. Ils n'auraient aucun mal à la retrouver, avec le numéro d'immatriculation : son oncle était flic, avait-elle dit. Elle avait été vraiment dure, ne lui avait pas laissé le choix. Missy n'avait pas pu risquer que son père apprenne une telle chose. Alors, elle avait été obligée de tuer la fille. Mais dans cet acte, elle avait aussi trouvé un soulagement inattendu et excitant. Un soulagement qu'elle avait recherché encore et encore depuis lors.

La rivière brillait au-delà des fenêtres de sa chambre. C'était là que tous les corps étaient partis. Un par un, ils s'étaient enfoncés dans leur tombe aquatique. Elle n'avait eu qu'à les transporter au cabanon de pêche, les mettre dans la petite barque et les jeter par-dessus bord au milieu de la rivière.

Toutes, sauf Terri et Marie. Elles étaient spéciales. Elle se sentait plus proche de Terri que des autres filles et, à travers elle, de Marie. Et quand tout avait été terminé, elle n'avait pas pu laisser leurs parents s'inquiéter, guetter la sonnerie du téléphone en se demandant ce qui était arrivé. Ça n'aurait pas été correct. Alors, elle avait laissé leurs corps derrière elle. Comme une faveur.

Un sourire vaguement triste aux lèvres, Missy prit le sac en plastique et alla dans la salle de bains. Elle appliqua un léger fond de teint sur son visage et épaissit ses sourcils avec un crayon à maquillage. Après avoir mis un peu de colle sur ses joues, son menton et au-dessus de sa lèvre supérieure, elle sortit la barbe et la moustache postiches du sac et les fixa soigneusement. La transformation était complète. Plus de Missy. Peter la regardait dans le miroir...

Elle retourna dans la chambre et boucla le holster. Le faux insigne — acheté dans le même magasin pour petits truands où elle avait trouvé les menottes — et le revolver, un cadeau de son père, étaient une sécurité au cas où les choses tourneraient mal. Avec la plupart des adolescentes, cette précaution était superflue.

Avec Cynthia, ce serait différent. Elle était trop pincée, trop rigide pour se laisser aller et éprouver librement du plaisir. Elle découvrirait finalement qui était Peter. Avec l'arme, Missy pourrait l'aider à se détendre.

Et ensuite, quand elles seraient toutes les deux satisfaites, Cynthia mourrait, et Felix appartiendrait à Missy.

Elle enfila le blouson de cuir et mit le foulard blanc autour de son cou. De la poche intérieure du blouson, elle sortit les lunettes noires que Peter portait toujours. Elle se regarda dans le miroir, lissa ses cheveux une dernière fois, et retourna dans la cuisine où elle prit une petite seringue stérilisée et un petit tube fermé, plongé dans un pot d'eau chaude à côté de l'évier. Le tube contenait du sperme. Un échantillon pris au laboratoire. Comme d'habitude, il provenait d'un sécréteur, de groupe O. Elle avait deux raisons d'utiliser toujours le même groupe. D'abord parce que c'était le plus commun, donc le plus facile à trouver. La plupart des hommes étaient des sécréteurs de groupe O. Son père l'était. Felix aussi. Elle se rappela avec quelle habileté elle lui avait posé la question qui, formulée autrement, aurait pu paraître incongrue :

— En général, les gens demandent quel est votre signe du zodiaque. Moi, je travaille dans un laboratoire, alors je demande le groupe sanguin. J'espère que vous n'y voyez pas d'inconvénient...

Il l'avait regardée de manière étrange, puis avait éclaté de rire avant de lui dire qu'il était du groupe O. Rien n'aurait pu lui faire plus plaisir... encore une chose en commun avec son père.

La deuxième raison de son choix était due à sa connaissance des procédures judiciaires. Elle avait beaucoup appris en effectuant des travaux de laboratoire pour le département de la police criminelle. La première chose qu'ils faisaient en cas de viol était de déterminer si le sperme provenait d'un sécréteur. Si c'était le cas, ils pouvaient déterminer le groupe sanguin. Ensuite, ils confrontaient les résultats obtenus avec les analyses faites à partir de la salive des suspects. Un sécréteur de groupe O était le type le plus courant, donc le plus difficile à identifier. Il leur faudrait un filet aux mailles très serrées pour coincer Peter. Qui, bien sûr, n'existait même pas. C'était vraiment délicieux...

Elle mit la seringue dans la poche intérieure du blouson. Elle dégrafa son pantalon et souleva le latex collant du short pour y glisser le petit tube. Ainsi, il resterait à la bonne température. Quand elle en aurait fini avec Cynthia, elle l'inséminerait. Puis elle enfila les gants de conduite et sortit par la porte accédant directement au garage.

Dans la voiture, elle fit une dernière inspection. Le revolver était chargé, elle avait la chaîne et les menottes, le sperme, son paquet de cigarettes et une fiole en argent remplie de cognac pour patienter durant l'attente. Satisfaite de son parfait sens de l'organisation, elle pressa le bouton de commande d'ouverture et la porte du garage pivota lentement.

Tandis qu'elle sortait en marche arrière, elle aperçut deux petites filles assises sur les marches de son entrée. Elles portaient leurs costumes de Halloween — l'une était déguisée en Blanche-Neige, l'autre en cow-boy. Elles tournèrent la tête vers la voiture et Missy baissa rapidement le pare-soleil du côté de sa fenêtre ouverte. Les autres vitres teintées la protégeaient des regards.

Au bout de l'allée, elle manœuvra pour tourner et s'arrêta pour mieux voir les petites coquines. Elles ne regardaient plus la voiture, mais se dirigeaient vers la maison voisine. Missy ne les reconnut pas. Elles habitaient sûrement le quartier, mais elle ne les avait simplement jamais remarquées. Certaine qu'elles ne représentaient aucune menace, elle remit le moteur en marche et s'engagea dans l'avenue Delaware.

Malgré Halloween, les environs de la Deuxième Rue et de Chesnut Street étaient encore calmes. Missy trouva facilement une place d'où elle pouvait surveiller le Lagniappe. Elle s'installa confortablement pour attendre, remonta sa vitre et regarda l'heure. Six heures moins dix. Parfait, elle était en avance. Felix devait retrouver Cynthia à six heures.

Elle alluma une cigarette. Elle attendrait jusqu'à ce qu'ils partent et les suivrait. Tôt ou tard, ils se sépareraient. Cynthia serait seule et Missy passerait à l'action.

A six heures deux, un taxi s'arrêta devant la porte. Cynthia en sortit. Pas de Felix en vue. Il devait déjà être à l'intérieur en train de prendre un verre tranquillement avant l'arrivée des problèmes.

Tandis que Cynthia réglait la course et entrait au Lagniappe, Missy dit d'une voix grave et douce, la voix de Peter :

— Ne t'inquiète pas, mon chou. Je serai bientôt là.

Ces mots pouvaient aussi bien s'adresser à Felix, à Cynthia ou à elle-même.

Le temps s'étira lentement. La nuit tombait. Par deux fois, Missy repensa aux deux petites filles assises sur les marches de sa maison. La première fois, elle pensa qu'elles étaient bien jolies, surtout celle habillée en cow-boy. Mais à cette heure-là, elles ne devaient plus être dehors toutes seules. Trop de mauvaises choses pouvaient leur arriver. La deuxième fois, elle se demanda ce que cela pouvait représenter d'être la mère de l'une d'elles. Ce devait être assez amusant puisqu'elles étaient en âge de se débrouiller seules. Peut-être connaîtrait-elle cela bientôt... Le nécessaire qu'elle avait acheté pour prédire sa période d'ovulation avait montré un bleu plus intense ce matin, quand elle avait testé son urine. Cela voulait dire qu'elle serait fertile dans un jour ou deux. Elle devait tenir le coup. Si elle faisait le plein de Valium et fumait de la dope, peut-être arriverait-elle à se souvenir et à accepter ce qui s'était passé sans hurler. Pour bien faire, il lui faudrait un calmant beaucoup plus puissant et du whisky pour accompagner la dope, mais elle doutait que Felix apprécierait de la voir dans cet état...

Un bruit sec la ramena brusquement à la réalité. Un jeune homme portant un chapeau haut de forme et des baskets venait de frapper sur le capot de sa voiture en passant. Elle faillit ouvrir la portière et sortir pour lui dire ce qu'elle pensait de lui, mais se rappela à temps la manière dont elle était habillée.

Il était sept heures vingt-quatre à sa montre quand Felix et Cynthia sortirent du Lagniappe. Ils se dirigèrent vers Market Street. Elle les suivit des yeux jusqu'à les perdre de vue dans la foule des promeneurs costumés. Sachant que Felix se garait habituellement dans Market Street, elle démarra et commença par prendre le même chemin que ce matin, lorsqu'elle était allée voir Carl. Mais cette fois, elle dépassa Chesnut Street. Felix ne fit pas monter Cynthia dans sa voiture, mais héla un taxi. Quand il lui ouvrit la portière, elle l'enlaça et lui donna un baiser qui confirma les pires soupçons de Missy. Au bout d'un moment, il la repoussa gentiment et l'aida à monter dans le taxi. Au volant de sa voiture, il la regarda s'éloigner avant de démarrer et de repartir dans la direction d'où il était venu.

C'était le moment. Missy fit demi-tour pour suivre le taxi. Du radiocassette s'élevait la voix de Warren Zevon chantant *Sentimental Hygiene*.

Market Street était en travaux et Missy eut du mal à rester sur la même file que le taxi. Tandis qu'elle se frayait un chemin entre les marteaux-piqueurs et les bulldozers, elle pensa à l'organisation des funérailles de Cynthia. Naturellement, Felix voudrait se charger de tout. Il était tellement prévenant. Et elle l'aiderait, comme une bonne épouse se devait de le faire.

Une voiture de police était garée au coin de la Vingtième Rue. Le chauffeur de taxi éteignit son clignotant, abandonnant son intention de prendre le sens interdit à gauche. Il continua sur Market Street et contourna l'hôtel de ville. Missy fit de même.

Le taxi vira vers l'ouest, en direction de la Quinzième Rue. Missy le suivit et fut obligée de s'arrêter un instant à l'intersection suivante devant un groupe de gens qui traversait.

A proximité de Locus Street, elle se prépara à tourner : Lois lui avait dit que Cynthia habitait dans les environs. Mais le taxi continua vers Pine Street et tourna à gauche. Finalement, le taxi déposa Cynthia devant son magasin. Missy les dépassa et alla se garer un peu plus loin.

L'instant que Missy avait tant espéré était arrivé. Elle sortit le revolver de son étui et attendit que le taxi s'en aille et que Cynthia soit occupée à ouvrir la porte du magasin pour sortir et s'approcher d'elle.

Cynthia ne leva pas les yeux avant que Missy ne soit à ses côtés. Elle la regarda mais ne parut pas la reconnaître. Une confirmation nécessaire pour Missy. Elle enfonça le revolver dans les côtes de Cynthia et la poussa à l'intérieur avant qu'elle puisse crier ou appeler à l'aide.

Sans quitter sa proie des yeux, Missy ferma la porte.

Cynthia se retourna et recula dans l'obscurité.

— Qu'est-ce que... ?

Elle fixait le revolver.

Missy avança et, faisant pivoter son arme, frappa Cynthia près de la tempe. Cynthia poussa un cri et tomba, emportant avec elle un des étalages. Elle gisait au milieu des marchandises renversées, la jupe relevée sur les cuisses. Et le cauchemar commença.

Missy la tira par les cheveux pour la forcer à s'agenouiller, puis elle lui passa la chaîne autour du cou. La tenant toujours par les cheveux, elle leva lentement son arme. Même dans l'obscurité, le revolver semblait briller, captant l'attention de Cynthia, comme un serpent venimeux qui se rapprochait de plus en plus.

Missy posa doucement le canon sur la bouche de Cynthia. Celle-ci recula, essaya de tourner la tête, les lèvres serrées. Missy la maintint plus fermement par les cheveux, ramenant son visage près du canon et s'assurant qu'elle ne pouvait pas lever les yeux.

Même dans cette providentielle obscurité, elle ne voulait pas risquer que Cynthia la reconnaisse. La surprise serait pour plus tard.

— Sois gentille, lui dit-elle doucement.

Sa voix n'était plus qu'un murmure tandis qu'elle accentuait la pression de l'arme sur les lèvres de Cynthia, pas assez pour la blesser, mais suffisamment pour la faire tenir tranquille.

Mais Cynthia ne voulait pas se soumettre.

— S'il te plaît, ne m'oblige pas à te faire mal. Fais ce que je te dis et je serai parti dans quelques minutes.

Au ton de sa voix, Cynthia comprit qu'elle devait se montrer raisonnable, ne pas aggraver la situation. Si elle obéissait, elle en serait quitte pour un simple viol.

Elle sentit la pression de l'arme s'accentuer encore et ouvrit la bouche.

Missy y fit pénétrer le canon de plusieurs centimètres.

— Maintenant, referme les lèvres dessus, comme si c'était ton amant.

Cynthia obéit.

— Bien. Nous allons enfin pouvoir parler tranquillement. Je veux que tu mettes les mains derrière le dos. Tu comprends ?

Cynthia hocha légèrement la tête et s'exécuta. Missy

fut soulagée quand les menottes furent en place. Maintenant, Cynthia ne pourrait plus résister, quoi qu'elle lui fasse. Cynthia aussi sembla le comprendre... Elle essaya un dernier mouvement de résistance, mais Missy lui leva la tête d'une main et enfonça l'arme plus profondément dans sa bouche. Cynthia ne pouvait plus bouger sans s'étouffer.

Sur le ton de la réprimande, Missy murmura :

— S'il te plaît, ne bouge plus comme ça, du moins pas encore. Ce revolver vise très bien. Il peut faire beaucoup de dégâts dans ta bouche. Je ne voudrais pas que cela arrive. Toi non plus, n'est-ce pas ?

Cynthia secoua la tête.

— Tu te demandes pourquoi tout ça est en train de t'arriver, n'est-ce pas ?

Elle sortit son insigne et le mit devant les yeux de Cynthia, assez longtemps pour qu'elle le voie bien. Mais dans l'obscurité Cynthia ne distingua pas de quelle sorte d'insigne il s'agissait.

— Je vais te le dire. Je suis un détective privé. Je te suis depuis deux jours. Figure-toi que ton ex-mari — tu sais, le grand manitou de l'immobilier — m'a payé pour ça. Et il m'a aussi payé pour faire autre chose.

Elle s'arrêta pour mieux ménager son effet.

— Il m'a payé pour te tuer.

Cynthia sursauta comme si elle avait reçu une décharge électrique.

— Je sais, tu ne peux pas le croire. Mais c'est vrai. Apparemment, il veut épouser une belle garce pleine de fric — la fille d'un médecin, je crois — et il commence à te trouver un peu trop encombrante. Il paraît que tu es toujours derrière lui, à tout gâcher.

Cynthia essaya de nier de la tête.

— Hier, je lui ai dit que c'était une solution trop extrême, que tu me semblais être une personne raisonnable. Je lui ai conseillé d'avoir d'abord une conversation avec toi. Mais il n'a rien voulu entendre. Il veut ta mort, et il veut aussi que tu la sentes venir.

Elle avait appuyé sur le mot « mort », savourant son effet.

Cynthia tremblait maintenant, à genoux devant elle. De sa main libre, elle commença à lui caresser les cheveux.

Le tremblement continuait, et Missy frissonna à l'idée de la merveilleuse excitation que Cynthia était en train d'éprouver. Tout en continuant à la caresser, elle ramena sa tête vers elle jusqu'à ce que sa joue soit contre son pantalon et sente le contact dur du godemiché.

— J'ai autre chose à te dire. Depuis que je te suis, je me suis vraiment attaché à toi. Tu es quelqu'un de particulier et je ne pense pas que tu devrais mourir. Est-ce que tu comprends ce que je veux te dire ?

Cynthia acquiesça du mieux qu'elle put.

— Je ne sais pas comment c'est arrivé, mais je me suis mis à penser à toi tout le temps. Je ne peux pas accepter l'idée de te tuer. Mais si je te laisse vivre, tu dois m'aider...

Elle s'arrêta pour laisser l'espoir faire son chemin dans l'esprit de Cynthia. Elle regarda autour d'elle, cherchant l'endroit idéal pour le moment de vérité. A l'arrière du magasin se trouvait une cuisine donnant sur une cour et un petit jardin. Parfait.

— Tu auras deux choses à faire, poursuivit-elle. Ce ne sera pas trop difficile. Je veux que tu me promettes, si je te laisse libre, de disparaître pendant quelques semaines. Pars dans les îles, en Europe, en Floride, n'importe où... mais pars, le temps que les choses se calment. Je rendrai l'argent à ton mari et, quand il verra que tu ne lui causes aucun problème, je pense pouvoir le convaincre d'abandonner son idée. Alors, tout le monde sera satisfait. Est-ce que tu le feras ?

Cynthia essaya de hocher la tête.

— Maintenant, je vais retirer le revolver de ta bouche parce que je veux t'entendre dire que tu partiras. Mais d'abord, tu dois comprendre quelque chose. Je ne t'ai pas encore fait mal, mis à part le léger coup sur la tête, mais si tu essaies de crier ou d'appeler ou de faire quoi que ce soit d'autre qui ne soit pas digne de toi, ça ne me plaira pas du tout. Notre accord sera rompu et je terminerai la tâche que m'a confiée ton mari. Je te tuerai.

Elle retira lentement, sensuellement, le canon de la bouche de Cynthia. Celle-ci, obéissante, laissa ses lèvres autour, comme si elle savourait un rare plaisir, jusqu'à ce que le viseur les touche et qu'elle doive ouvrir plus grande la bouche.

— Je le ferai, dit-elle. Je partirai, je le promets, cette nuit, dès que vous me laisserez. Mais je vous en prie, ne me...

Elle eut du mal à prononcer le mot.

— ... tuez pas, ne me faites pas de mal.

— Tu te souviens, j'ai dit qu'il y avait deux choses, murmura Missy d'un ton sévère. Je veux aussi que tu me laisses te faire l'amour. Je n'ai pensé qu'à ça ces deux derniers jours. Je sais que c'est mal, mais je dois te posséder au moins une fois. Après ça, nous ne pourrons plus nous voir. Est-ce que tu le feras ?

— Ici ?

Missy la prit par le bras pour l'aider à se relever. Tandis qu'elle la conduisait dans l'obscurité vers la cuisine, elle s'aperçut qu'elle n'avait jamais désiré quelqu'un autant que Cynthia en ce moment. Sur ce point, elle n'avait pas menti. Et il semblait que Cynthia ressentait la même chose. Missy le perçut dans sa voix quand elle s'arrêta dans la cuisine pour demander :

— Où ?

Elle la guida jusqu'à la table et Cynthia, les mains toujours attachées derrière le dos, se pencha docilement et posa son buste et sa joue sur la table.

— C'est si sombre ici. S'il vous plaît, allumez la

lumière au-dessus de la cuisinière. L'ampoule est très faible, on ne peut pas la voir du dehors.

Missy eut un sourire de satisfaction. De mieux en mieux. Cynthia voulait vraiment profiter de ce moment.

Malgré la pénombre, Missy, les sens aiguisés par la cocaïne, distinguait nettement ce qui l'entourait. Elle revint derrière Cynthia, lui souleva la robe et descendit doucement son collant et son slip. Elle était vraiment jolie, à attendre ainsi, tellement offerte à son désir. Il était compréhensible que Felix puisse tomber sous son charme. Missy elle-même y succombait.

Tout en dégrafant son pantalon, elle regarda autour d'elle. Quelqu'un avait laissé entrouverte la fenêtre au-dessus de l'évier et une légère brise faisait danser les rideaux imprimés de moulins à café à l'ancienne et de girouettes. Leur mouvement régulier lui procura une sensation de paix, comme lorsqu'elle regardait les peintures réalistes de Norman Rockwell. Une très jolie composition.

NOVEMBRE

20

Pine Street était engourdie dans l'air glacé du matin. Deux homosexuels, encore en costumes de Halloween, rentraient chez eux bras dessus, bras dessous. Les derniers fêtards de la dernière fête. Près de la Trentième Rue, les commerçants sortaient leurs poubelles et nettoyaient leur bout de trottoir à grands seaux d'eau.

Deux antiquaires matinaux sortirent regarder le ciel, se demandant s'ils exposeraient leurs marchandises dehors ou les laisseraient à l'intérieur. L'un choisit d'exposer, l'autre non. Le premier commença à entasser sur le trottoir une figurine d'Indien en bois, un rocking-chair, deux malles et un miroir surmonté de bois de cerf. L'autre le regardait tranquillement s'agiter, se demandant comment il arrivait à gagner sa vie avec un tel bazar.

Près de la Vingtième Rue, le marchand de glaces préparait des gaufres et du café pour les petits déjeuners. Juste en face, devant la Pine Street Charcuterie, une vieille Buick 225 venait de se garer.

C'était Claude Washington, un Noir d'une soixantaine d'années, qui gagnait sa vie en faisant le ménage dans des bureaux et des magasins. La Pine Street Charcuterie était son cinquième job de la journée. Son dos lui fit mal quand il ouvrit le coffre pour sortir son matériel d'entretien. Le résultat de quarante années de travail. Mais Claude ne se plaignait pas. Il avait eu une bonne vie. Il avait perdu un fils au Viêtnam, mais il lui restait une femme aimante et deux fils, l'un avocat, l'autre dentiste. Ses garçons insistaient toujours pour qu'il s'arrête de travailler et les laisse s'occuper de lui. Mais, mis à part une tension un peu trop élevée, Claude était en bonne santé et avait l'intention de le rester en continuant à se lever tôt et à travailler dur, comme il l'avait fait toute sa vie.

Il amena un premier chargement jusqu'à la porte et le posa par terre. Tout en allant chercher le reste, il leva les yeux et fut du même avis que le deuxième antiquaire : il allait pleuvoir. Il espérait seulement que la pluie ne tomberait pas avant le déjeuner. Il serait alors chez lui avec sa femme, confortablement installé pour regarder son feuilleton favori.

Ses balais sous le bras, il claqua la portière du coffre et chercha les clés dans sa poche. Mais il fut surpris de voir que la porte du magasin n'était pas verrouillée. Ça n'était jamais arrivé avant, du moins pas ici. Celui qui avait fermé la porte la veille avait certainement été trop pressé de partir fêter Halloween. De toute façon, il laisserait un mot, juste au cas. Il ne voulait pas que miss Cynthia pense qu'il ait pu voler quelque chose.

Il ouvrit la porte et posa les balais à l'intérieur. Il allait retourner prendre le seau rempli de chiffons et de serpillières quand il vit l'étalage répandu sur le sol. Quelque chose clochait. Aucun des employés de miss Cynthia ne serait parti en laissant un tel désordre. Il pensa tout de suite à un cambriolage.

Cette idée ne l'effraya pas. Le cambrioleur avait dû déguerpir depuis longtemps. Certainement un gamin drogué. Mais son expérience lui dit tout de même d'être plus prudent que d'habitude.

Il rentra le seau, le posa à côté des balais et commença à inspecter la pièce. A part l'étalage renversé, tout semblait normal. Si c'était un cambriolage, au moins il ne s'agissait pas de vandales.

Il s'avança jusqu'au centre du magasin, prenant garde de ne toucher à rien. Pour un simple cambriolage, la police ne relèverait certainement pas les empreintes. Mais c'était leur affaire. Il ne tenait pas à se mettre en travers de leur chemin.

Plus loin dans la pièce, il n'y avait aucun autre signe d'intrusion. La stéréo était encore là et la boutique ne contenait pas autre chose que des produits d'alimentation et des ustensiles de cuisine. Même un gamin drogué ne serait pas assez stupide pour essayer de revendre des casseroles et des poêles !

Il ne restait plus qu'à vérifier la caisse. Il passa derrière le comptoir. Tout paraissait normal, là aussi. Comme dans la plupart des magasins, la caisse était toujours laissée légèrement entrouverte pendant la nuit. Les éventuels voleurs pouvaient ainsi prendre le peu d'argent qu'elle contenait sans être obligés de tout casser. La machine valait bien plus que son contenu. Avec un chiffon propre, il ouvrit un peu plus le tiroir. L'argent, environ vingt-cinq dollars, y était. Ce n'était donc pas un cambriolage. Sa première supposition — un employé négligent trop pressé d'aller s'amuser — devait être la bonne.

Il retraversa la pièce et commença à nettoyer en maugréant. Il remit en place l'étalage renversé et le rangea du mieux qu'il put. Les employés de miss Cynthia sauraient mieux que lui comment disposer les choses et termineraient le travail. Il épousseta ensuite les étagères et les comptoirs, comme il le faisait chaque jour. C'est alors seulement qu'il s'approcha de la petite cloison séparant la cuisine du reste du magasin.

Cynthia Ducroit était toujours couchée sur la table. Sa robe avait été arrachée en haut et relevée en bas, dévoilant ses seins et ses fesses. Elle avait les mains attachées derrière le dos et son collant et son slip étaient baissés.

— Ô mon Dieu !

Son visage était méconnaissable. Le sang comprimé par la strangulation avait tourné au violet foncé. Les yeux étaient rouges et exorbités ; la langue pendait de sa bouche ouverte. Un filet de sang coulait du nez sur la joue.

Les mains tremblantes, Claude tenta maladroitement de desserrer la chaîne profondément incrustée dans la peau du cou.

— Ne mourez pas, je vous en prie, ne mourez pas, répétait-il tout en tirant et poussant sur la chaîne jusqu'à ce qu'elle se dégage enfin.

Aussi doucement que possible, il mit Cynthia sur le dos et remonta la robe pour couvrir ses seins.

— Restez tranquille. Claude est là maintenant. Tout ira bien.

Il ne pouvait pas admettre qu'elle était déjà morte.

Il commença à appliquer ce qu'il avait appris au cours de secourisme de l'annexe de l'Église baptiste. Le massage cardiaque d'abord... La voix de sa femme résonna dans sa tête :

— Claude, tu devrais suivre ces cours. On ne sait jamais, ça peut servir un jour.

Il avait été un bon élève et faisait exactement ce qu'il fallait. Pas un seul geste inutile. Il boucha le nez de Cynthia et posa ses lèvres sur les siennes pour lui insuffler de l'air. Le sang séché qui avait coulé du nez les rendait collantes, mais il n'y prit pas garde.

La poitrine de Cynthia se soulevait et s'affaissait au rythme régulier de son souffle. Inspirer, souffler ; inspirer, souffler...

Il était peu habitué à tant d'exercice et la tête lui tourna bientôt, mais il ne s'arrêta pas. Au bout de dix minutes environ, il regarda le visage de Cynthia, tout en continuant à insuffler, et se sentit soulagé. Le sang avait reflué et le teint était redevenu presque normal. Encouragé, il redoubla d'efforts pour tenter de sauver cette vie déjà partie.

Ainsi penché, il souffrait de plus en plus du dos.

Mais il n'abandonna pas. *Tu te reposeras plus tard. Pour l'instant, tiens bon.*

Vers neuf heures, la première employée arriva et le trouva dans la même position. Quand elle le vit penché sur Cynthia, elle poussa un cri et ressortit en courant. Il aurait des problèmes maintenant. Un Noir dans la même pièce qu'une femme blanche inconsciente... Il devrait s'expliquer. Mais ce n'était pas le problème pour l'instant. Il devait continuer... inspirer, souffler; inspirer, souffler...

Cinq minutes plus tard, l'employée affolée revint avec deux flics baraqués. Ils comprirent tout de suite la situation. L'un d'eux remplaça Claude et l'autre appela du renfort par téléphone.

Claude se laissa tomber sur une chaise, le visage inondé de larmes. Il était resté plus d'une heure sur le corps de Cynthia.

L'équipe de secours arriva et prit la relève. Ils s'activèrent pendant encore une quinzaine de minutes. En vain.

Cynthia Ducroit était morte.

21

Il était tard quand Missy pénétra pieds nus dans sa salle de bains, groggy sous l'effet du Valium et de l'alcool qu'elle avait pris pour diminuer les effets de la cocaïne et arriver à dormir après toute cette agitation. Une fois de plus, elle n'était pas allée travailler et n'avait même pas appelé pour les prévenir. Au train où allaient les choses au laboratoire, cela n'avait plus d'importance.

Elle avait une envie pressante d'uriner, mais patienta, faisant durer le plaisir de la petite douleur aiguë. Elle regarda ses cernes dans le miroir, se brossa lentement les dents, relâchant plusieurs fois ses muscles jusqu'à être sur le point d'uriner et les rétractant chaque fois au dernier moment.

Un petit porte-éprouvettes et un plateau en plastique contenant des ustensiles de laboratoire étaient posés sur la tablette à côté du lavabo. Un logo représentant une gerbe de fleurs suivie du mot « Essence » était imprimé sur le plateau, ainsi qu'un diagramme de couleurs allant du blanc à un bleu sombre. « Essence » était le nom bien connu d'un test d'ovulation. Elle prit un gobelet en plastique et l'emporta avec elle dans les toilettes.

Elle releva sa longue chemise de nuit noire sur sa taille et s'assit sur la cuvette. Tenant le gobelet entre ses jambes, elle laissa aller le flot d'urine. La sensation de chaleur à travers les parois du gobelet était agréable.

Elle baissa sa chemise de nuit et rapporta le gobelet sur la tablette. Elle avait déjà fait ce test plusieurs fois, mais relut le mode d'emploi avant de procéder aux diverses manipulations. Satisfaite de se souvenir parfaitement de l'ordre des opérations, elle versa une goutte d'urine dans une éprouvette, remplit un autre tube de révélateur, régla la minuterie sur quinze minutes et alla prendre une douche.

Sous le jet d'eau chaude, elle repensa à ce qui s'était passé avec Cynthia. Le revolver, la peur et l'idée que son cher Felix voulait sa mort l'avaient rendue merveilleusement passive et obéissante. Elle avait gardé les yeux fermés tout le temps, alors qu'elle lui avait demandé d'allumer la lumière.

Les deux seules fois où elle les avait ouverts, son regard avait paru lointain et brouillé, comme si elle essayait de se réfugier dans un univers irréel où rien de tout cela n'était en train d'arriver.

Mais ça ne l'avait pas aidée. Pas du tout...

Missy arrêta le robinet et se sécha. Les quinze minutes étaient dépassées. Elle rinça le bâtonnet témoin à l'eau froide et le mit dans le révélateur. Encore cinq minutes à tuer. Elle alla dans la cuisine se préparer un Bloody Mary. Ces dernières minutes étaient les plus difficiles, mais elles lui laissaient aussi le temps de se préparer à l'idée d'être enceinte. Personne ne la forçait à faire ça. Elle agissait de son plein gré pour plaire à Felix. Ce cadeau qu'elle lui offrirait cimenterait leur amour et leur éventuel mariage.

La sonnerie de la minuterie retentit. Elle posa son verre et se précipita dans la salle de bains. Le révélateur avait viré au bleu sombre. Elle le compara au diagramme de couleurs. Aucun doute. Elle était fertile aujourd'hui. Et elle serait seule à décider ce qui allait arriver. Terminé, le regard atroce de son père pour qu'elle arrête de pleurer. Son père... elle fut choquée de s'apercevoir qu'elle était heureuse de sa mort. Il ne méritait pas d'assister à la naissance de son enfant, pas après ce qu'il lui avait fait faire... Que lui avait-il fait faire ? Elle ne pouvait toujours pas se souvenir.

Elle regarda l'une des photos sur le mur. Elle montait son premier cheval. Son père était à ses côtés. Il était plus jeune à l'époque, ses cheveux étaient encore noirs... il ressemblait tellement à Felix...

Elle avala dix milligrammes de Valium et commença à s'habiller, s'arrêtant juste le temps de téléphoner à Felix. Quand elle lui demanda de passer la voir après son travail, il répondit qu'il n'était pas libre. Elle insista jusqu'à ce qu'il accepte de venir « juste quelques minutes ». Elle sourit. Il lui serait reconnaissant toute sa vie de ces « quelques minutes ».

Elle se rendit en ville, prenant l'avenue Sheraton avant de tourner à gauche puis à droite pour s'engager dans la rue pavée bordant les tours de Society Hills. Pour éviter les embouteillages de Walnut Street, elle fit un détour par l'ouest, dépassant les maisons restaurées de Spruce Street. Elle passa ensuite la Dixième Rue où les immeubles de grès abritaient surtout des célibataires et des étudiants d'art. Près de la Quinzième Rue, le quartier des hommes d'affaires commençait.

Tandis qu'elle le traversait, elle pensa au déroulement de la soirée à venir. Ce serait la première fois que Felix et elle coucheraient ensemble. Jusqu'à présent, elle s'était montrée trop entreprenante. Felix n'était pas comme Carl, du moins pour l'instant. C'était un romantique, un homme du Sud. Eh bien, ce soir, il serait agréablement surpris. Elle le recevrait vêtue d'un simple chemisier et d'une jupe. Elle lui offrirait du champagne, du caviar et des huîtres... Elle avait entendu dire que les hommes de Louisiane adoraient les fruits de mer. Ils s'assiéraient très près l'un de l'autre et discuteraient. Elle l'amènerait habilement à lui parler des sentiments qu'il éprouvait pour elle. Ils s'embrasseraient. Elle le laisserait prendre quelques libertés et, quand il s'apercevrait qu'elle était nue sous sa jupe, il voudrait la posséder. Qui résisterait ?

Mais elle résisterait, juste assez pour l'exciter encore plus. Ils iraient alors dans sa chambre où un petit feu de bois serait allumé. Elle s'allongerait sur le lit et s'offrirait à lui dans la position la plus conventionnelle qui fût. Après ça, ils continueraient à se voir, cela ne faisait aucun doute.

Plongée dans ses pensées, elle faillit s'apercevoir trop tard qu'elle était sur la Dix-Huitième Rue et devait tourner à gauche. Elle se gara sur Sansom Street et continua à pied. Elle s'arrêta d'abord chez Treadwell and Company, un magasin pour hommes, sur Walnut Street. De son vivant, son père avait toujours vanté la qualité irréprochable de leurs articles. Un cadeau était un excellent moyen d'officialiser ses liens avec Felix : quelque chose de sobre, en or, pour marquer son territoire. Un anneau de mariage était ce qu'elle souhaitait vraiment lui offrir. Ce serait pour plus tard. Trop d'hommes « libérés » refusaient de porter leur alliance.

Quand elle entra dans le magasin, un homme grand, au visage cadavérique, vint à sa rencontre. Elle lui dit qu'elle cherchait une chaîne en or. Il la devança à travers les rayons de parapluies, d'écharpes, de portefeuilles et de serviettes en cuir, jusqu'au rayon bijouterie. Il passa derrière le comptoir et, les deux mains jointes comme un prêcheur penché sur son pupitre, demanda :

— Une chaîne de montre ?

— Non, une chaîne de taille.

— Je vous demande pardon ?

Il la regardait comme si elle était une aubergiste lui proposant de la guimauve en guise de dessert.

— Une chaîne de taille. Je veux une chaîne simple en or, pour aller autour de la taille de mon... (elle hésita avant d'employer le mot)... mari.

— Je suis désolée, madame, mais nous ne faisons pas ce genre d'articles.

Son ton l'agaçait et d'ordinaire elle le lui aurait fait savoir. Mais aujourd'hui elle était trop heureuse pour se mettre en colère.

— Je vois. Eh bien, montrez-moi vos chaînes de cheville. Quelque chose de joli.

Les mains du vendeur se crispèrent si fort sur le bord du comptoir que ses jointures en blanchirent.

— J'ai peur que vous ne vous adressiez pas au bon endroit. Vous devriez essayer du côté de Market Street. Un magasin italien, ajouta-t-il, comme pour lui-même Je suis sûr qu'ils seraient plus en mesure de vous satisfaire.

— Non, je veux acheter *ici*...

Finalement, elle dédaigna la suggestion du vendeur qui lui proposait des boutons de manchettes en or et diamants pour choisir une simple gourmette en or. Un cadeau plus personnel, symbolisant davantage leur avenir commun.

Elle avait encore deux choses à faire avant de rentrer attendre Felix: aller chez son esthéticienne et chez Bonwit Teller, où elle commencerait à regarder les robes de mariée.

Elle n'avait pas de rendez-vous au Kaléidoscope, son salon de beauté, mais un billet de cinquante dollars glissé discrètement dans la main de la réceptionniste lui permit d'être reçue tout de suite. Kelly fut visiblement surprise de la voir entrer dans la cabine de soins. Blonde, vingt ans et la beauté du diable, Kelly ressemblait plutôt à un top-model qu'à une esthéticienne.

Elle se ressaisit rapidement, lissa sa robe et se passa une main dans les cheveux.

— Je ne savais pas que tu venais aujourd'hui, Missy. Je t'ai épilée la semaine dernière.

Missy ferma la porte et vint déposer un léger baiser sur la joue de Kelly.

— Je sais. Mais tu me manquais.

L'intimité de la remarque ne parut pas gêner Kelly.

— C'est gentil. Mais tu bouleverses tout mon planning.

Pour se faire pardonner, Missy sortit de son sac un petit flacon rempli de poudre blanche.

— C'est pourquoi j'ai apporté ceci. Ça t'aidera à rattraper ton retard.

— Bon, d'accord. Déshabille-toi, dit-elle en prenant la drogue.

Tandis que Kelly mettait la cire à chauffer, Missy se déshabilla rapidement, ne gardant que son chemisier. Elle s'allongea sur la banquette et se laissa bercer par la chanson des Beatles, *Strawberry Fields forever,* diffusée dans tout le salon.

— Qu'est-ce qui se passe de si important pour toi que tu te fasses épiler deux fois en si peu de temps ? demanda Kelly.

Missy eut un sourire pensif. Comme ses raisons étaient différentes, cette fois ! Elle s'était toujours fait épiler les jambes, mais pour le pubis, cela avait commencé avec Peter. Elle savait que des poils pubiens pouvaient être une pièce à conviction importante. Mais aujourd'hui, elle le faisait pour Felix. Elle voulait être douce et nette pour leur première nuit.

— Je me marie.

Kelly parut surprise mais ne dit rien. Avec une spatule, elle commença à étendre la cire tiède sur les jambes de Missy. Au fur et à mesure que les bandes séchaient, elle les décollait légèrement pour les tirer d'un coup sec, arrachant ainsi les poils à la racine.

— Parle-moi de lui, demanda-t-elle tout en travaillant. Il est beau ?

— Oui. Et riche aussi.

— Parfait. Tu pourras continuer à venir et m'apporter tes petits cadeaux. Qu'est-ce qu'il fait ?

— C'est un promoteur de La Nouvelle-Orléans. Il vient de s'installer ici. Je ne peux pas t'en dire plus. Nous préférons rester discrets tant que nous ne sommes pas sûrs que je sois enceinte.

— Tu es enceinte ?

— Non, pas encore. Mais j'espère l'être après cette nuit.

— Alors c'est pour ça que tu es ici.

— Oui. Je veux être parfaite pour lui.

— Comment as-tu fait pour prévoir ? Tu as pris ta température ?

— Non. J'ai fait un de ces tests. « Essence ».

— J'ai vu ça à la pharmacie. Ça marche vraiment ?

— Oh oui ! Ça mesure le taux d'hormones dans les urines. C'est un des moyens pour déterminer la période de fertilité.

— C'est vrai que tu travailles dans un laboratoire et que tu t'y connais... Que pense ton fiancé de tout ça ? De nos jours, les hommes ne sont pas pressés d'être pères...

— C'est lui qui veut absolument un enfant.

— Il ne t'épousera pas sinon ?

— Non, il est plutôt vieux jeu et voudra passer devant le maire de toute façon. Mais si je ne suis pas enceinte, quel intérêt ?

Kelly acquiesça de la tête. Elle avait terminé les jambes et s'apprêtait à mettre de la cire sur le pubis de Missy quand elle se figea, les yeux écarquillés.

— Qu'est-ce qui t'est arrivé ? Tu t'es blessée ?

Missy, bien sûr, savait que les marques avaient été faites par le frottement de la chaîne maintenant le godemiché. Elle repensa en souriant à ses derniers moments avec Cynthia. Comment elle avait réussi à vaincre ses réticences pour l'amener à la jouissance... Comment, l'instant venu, elle avait dit avec sa vraie voix :

— Cynthia chérie, tu devrais voir la jolie robe que j'ai achetée pour ton enterrement.

Le choc avait été total. Cynthia avait ouvert les yeux et avait essayé de se tourner pour la voir. Missy lui avait accordé un long regard, puis avait tiré sur la chaîne...

— C'était mon amant, dit-elle d'une voix douce.

Kelly ne remarqua pas qu'elle en parlait au passé.

22

La salle de rédaction était une vraie ruche. Les téléphones sonnaient, les claviers crépitaient. Laura n'y prêtait pas attention. Elle semblait totalement concentrée sur le fond de sa tasse de café, comme si elle était en train d'y lire son avenir.

Elle était en jean, adossée à sa chaise, les pieds sur le bureau. Dans la même main que la tasse, elle tenait une cigarette fraîchement allumée et le cendrier était déjà plein de mégots. Fumer n'était pas bon pour elle mais elle était trop éreintée pour s'en inquiéter.

La veille, la journée avait parfaitement commencé : Felix était venu la voir et ils avaient pris le petit déjeuner ensemble. Mais elle s'était très mal terminée avec la nouvelle de la mort de Marie.

Sa course vers l'entrepôt, les voisins, cette impression de déjà vu... Elle avait déjà vécu ce cauchemar. Mais c'était bien réel. Marie était morte. Et quand elle avait vu le corps, elle avait été convaincue qu'elle était la seule à blâmer. Si elle n'avait pas écrit ces articles, Marie serait encore en vie. C'était comme si l'assassin lui avait laissé un message personnel, un message plein d'ironie cruelle qu'elle était la seule à pouvoir comprendre. Et ce message lui disait qu'elle était coupable de ce meurtre.

Sloan s'était montré froid, distant et accusateur. Lui aussi, apparemment, pensait qu'elle était responsable de la mort de Marie. La certitude de sa culpabilité avait blessé Laura plus qu'elle ne l'avait jamais été depuis les horribles moments de son opération.

Tout le reste de la journée, elle avait accompli ses tâches quotidiennes comme une automate. Le soir, à la réception de Henry David, elle n'avait fait qu'une brève apparition, le temps de récolter les informations utiles à son article. Puis elle était retournée au journal pour le rédiger. Une fois rentrée, elle n'avait pas pu dormir malgré son intense fatigue. A plusieurs reprises, elle avait failli décrocher son téléphone et appeler Felix. Juste pour parler un peu. Mais elle ne l'avait pas fait...

Gene, un autre journaliste, la tira de sa torpeur en lui tendant le combiné de son téléphone.

— Laura, le lieutenant Sloan pour toi, sur la ligne cinq.

Se redressant légèrement sur sa chaise, elle attrapa le récepteur.

— George ?

Il ne lui apportait pas de bonnes nouvelles et son ton était strictement professionnel.

— Oui, je connais Cynthia Ducroit, répondit-elle.

Et il lui annonça la mort de Cynthia.

Laura ne pouvait pas croire ce qu'elle venait d'entendre. Dire que Cynthia et elle étaient des amies très proches eût été exagéré, mais des images de promenades, de déjeuners, de discussions et de confidences défilèrent dans son esprit. Et par-dessus tous ces souvenirs, l'écho de la voix de Sloan répétait que Cynthia était morte.

Gene se rendit compte du changement d'expression de Laura et s'approcha d'elle.

— Ça ne va pas ? demanda-t-il en posant la main sur son épaule.

Elle leva les yeux vers lui.

— Cynthia Ducroit vient d'être trouvée, violée et assassinée par le même monstre qui a tué Terri et Marie...

Sa voix était lointaine, comme si elle ne lui appartenait pas.

— Je peux faire quelque chose ?

— Non, la police veut me voir. Je te remercie.

Sur le chemin de Pine Street, elle retint ses larmes, sachant qu'elle pleurerait autant sur elle-même que sur Terri, Marie et Cynthia. L'heure n'était pas aux regrets mais au bilan. Elle avait une dette envers elles... surtout envers Marie. Elle serait impardonnable si elle s'apitoyait sur son propre sort.

La rue était pleine de voitures et de fourgons de flics, et Laura dut se garer plus loin, sur la Onzième Rue. Il y avait un cordon de sécurité devant l'immeuble, mais, contrairement à ce qui s'était passé à l'entrepôt, pas d'attroupement.

Elle donna son nom à l'un des flics en uniforme et attendit. Sloan apparut quelques secondes plus tard.

— Entrez, dit-il en lui tendant la main.

Elle eut l'impression qu'il dirigeait une cérémonie funèbre. Elle s'arrêta sur le seuil, doutant de pouvoir supporter la vue du corps de Cynthia.

Le magasin grouillait de flics. L'équipe du laboratoire relevait les empreintes. Au fond, derrière le comptoir, des inspecteurs parlaient avec une jeune femme aux cheveux blonds bouclés. Elle ne pouvait pas entendre ce qu'ils disaient, mais la femme, vêtue d'une chemise blanche, d'un caleçon long et d'une veste trop large, semblait complètement bouleversée. De l'autre côté, d'autres inspecteurs parlaient avec un Noir, assez âgé, qui paraissait lui aussi très choqué.

Sloan attaqua le premier :

— Vous m'avez dit que vous la connaissiez...

— Oui... qu'est-il arrivé ?

— C'est la journaliste qui le demande ?

Laura tressaillit légèrement à cette allusion à son article sur Marie. Sloan n'insista pas et lui raconta comment l'homme de ménage avait trouvé le corps et avait essayé pendant plus d'une heure de le ranimer.

— Une heure de respiration artificielle sur une morte ? Mon Dieu, ça a dû être affreux...

— Ouais, c'est sûr. Mais s'il y avait eu encore un souffle de vie en elle, il l'aurait sauvée.

— Êtes-vous sûr que l'assassin est le même que celui de Terri et Marie ?

— Oui. Le corps était à genoux — enfin, pas vraiment à genoux, mais le vieux gars nous a dit qu'il l'a trouvée penchée sur la table, la robe relevée et le slip baissé. Elle a été prise par-derrière, comme les deux autres. Les mains étaient attachées dans le dos avec des menottes et elle a été étranglée avec une chaîne semblable aux autres. L'analyse du sperme a révélé le même groupe sanguin, on n'a pas retrouvé de poils pubiens et il n'y a pas eu de brutalité sexuelle. C'est le même homme, mais cette fois, il a changé de secteur.

— Pourquoi ? Pourquoi est-il venu dans le centre ville, cette fois ?

Sloan hésita à répondre et Laura comprit qu'il était temps qu'ils s'expliquent.

— George... Je sais que j'ai eu tort d'écrire cet article sur Marie. Je ne pense qu'à ça depuis qu'on a retrouvé son corps et je sais que vous me haïssez pour ça. Je préférerais vous entendre hurler et me traiter de tous les noms. Faites quelque chose, n'importe quoi, mais cela doit s'arranger entre nous. Nous devons travailler ensemble. Mon aide ne vous est peut-être pas nécessaire, mais j'ai besoin d'apporter ma contribution. Dites-moi le minimum, mais ne me tenez pas à l'écart. Je vous en prie. J'ai une dette envers elles.

Au lieu de donner son accord, Sloan demanda :

— Parlez-moi de votre déjeuner avec Cynthia Ducroit.

— Que voulez-vous savoir ? C'était une simple rencontre entre deux... entre trois personnes.

— Qui était la troisième ?

— Carl Laredo, un peintre. Cynthia et moi déjeunions au Reading Terminal Market. Carl y faisait des courses, il nous a vues et s'est joint à nous.

— Ça s'est bien passé ?

Laura se demandait pourquoi ce déjeuner intéressait tant Sloan. Suspectait-il Carl ? Peu probable. Si c'était le cas, il l'aurait mis sous surveillance et aurait été au courant de ce rendez-vous.

— Très bien. Je n'avais pas vu Cynthia depuis longtemps et Carl est toujours... charmant.

— Qui a eu l'idée de ce déjeuner ?

— Moi. J'écrivais un article sur l'ex-mari de Cynthia, Felix, et je voulais l'interviewer à son sujet.

— Je ne me rappelle pas avoir vu cet article. Pourquoi écrire un papier sur lui ?

— C'est un promoteur et il a un gros projet ici. Il n'est pas de Philadelphie et nous avons pensé que le côté homme d'affaires intéresserait nos lecteurs.

— Mais pourquoi interviewer son ex-femme ? Vous n'êtes pas un journal à scandales.

Laura commençait à se sentir agacée et un peu intimidée.

— Je l'ai d'abord rencontré lui, mais il s'est montré très réservé. J'ai pensé qu'une discussion avec Cynthia pouvait m'en apprendre plus.

— Qu'avait-elle à dire sur lui ?

Laura eut soudain la désagréable impression de comprendre où voulait en venir Sloan.

— Vous ne pensez tout de même pas que Felix a quelque chose à voir avec tout ça... ?

Sloan la regardait attentivement. Elle comprit que le ton de sa voix avait révélé l'intérêt qu'elle portait à Felix. Elle tenta de se rattraper.

— Je veux dire... vous avez affirmé tout à l'heure que l'assassin était le même que celui de Terri et de Marie...

Il ignora l'objection.

— Vous étiez sur le point de me dire ce que son ex-femme vous a raconté pendant ce déjeuner.

— Pas grand-chose, dit-elle, essayant maintenant de manier prudemment ce qu'elle savait. Elle a principalement parlé de leur divorce. Ils se sont séparés parce qu'il voulait un enfant et qu'elle n'en voulait pas. Elle a aussi parlé de l'instabilité de leur situation financière, inhérente au métier de Felix. Un jour riche, l'autre ruiné.

Elle ne se sentait pas coupable de donner ces détails parce qu'elle était sûre que Sloan était sur la mauvaise piste. Felix ne pouvait pas être mêlé à cette affaire. Il n'avait même pas vu... soudain elle se souvint qu'il avait rendez-vous avec Cynthia. La veille au soir... Et après ? Quel motif aurait-il pu avoir ? Et puis, il n'était à Philadelphie que depuis peu et...

— Je croyais que vous vouliez m'aider.

— C'est vrai. Qu'est-ce qui vous fait penser le contraire ?

— Vous avez plutôt l'air sur le qui-vive.

Il avait raison. Pourquoi se montrait-elle si méfiante ? Felix était innocent et n'avait donc rien à craindre. Elle n'avait pas à cacher quoi que ce soit. L'essentiel était d'aider à trouver l'assassin, et il était complètement illogique de suspecter Felix.

— Il n'est à Philadelphie que depuis environ trois mois. Les disparitions remontent à bien plus loin...

— Exact, mais rien ne rattache encore ces premières disparitions aux trois meurtres. Le fait que nous ayons retrouvé les corps indique une nouvelle manière de procéder.

Délibérément, il ne mentionna pas les deux autres filles dont on n'avait pas retrouvé les corps mais qui avaient aussi été en rapport avec Peter.

— Alors... ?

— Eh bien, Felix m'a dit qu'il devait prendre un verre avec Cynthia, tôt dans la soirée...

— Nous sommes au courant. Avait-il l'intention de maintenir ce rendez-vous ?

— A priori, oui... Mais comment saviez-vous ?

— Comme pour votre déjeuner : le carnet de rendez-vous de Cynthia. Il était dans son sac. Pour vous, elle a marqué : « Lunch avec Laura Ramsey au Reading Terminal Market pour discuter de Felix. » Elle termine par un point d'interrogation. Une idée de ce que cela signifie ?

— Je ne sais pas. Peut-être était-ce pour dire qu'il s'agissait d'une interview. Comme si elle se demandait comment ça allait se passer.

Il hocha la tête.

— Ça paraît logique. Sa manière de noter ses rendez-vous était très précise. Son agenda ressemble plus à un journal intime qu'à un aide-mémoire.

— Qu'avait-elle noté pour son rendez-vous d'hier ?

— « Pot avec Felix au Lagniappe. »

— Avec un point d'interrogation ?

— Non, avec des points d'exclamation. Ça avait l'air important pour elle. Pourquoi ?

— Je l'ignore. C'est elle qui avait voulu voir Felix. Elle ne lui avait pas dit pourquoi.

— Comment ça se passait entre eux ?

— Ils gardaient une certaine distance, comme la plupart des couples divorcés. Mais ils semblaient en assez bons termes.

— Y avait-il une chance de réconciliation ? demanda-t-il en la dévisageant.

Cette question lui déplut. Sloan savait déjà qu'elle s'intéressait à Felix et qu'elle était l'amie de Cynthia. Quelle que soit sa réponse, elle ne pourrait pas effacer l'image que suscitait leur trio : une espèce de début de ménage à trois. Elle soutint son regard.

— Elle voulait croire que oui.

— Mais vous ne l'approuviez pas...

— Écoutez, je ne connais pas suffisamment bien Felix Ducroit pour approuver ou ne pas approuver. Je ne l'ai vu que trois fois... un soir au Lagniappe, puis j'ai dîné avec lui pour l'interviewer, et une autre fois pour un petit déjeuner...

Mentionner ce petit déjeuner revenait à dire qu'elle avait passé la nuit avec Felix. Mais elle s'en moquait. Sloan pouvait penser ce qu'il voulait, tant que cela ne nuisait pas à Felix ou à l'affaire.

— Le Lagniappe ? Ça fait deux fois qu'on en parle. Vous y avez rencontré Felix, et Cynthia avait rendez-vous avec lui là-bas. Il y va souvent, semble-t-il.

— Il ne connaît pas bien Philadelphie et le patron du Lagniappe, Justin Fortier, est un ami à lui. Ça fait deux bonnes raisons d'y aller.

— Vous avez dit qu'il n'était ici que depuis trois mois...

— Depuis juillet dernier, je crois. C'est du moins l'époque où son projet a démarré. Peut-être est-il arrivé un peu avant... George, pourquoi continuer à m'interroger sur Felix ? Il ne peut pas avoir fait ça...

— Il est pourtant la dernière personne à avoir vu la victime. Il était son ex-mari et ils ont eu de très mauvais rapports à une époque... Nous avons mené une petite enquête sur lui. Il a fait de la prison pour homicide involontaire. C'est plus grave que de brûler un feu rouge ! C'est une accusation de meurtre. Nous ne pouvons pas ne pas le considérer comme suspect.

— Mais il a été gracié. L'accident a été causé par la négligence de son associé, qui a tout avoué. Et Felix a été relaxé.

— L'ennui, c'est que l'associé a été « touché par la grâce » après avoir été battu à mort en prison. C'est ce qui l'a poussé à se confesser au profit de Ducroit.

Laura se souvint que Felix n'avait pas voulu expliquer d'où venaient les cicatrices sur sa main. Elle sentit la nausée l'envahir. Sloan cherchait des charges contre Felix, mais il se trompait...

— N'importe qui a pu le frapper. La violence est courante en prison...

— Attendez-moi un instant.

Il alla prendre quelque chose dans un sac à main posé sur le comptoir et revint.

— George, rien de ce que vous dites ne constitue de véritables charges, mais vous semblez prêt à le déclarer coupable. Rien de concret ne le relie à la mort de Terri et de Marie...

— Si, quelque chose. Pas grand-chose, mais, ajouté au reste, ça peut constituer une sacrée présomption. A moins qu'il n'ait un alibi en béton. Et nous ne le saurons que lorsque nous l'aurons interrogé.

Sloan n'était pas le genre d'homme à bluffer ou à se vanter. S'il disait qu'il avait quelque chose, c'est qu'il l'avait.

— Qu'est-ce que vous avez trouvé ? demanda Laura, incapable de cacher son inquiétude. Je vous jure que je ne dirai rien, ni dans le journal ni ailleurs, tant que vous ne m'y autoriserez pas.

Il la regarda sévèrement.

— Un seul mot à quiconque et je vous garantis que je vous inculpe pour obstruction. J'irai même beaucoup plus loin; je connais votre patron. Vous me suivez ?

Elle hocha la tête avec conviction.

— Bon. Quand nous avons retrouvé le corps de Terri, nous avons aussi trouvé dans son sac une pochette d'allumettes provenant du Lagniappe. Terri n'était certainement pas une habituée de ce club. Nous en avons déduit que ces allumettes appartenaient peut-être à l'assassin, qu'il les lui aurait prêtées pour allumer une cigarette et qu'elle les aurait gardées.

— Ça ne veut pas dire qu'elles appartenaient à Felix...

— Exact, mais ça établit au moins un lien entre Society Hill et les quartiers sud, et surtout entre le Lagniappe et les meurtres.

— Ça ne prouve rien...

— Encore exact.

Il lui montra l'objet qu'il avait rapporté. Un portefeuille.

— Ceci appartenait à la victime. Il contient quelques photos. Reconnaissez-vous quelqu'un ?

La première photo était un cliché de Felix et Cynthia. A l'arrière-plan, Laura reconnut la place Jackson, à La Nouvelle-Orléans. Mais ce ne fut pas le décor qui retint son attention. Ce fut Felix.

Ses cheveux noirs, sa barbe... Il correspondait totalement au signalement de Peter.

23

Missy n'aurait pas pu tenir sans un autre Valium. Après le Kaléidoscope, tout avait mal tourné. Elle était à peine au Bonwit Teller depuis une heure que les effets du Valium pris le matin s'étaient subitement évanouis. Ils ne s'étaient pas dissipés progressivement, laissant de nouveau place à l'anxiété. Ils s'étaient carrément évaporés. D'une seconde à l'autre, elle était passée d'un bien-être total à une angoisse proche de la panique.

En sueur, le cœur battant, son premier mouvement avait été de s'enfuir en courant du magasin. Mais elle s'était efforcée de garder le contrôle d'elle-même et avait demandé à la vendeuse de l'excuser. Tout en s'éloignant, elle avait avalé son deuxième Valium de la journée et avait quitté le magasin. Elle avait ensuite immédiatement tourné sur Sansom Street pour aller prendre une double vodka au Commissary. Elle avait attendu que le comprimé fasse son effet tout en se disant qu'elle ferait une jeune mariée bien nerveuse. Pour la première fois de sa vie, elle aurait voulu que sa mère soit à ses côtés.

Une fois calmée, elle avait marché jusqu'à Chesnut Street, mais n'y avait pas trouvé le champagne qu'elle cherchait. Le State Store de Walnut Street n'en avait pas non plus, mais le gérant fut assez aimable pour appeler leurs autres succursales. Le State Store de la Bourse avait du Dom Perignon. Ce qui voulait dire que Missy devait reprendre sa voiture pour aller jusqu'à la Quinzième Rue.

Le caviar lui donna aussi du mal. Depuis que le William Penn Shop avait fermé, il était impossible de trouver du béluga dans le centre ville. La Coastal Cave Trading Company proposait heureusement des substituts acceptables. Elle choisit finalement un excellent caviar de truite en remplacement du caviar russe ou iranien. En attendant que le poissonnier coréen lui ouvre ses huîtres, elle avait avalé un hot-dog chez David O'Neill, qu'elle connaissait pour l'avoir rencontré deux ou trois fois à l'Opéra.

De retour chez elle, elle s'aperçut qu'il ne lui restait plus beaucoup de temps. Elle se dépêcha de disposer le caviar, les huîtres et le champagne et prit une douche rapide. Elle enfila un chemisier de lin grège et une ample jupe noire de chez Ralph Lauren, puis retourna dans le salon vérifier les derniers détails.

L'élégant écrin de Treadwell and Company mettait en valeur le cadeau de Felix. Le tissu soyeux de sa jupe effleurait sensuellement ses jambes quand elle se déplaçait. Elle savait qu'elle serait parfaite pour Felix.

Comme elle l'avait fait pour son père et le laboratoire, elle prendrait en charge la bonne tenue de sa maison et veillerait à ce que tous ses besoins soient satisfaits. Il y aurait toujours de quoi manger, de l'alcool et des drogues. Elle se ferait belle pour lui, serait toujours impeccable et disponible. Ses incartades seraient discrètes. Elle ne coucherait jamais avec quelqu'un du Lagniappe, serait plus sélective et prudente, comme Peter. A la différence de beaucoup d'autres femmes, elle ne serait jamais source d'ennuis pour son mari. L'épouse et la mère idéale...

Le bruit d'une voiture dans l'allée la tira de ses pensées. Elle alla à la fenêtre où quelques gouttes de pluie commençaient à s'écraser. La Jaguar bleue de Felix était là.

La sonnette retentit. Missy prit le temps d'inspirer profondément pour se décontracter. Au deuxième coup de sonnette, elle se dirigea vers la porte comme si elle allait vers son jugement dernier.

Elle ouvrit, se positionnant de manière à ce que Felix ne puisse l'éviter en entrant.

— Chéri, dit-elle en l'enlaçant.

Elle adorait le contact de son corps contre le sien. Leurs lèvres se touchèrent et elle dut se retenir pour ne pas introduire sa langue dans sa bouche. Ça aurait été trop, trop tôt.

Elle le sentit se raidir et s'écarter d'elle. Elle ne bougea pas, s'attendant à ce qu'il lui parle de la mort de Cynthia. Les employés avaient dû retrouver le corps. Et la police avait certainement demandé à Felix de venir l'identifier. Mais il n'en parla pas et demanda simplement :

— Que se passe-t-il, Missy ? Vous disiez que c'était important, au téléphone.

Alors elle comprit... il ne savait encore rien. Il devait déjà être en chemin quand la police avait essayé de le joindre. Eh bien, elle ne serait pas la première à le lui apprendre.

— Plus tard, dit-elle. Nous parlerons de cela plus tard.

Elle recula pour le regarder. Il portait encore sa tenue de travail : un blouson de cuir usé, une vieille chemise et un pantalon froissé. Avec ses cheveux légèrement ébouriffés, il ressemblait à un petit garçon. Elle se tourna un peu pour qu'il puisse voir combien son chemisier mettait ses seins en valeur.

— Vous êtes très séduisant. Et vous, comment me trouvez-vous ?

— Très bien, dit-il d'un ton impatient. Maintenant, pouvez-vous me dire ce qu'il y a de si urgent ?

Elle sourit devant cette impatience.

— Entrez et détendez-vous. Buvons d'abord une coupe de champagne.

Elle le conduisit au salon, tenant sa jupe d'une main, comme une princesse faisant visiter ses appartements à un roi, inconsciente du ridicule de son attitude.

— Venez près de moi et buvons un verre, dit-elle en s'asseyant sur le canapé. Après, si vous le méritez, je vous ferai un massage pour vous détendre de votre journée de travail... Venez, insista-t-elle en tapotant les coussins à côté d'elle.

Felix était visiblement méfiant.

— Vous ne m'avez toujours pas dit ce qui était si urgent...

— Chéri, je n'ai pas dit urgent, mais *important*. Et ça n'a rien de méchant. C'est une très agréable surprise, que je vous révélerai le moment venu. Pour l'instant, venez près de moi. Je vous sers ? ajouta-t-elle en prenant la bouteille de champagne.

— D'accord. Mais j'aimerais me rafraîchir. Je me sens un peu sale après une journée sur le chantier.

Elle versa le champagne et se leva, une coupe dans chaque main.

— Vous savez où se trouve la salle de bains, mais portons d'abord un toast.

Il prit une coupe.

— A quoi ?

Elle sourit.

— A nous ?

— A nous... et à notre amitié...

— Et à plus que ça, dit-elle en choquant son verre contre le sien.

Ils burent, elle plus longuement que lui, et quand il partit dans la salle de bains elle s'assit pour l'attendre, savourant ce moment précieux de bonheur.

Quelques instants plus tard, elle se souvint que dans sa hâte de se doucher et de s'habiller elle n'avait pas laissé de serviettes pour lui. Elle alla en chercher dans le placard et le rejoignit, espérant le trouver au moins torse nu.

Il avait seulement enlevé son blouson et roulé ses manches pour se laver les mains... Tout près de lui, bien en évidence, se trouvait le test d'ovulation. Dans sa précipitation, elle avait aussi oublié de le ranger. Les éprouvettes, le plateau, le mode d'emploi... Impossible qu'il ne les ait pas remarqués. Elle se sentit aussi gênée que la première fois où son père l'avait surprise en train de fumer.

Elle posa soigneusement les serviettes sur la tablette, à côté du test, sans regarder Felix mais certaine qu'il l'observait dans la glace.

— Je vois que vous avez découvert ma petite surprise, dit-elle en tapotant légèrement le porte-éprouvettes du bout du doigt. Ça n'a pas d'importance. De toute façon, je n'ai jamais su garder les secrets bien longtemps.

Il la regarda, visiblement perplexe.

— C'est un test d'ovulation, expliqua-t-elle en souriant. Il détermine la période de fertilité d'une femme...

Il se redressa et prit le mode d'emploi.

— C'est marqué là-dessus. Mais qu'est-ce que cela a à voir avec moi ?

— Chéri, voyons, ne soyez pas si obtus. J'essaie de vous faire comprendre qu'aujourd'hui je suis fertile. Je sais combien vous désirez un enfant et être avec vous m'en a aussi donné l'envie. Je veux porter votre enfant.

L'étonnement croissant de Felix fit place au malaise.

— Missy, ne croyez-vous pas que vous... précipitez un peu les choses ? Nous n'avons même pas...

— C'est justement pourquoi je précipite les choses, comme vous dites.

Elle ne souriait plus.

— Un feu de cheminée est allumé dans la chambre. Nous pouvons y emmener le champagne...

— Missy, je vous en prie, c'est ridicule...

— ... ensuite, nous trinquerons ensemble et nous chercherons un nom pour le bébé, notre bébé. Ce sera merveilleux, juste comme cela doit être...

Elle le regardait, mais sa voix était monocorde et distante, comme si elle s'adressait à une ombre ou à un compagnon de jeux imaginaire.

Felix s'essuya soigneusement les mains, sans la quitter une seconde des yeux.

— Ne pensez-vous pas que nous devrions au moins en discuter un peu ?

Il lui parlait d'un ton indulgent, comme pour raisonner un enfant têtu, mais elle ne sembla pas le remarquer.

— Si vous voulez, dit-elle enfin.

Elle se sentait calme, confiante, quand il prit son bras pour la conduire au salon. Elle connaissait si bien Felix. Elle savait ce qu'il voulait et comment répondre à son désir... Il était si fort, si rassurant. Elle voulait qu'il l'embrasse. Elle voulait le rendre fou de plaisir... mais pour l'instant, elle devait se retenir. Plus elle resterait sur la réserve, plus le moment où ils feraient enfin l'amour serait inoubliable pour lui. Car c'est seulement à ce moment-là qu'elle lui dévoilerait tous ses talents.

Ils s'assirent sur le canapé, face à face, leurs genoux se touchant presque.

— Missy, dites-moi comment vous est venue cette idée de bébé. Qu'est-ce qui vous y a fait penser ?

Il lui parlait encore comme un père indulgent.

— J'y ai pensé dès notre première rencontre, quand vous m'avez raccompagnée après le Lagniappe...

Il secoua la tête.

— Je ne comprends pas très bien...

Elle lui prit la main, la ramena sur ses genoux et caressa les cicatrices de ses jointures.

— Je sais, avec vous, tout vient naturellement... (Il dégagea sa main et prit sa coupe de champagne.) J'ai senti que vous me désiriez, même s'il n'y a encore rien eu entre nous, poursuivit-elle. Et j'avoue que j'envisage avec plaisir...

Felix reposa son verre.

— Qu'est-ce qui ne va pas ? dit-elle d'un ton plus aigu. C'est du Dom Perignon.

— Je sais. Mais parfois le champagne, même le meilleur, ne me convient pas.

Elle sourit. Il était vraiment adorable.
— Vous désirez autre chose ?
Il hésita.
— Vous auriez une bière ?
— Bien sûr. Je vais vous en chercher une...
— Non, non. J'y vais. Ne bougez pas.
Quand il revint, une Beck's à la main, il ne s'assit pas sur le canapé mais sur une chaise, en face d'elle.
Il prit une longue gorgée de bière.
— Je suis si assoiffé après une journée au chantier... Rien de tel qu'une bière bien fraîche.
Il était en nage.
Missy commençait à perdre patience. Une minute plus tôt, ils étaient assis côte à côte, parlant d'enfant et d'amour, maintenant il était en face et lui parlait d'une foutue bière.
— Ce qui compte, c'est que vous vous sentiez bien, chéri.
Mais après leur mariage, elle lui ferait abandonner cette mauvaise habitude. Il apprendrait à aimer le champagne.
— Pour en revenir à cette affaire de grossesse...
— Chéri, n'en parlez pas comme s'il s'agissait de la construction d'un immeuble. C'est de notre enfant qu'il est question, pas de blocs de ciment ou d'échafaudages.
Elle alluma une cigarette, se leva, et fit les cent pas, son verre à la main. Felix eut l'impression de voir Bette Davis dans une de ses meilleures prestations.
— Parfois, je ne vous comprends pas. Vous venez ici ; j'ai tout préparé pour vous, et vous ne buvez pas le champagne, ne touchez pas aux huîtres... Je croyais que tous les hommes de Louisiane aimaient les huîtres...
Felix secoua la tête.
— Missy, est-ce que vous entendez ce que vous

dites ? *Vous* me demandez de passer vous voir et tout d'un coup vous m'annoncez que vous voulez porter mon enfant, alors que nous nous connaissons à peine. Et après, vous devenez hystérique parce que je n'aime pas vos huîtres et votre champagne...

Ses reproches la blessèrent. Tout comme avaient pu le faire ceux de son père...

— Je suis désolée, je ne voulais pas... je voulais seulement que tout soit parfait pour nous ce soir.

Elle essaya de réprimer la colère qui transparaissait dans sa voix.

Felix se leva, alla à la fenêtre et regarda la pluie tomber.

— C'est vraiment gentil. Je regrette de ne pas apprécier votre proposition à sa juste valeur. Mais tout ça est irréaliste, Missy. Vous rêvez...

Elle se tut, les yeux rivés sur lui. Il se retourna pour la regarder.

— Je ne sais pas comment vous le dire... Je veux que nous soyons amis, mais je ne veux pas être votre amant ni avoir un enfant avec vous...

— Pourquoi ? Je ne suis pas assez bien pour vous ?

— Là n'est pas la question. Pour l'instant, je n'ai envie d'avoir un enfant avec personne.

— Mais l'autre soir, à l'Opéra, vous disiez que vous aviez divorcé parce que...

— Oui, je sais, mais c'est justement parce que j'étais marié que je voulais un enfant. Il est normal qu'un mari veuille un enfant de sa femme.

Elle tira longuement sur sa cigarette.

— Et moi ? Que faites-vous de moi ? Je vous parle de *notre* bébé... (elle hésita avant de conclure)... de notre mariage.

— Je suis désolé, Missy. Vous me flattez, mais il n'en est pas question. Il n'y aura ni bébé, ni mariage... ni quoi que ce soit d'autre entre nous...

— Il y a quelqu'un d'autre, n'est-ce pas ?

Sa voix n'avait pas l'habituel accent accusateur

d'une femme jalouse... C'était presque un grognement, profond, inquiétant. Mais elle avait raison : il y avait effectivement quelqu'un d'autre et le moment était venu de le lui dire. Quitte à la blesser, il fallait à tout prix arrêter cette folie.

— Oui, il y a quelqu'un. Vous comprenez pourquoi votre proposition est impossible.

L'orage qu'il attendait n'éclata pas. Au lieu de cela, elle lui adressa un sourire énigmatique. Il n'y avait pas de concurrence, pensa-t-elle. Seulement, il ne le savait pas encore. Il devait croire que sa douce Cynthia était en train de l'attendre. Personne ne lui avait dit qu'elle était morte.

— Qui est-ce ?

Elle voulait le lui entendre dire. Elle revit Cynthia se débattant inutilement quand son heure était venue.

— Ce n'est pas important...

— Ça l'est pour moi. Je veux que vous me disiez son nom.

Elle attendait, savourant son triomphe. Il la regarda, haussa les épaules.

— Laura Ramsey.

Missy secoua la tête.

— Mais... et Cynthia ?

— Cynthia ? Il n'y a absolument rien entre Cynthia et moi. Nous sommes des amis maintenant. Et encore...

— Je ne vous crois pas.

— C'est pourtant vrai.

— Et vous voulez qu'*elle* porte votre enfant ?

— Écoutez, Missy, cette histoire de bébé prend des proportions démesurées. J'ai fini par comprendre que je voulais un enfant de Cynthia parce que j'imaginais que ça sauverait notre mariage et que Cynthia abandonnerait sa carrière. J'étais dans l'erreur, mais ça m'a donné une leçon. Maintenant, tout ce qui compte pour moi c'est d'être avec Laura. Le reste viendra naturellement.

— Quand est-ce que ça a commencé avec Laura ? Vous ne l'avez pas rencontrée plus de deux fois...

— C'est vrai, mais il arrive que ça suffise...

— Quel idiot ! (Elle écrasa sa cigarette.) Qu'est-ce que je dis ? C'est plutôt moi l'idiote. Je vous ai laissé m'utiliser. J'ai vécu l'enfer pour me persuader de porter votre précieux marmot.

— Missy, je vous répète que je suis désolé. Je crois que nous en avons dit assez. Il faut que je parte maintenant...

Il se dirigea rapidement vers la porte et sortit.

Elle le regarda partir et dit à voix haute :

— Oui, nous en avons assez dit. Plus qu'assez.

Elle avait la même voix que lorsqu'elle parlait à Barbie et Ken. Quand ils étaient méchants et méritaient d'être punis.

24

Il était huit heures passées quand Laura termina son article sur le meurtre de Cynthia Ducroit. Elle était à nouveau épuisée, mais satisfaite de son travail. Elle avait montré comment les morts de Terri, de Marie et de Cynthia étaient liées et avait titré : « Le Mal frappe partout ». Le genre de titre qui plaisait à Stuart.

La salle de rédaction était vide maintenant. Les quelques journalistes travaillant encore étaient allés dîner, laissant derrière eux une atmosphère froide, impersonnelle.

Sloan ne s'était pas manifesté depuis plusieurs heures. Elle l'appela, impatiente de savoir ce qui se passait avec Felix. Il lui répondit que ce dernier était introuvable. Il n'était ni à son bureau, ni chez lui, ni sur le chantier. Ça n'avait pas l'air de le réjouir.

Ce ne fut qu'après avoir raccroché qu'elle aperçut le message laissé par Gene : M. Ducroit l'avait appelée et lui demandait de le rejoindre au Lagniappe pour prendre un verre. Elle pensa rappeler Sloan pour lui dire où il pourrait les trouver. Ils s'expliqueraient et Felix se disculperait. Mais elle y renonça. Mieux valait voir Felix d'abord.

Tout en enfilant son trench-coat, elle se dit que, quoi que pût en penser Sloan, Felix ne se cachait pas de la police. Ils s'étaient simplement ratés. Elle irait à son rendez-vous et clarifierait les choses avec lui, en buvant tranquillement un verre.

Les rues étaient désertes à cause de la pluie et elle trouva facilement une place sur Market Street, près de la bouche de métro. Elle quitta sa voiture, releva le col de son trench-coat et courut jusqu'à la Deuxième Rue.

Tem, le portier mongol, l'accueillit et l'aida à ôter son imper. Quand elle lui demanda si Felix était arrivé, son visage s'assombrit.

— Je ne sais pas. Il faut que vous demandiez à Justin ou à Lois. Ils sont dans le fond.

Plutôt froid, songea-t-elle en traversant le bar pour rejoindre la salle de restaurant. D'habitude, Tem était beaucoup plus chaleureux. Que lui arrivait-il ?

Justin et Lois terminaient leur dîner. Quand Justin vit Laura il se renfrogna, mais Lois lui sourit et l'invita à s'asseoir à leur table. L'attitude peu accueillante de Justin fit hésiter Laura. Elle resta debout.

— J'avais rendez-vous ici avec Felix.

Lois insista pour qu'elle se joigne à eux.

— Il fait froid dehors. Que dirais-tu d'un irish coffee pour te réchauffer ?

Quand Laura mentionna encore Felix, elle vit du coin de l'œil Justin secouer légèrement la tête.

— Il était là tout à l'heure, mais il est parti, dit finalement Lois.

Justin ne se montrait pas très subtil. Il ne voulait

visiblement pas que Lois parle de Felix. Laura dut mettre cartes sur table.

— Écoutez, je ne suis pas ici en tant que journaliste. Felix m'a donné rendez-vous. Je sais ce qui s'est passé : j'ai vu les flics aujourd'hui. Je suis là pour l'aider...

— Je voudrais savoir quelque chose, dit Lois.

— Quoi ?

— Es-tu amoureuse de lui ?

Laura se sentit vraiment gênée devant leurs regards inquisiteurs. Autant jouer franc jeu avec eux, décida-t-elle. De toute façon, les secrets ne se gardaient pas longtemps dans ce genre d'endroit...

— Je crois que oui, avoua-t-elle. Je sais que vous pensez que je mélange le travail et le plaisir, mais avant ça...

— Il faut que je te dise... l'interrompit Lois.

Justin, sans approuver, n'essaya pas de l'arrêter.

— Les flics sont venus deux fois. Nous ne pouvions pas faire grand-chose pour eux : nous n'avions pas vu Felix et n'étions pas au courant pour Cynthia...

Elle offrit une cigarette à Laura, en prit une aussi et alluma les deux avec son briquet.

— Après le deuxième départ des flics, Felix est arrivé. Il était visiblement hors de lui et j'ai pensé que c'était à cause de la mort de Cynthia. J'avais tort... il n'était même pas au courant...

— Mais pourquoi était-il furieux ? demanda Laura.

Violet apporta leurs consommations à ce moment-là et Justin en profita pour se lever et quitter la table. Quand Violet fut partie, Lois reprit :

— Quand je lui ai demandé ce qui n'allait pas, il m'a raconté une histoire bizarre. Apparemment, il était allé chez Missy Wakefield et elle lui avait fait une crise d'hystérie parce qu'elle voulait l'épouser, avoir un enfant de lui et que lui ne voulait pas. Tu imagines ça ?

Laura secoua la tête.

— Ça paraît fou. Il doit y avoir une explication...

— C'est dingue, acquiesça Lois. Quel que soit le gars, même si c'est Felix, le jour où notre Missy Wakefield tombera enceinte, les poules auront des dents. Elle a dit un jour qu'avoir des gosses revenait à avoir quelqu'un qui vous hait quand vous êtes vieux.

Laura s'efforça de repousser la pointe de jalousie qu'elle commençait à ressentir.

— Et ensuite ?

— Ça, c'était avant qu'il sache. Ensuite, je lui ai dit pour Cynthia. Naturellement, ça lui a fait un coup. Après tout, il a été son mari. Et quand je lui ai dit que la police le cherchait, j'ai cru qu'il allait perdre les pédales. Il a commencé à dire des choses comme : « Pas encore, pas cette fois. » On aurait dit qu'il allait s'évanouir. Je lui ai parlé, Justin lui a parlé, mais ça n'a servi à rien. Il était sûr que les flics allaient encore s'en prendre à lui, comme la dernière fois. Tu étais au courant de ça ?

— Oui, et je sais qu'il était innocent. Mais je peux comprendre ce qu'il a ressenti. Tu sais où il est ?

Lois hésita.

— Je t'en prie, Lois. Il a besoin de moi.

— O.K. Il est dans notre maison de Cape May. Sur Washington Street.

Elle écrivit l'adresse sur un bout de papier. Laura se leva et se pencha pour l'embrasser sur la joue.

— Merci, je te tiens au courant, dit-elle avant de s'en aller.

Il pleuvait à verse et Laura courut jusqu'à sa voiture. Elle s'engagea dans Front Street puis prit l'avenue Delaware. Elle alluma la radio et l'annonceur lui apprit qu'elle était en train d'écouter du Mozart. Elle ne l'avait pas reconnu. Toutes ses pensées étaient tournées vers Felix, vers ce qu'elle venait d'entendre, vers la ressemblance effrayante entre la photo de Felix et le portrait-robot de Peter... Elle tourna à droite sur l'avenue Oregon et continua jusqu'au pont Walt Whitman, en direction du New Jersey.

Elle savait que Lois, sans oser le dire, craignait que Felix ne fût coupable. Heureusement, elle ignorait encore le lien unissant la mort de Cynthia à celles de Terri et de Marie. Laura, quant à elle, n'avait toujours aucun doute sur l'innocence de Felix. Comment l'aurait-elle pu ? Mais il avait besoin de son aide. Sa fuite ne ferait qu'aggraver les choses. Elle devait le convaincre de revenir avec elle.

La circulation était fluide sur le pont. Elle s'arrêta au péage et s'engagea sur la voie express d'Atlantic City. Tout en conduisant sous la pluie, à travers la nuit, elle avait une envie folle de tenir Felix dans ses bras, de le rassurer, d'éloigner de lui les peurs resurgies du passé... A mi-chemin entre Philadelphie et Atlantic City, elle s'arrêta pour prendre un café et des cigarettes. Elle avait l'estomac trop noué pour manger quoi que ce soit... Environ vingt kilomètres après Atlantic City, elle prit la route de Garden State. La radio commença à grésiller. Elle chercha une autre station mais ne trouva rien qui lui convînt. Elle éteignit le poste et conduisit dans le silence... La route était presque déserte à cette heure avancée de la nuit. Elle dépassa Ocean City, Avalon, Stone Harbor, toujours en direction du sud.

Finalement, après environ une heure et demie de route, elle vit le panneau indiquant Cape May. Elle quitta la route principale et traversa le pont menant au petit port. Cape May, malgré l'automne déjà bien avancé, était encore rempli de bateaux de plaisance. Les lumières dans les deux principaux restaurants montraient qu'il y avait encore des clients, même à cette heure tardive.

Elle s'engagea dans Lafayette Street, puis tourna à gauche pour rejoindre Washington Street. Habituellement, cette rue colorée, avec ses villas de bois de style victorien, lui donnait le sentiment rassurant d'être retournée dans le monde magique de l'innocence et de l'enfance. Mais cette nuit, c'était différent. Les arbres avaient perdu leurs feuilles, la plupart des maisons étaient fermées pour l'hiver...

Les lumières étaient très espacées, laissant de larges pans d'obscurité entre elles. Laura conduisait lentement, essayant de discerner les numéros des maisons à travers les essuie-glaces. Elle trouva finalement le numéro qu'elle cherchait. C'était un bungalow en bois de cèdre, avec des décorations blanches. Au fond de l'allée, presque hors de vue, se trouvait la Jaguar de Felix.

Laura sortit de sa voiture et s'arrêta, soudain épuisée et tremblante des émotions de la journée. Elle inspira profondément pour se forcer à avancer, le vent de la mer lui fouettant le visage tandis qu'elle marchait et montait les marches du perron.

Elle frappa fort à la porte vitrée. Pas de réponse. Mais un rai de lumière filtrait à travers les rideaux. Elle frappa encore. Toujours aucune réaction. Elle insista.

Cette fois, une ombre se déplaça dans la maison et Felix vint ouvrir.

— Que faites-vous ici ? demanda-t-il, l'air complètement abasourdi.

— Vous ne m'invitez pas à entrer ?

Il s'effaça pour la laisser passer. La pièce principale était glacée et tous les meubles étaient recouverts de housses.

— Ils sont en pleins travaux. Le seul endroit un peu chaud est le salon. Venez.

C'était aussi le seul endroit éclairé. Laura suivit Felix dans l'obscurité à travers la salle à manger et la cuisine, les bras serrés contre elle pour essayer de calmer ses frissons.

Le petit salon était en plein désordre. La plupart des meubles avaient été poussés dans un coin, à l'exception d'un fauteuil et d'un canapé. Sur une table basse étaient posés une lampe, une bouteille de Jack Daniels, un verre et une canette de bière.

La cheminée était remplie de bûches et d'outils. La chaleur provenait d'un poêle à pétrole posé sur les premières lattes du parquet en construction.

Felix versa une large rasade de Jack Daniels dans le verre et le tendit à Laura.

— Buvez ça ; ça vous réchauffera.

Il poussa le canapé près du poêle et enleva la housse. Laura se débarrassa de son trench-coat trempé et s'assit. La chaleur du poêle vint peu à peu à bout de ses tremblements.

— Je sais que vous êtes au courant pour Cynthia, dit-elle sans le regarder. Lois et Justin m'ont dit qu'ils vous avaient vu. Je suis vraiment désolée. Je sais comment elle est morte... Je comprends ce que vous ressentez. Mais vous ne pouvez pas rester ici, quelle que soit votre colère ou votre peur d'être à nouveau arrêté. La police vous recherche. Ils ont besoin de vous parler parce que vous êtes l'une des dernières personnes à l'avoir vue vivante. Peut-être savez-vous quelque chose qui peut les aider à trouver l'assassin...

Felix commença à faire les cent pas. Quand il parla enfin, il y avait une profonde tristesse dans sa voix.

— Nous n'étions pas vraiment amis, mais je ne lui voulais que du bien. Je voulais qu'elle s'en sorte et soit heureuse. Mais les choses ne se passaient pas comme ça. Après notre divorce, excepté pour son magasin, elle semblait n'avoir plus goût à rien. Elle n'a même pas essayé de refaire sa vie. Et maintenant...

— Alors vous revenez avec moi ?

— Je ne peux pas les aider. Nous avons pris un verre, je l'ai mise dans un taxi, et c'est tout. Nous n'avons même pas dîné ensemble.

— Felix... êtes-vous en train de dire que vous comptez rester ici ?

— Laura, croyez-moi, je ne leur serai d'aucune aide...

— Laissez-les en juger. Peut-être savez-vous quelque chose sans en avoir conscience. Rentrons tout de suite ; allez leur parler...

— C'est hors de question.

— Felix, oubliez le passé. Il y a quelque chose que vous ne savez pas : ils sont sûrs qu'il s'agit du même assassin, celui qui a aussi tué Terri et Marie. Ça devrait vous mettre hors de cause. Je vous en prie, rentrez avec moi. Vous devez vous expliquer et clarifier les choses...

— Le passé ne s'efface pas aussi facilement. J'ai été accusé de meurtre. Et dans une situation comme celle-ci, le fait que j'aie ensuite été reconnu innocent ne change rien. Ils ne veulent pas mon aide, ils veulent ma peau.

— Ce n'est pas vrai. Vous êtes innocent...

— Je l'étais aussi la dernière fois. Ça ne les a pas empêchés de me mettre en prison.

Laura se leva.

— J'ai du mal à croire ce que j'entends. Je comprends que vous soyez amer, mais vous n'allez tout de même pas passer votre vie à avoir peur et à fuir...

— Ça vous va bien de dire ça ! Chaque fois que je vous approche, vous détaiez comme un lapin.

— C'est différent...

— Pourquoi ? Je ne sais pas quel est votre problème, mais je connais très bien le mien. Les flics sont venus deux fois me chercher au Lagniappe aujourd'hui. Réfléchissez. Je ne suis pas propriétaire de ce restaurant, je n'y travaille pas, je n'y vis pas. S'ils sont venus deux fois me chercher dans un endroit où je passe de temps à autre, Dieu sait combien de fois ils ont dû aller à mon appartement et au chantier. Ils ne me considèrent pas comme un témoin, mais comme leur principal suspect, innocent ou non. J'ai de sacrées raisons de m'enfuir...

Laura tenta de l'interrompre mais il l'en empêcha.

— Quant à vous, vous avez l'air de fuir devant des ombres, des fantômes. Qui sait pourquoi ? Alors, je vous en prie, ne venez pas me parler de fuite. Ou parlez-en vraiment. Vous êtes experte en la matière. Ça pourrait être instructif.

Ces mots lui faisaient mal. Elle savait qu'il avait raison. Raison pour elle, mais tort pour lui-même. Elle devait le lui faire comprendre, et il n'y avait qu'un seul moyen, même si ça devait tout détruire entre eux...

Elle se retourna et enleva lentement son sweater qu'elle déposa sur le canapé. L'air frais lui donna la chair de poule. Elle sentait Felix derrière elle, attentif au moindre de ses gestes. Son cœur battait à tout rompre quand elle passa les mains derrière son dos pour dégrafer son soutien-gorge. Elle fit glisser les bretelles et le déposa à côté du sweater.

Mon Dieu, faites qu'il ne dise rien. Elle se retourna, les yeux baissés, incapable d'affronter l'expression de son visage.

Cela lui parut durer des heures. Elle n'avait pas relevé la tête mais elle sentait son regard sur elle, un regard qui la brûlait au fer rouge.

— Je comprends, dit-il finalement.

Il avait parlé calmement, sans pitié, avec acceptation. Elle se mit à pleurer.

Maintenant, exactement comme elle l'avait imaginé, elle était dans ses bras et il l'embrassait — ses lèvres, ses cheveux, ses paupières...

Elle ouvrit les yeux et le regarda. Ce qu'elle vit — ou plutôt ne vit pas — fut un soulagement. Pas une trace de pitié ou de compassion. Elle ne vit que du désir. Il la voulait, même avec... il la voulait.

— Je t'aime, Laura. Crois-moi. Je t'aime...

Le contact rêche de sa chemise en laine lui picotait la peau. Ses mains étaient sur elle, la touchant, même sur la poitrine...

— Tu es belle, murmura-t-il. Je vais te prouver combien tu es belle...

Il n'avait pas peur de son corps, il n'était pas dégoûté. C'était suffisant. Elle sentait la puissance de son désir, tout contre elle.

— Je ne peux pas attendre. Je te veux maintenant.

Elle le laissa la conduire jusqu'au canapé, la déshabiller et l'allonger. Au moins, il avait compris qu'elle n'était pas fragile, qu'il pouvait la toucher comme n'importe quelle femme et non comme une poupée prête à se briser.

Il s'agenouilla entre ses jambes. Quand elle vit son sexe en érection, elle eut envie de le prendre dans ses mains, de le caresser. Elle voulait sentir sa douceur contre son visage, ses lèvres, son ventre... sa poitrine.

— Tu es magnifique, dit-il en la regardant.

Elle sentit les larmes venir.

— Viens, dit-elle en lui tendant les bras. Je te veux aussi, et j'ai attendu si longtemps, si longtemps...

Quand il la pénétra, elle se sentit immédiatement en harmonie avec lui... Leurs mouvements se complétaient, lents, pressants, au rythme de leur plaisir conjugué. Jamais elle n'avait ressenti un tel besoin de se fondre dans le corps de l'autre.

Il ressentait la même chose. Et il ne flancha pas, n'hésita pas, donnant autant qu'il recevait.

Dans cette pièce froide, leurs corps étaient couverts de sueur... leurs ventres brûlants glissaient l'un sur l'autre. C'était merveilleux. Elle aurait voulu que ça dure des heures.

Quand elle sentit que Felix allait jouir, elle le serra plus fort, et leurs cris de plaisir se mêlèrent aux derniers spasmes de leurs corps.

Ils restèrent longtemps enlacés dans cette pièce qui n'avait rien d'une suite pour jeunes mariés. Au-delà du cercle de lumière et de chaleur, il y avait le froid, les meubles couverts, les piles de bois et les outils, seuls témoins de leur amour.

Felix recouvrait Laura de son corps ; sa tête reposait au creux de son épaule. Que se passerait-il maintenant ? Y avait-il un avenir pour eux ? Et si oui, quel serait-il ? Ou bien était-ce déjà la fin ? Tout s'arrêterait-il à peine commencé ?

Felix bougea légèrement.

— Je ne veux pas risquer de te perdre, dit-il, comme s'il avait lu dans ses pensées. Nous rentrerons ensemble et j'irai à la police. Demain, à la première heure.

25

Il était plus de dix heures quand la première voiture de police répondit à l'appel à l'aide de Missy. Les deux flics s'approchèrent de la maison.

Le premier, un Irlandais du nom de O'Malley, poussa avec précaution la porte entrebâillée. Sa torche à la main, il appela.

Ils entendirent une femme sangloter dans l'obscurité. Ils dégainèrent avant d'entrer, et Perkins, un Noir gigantesque, braqua le faisceau de sa lampe sur la sihouette d'une femme à genoux, la tête posée sur une chaise.

— Bon Dieu de merde !

Ils allumèrent et virent qu'elle était nue. O'Malley alla chercher une couverture dans la chambre pendant que Perkins desserrait rapidement la chaîne autour du cou de Missy et enlevait avec un passe les menottes qui emprisonnaient ses poignets.

Quand O'Malley l'enveloppa dans la couverture, Missy lui lança un coup d'œil entre deux sanglots pour s'assurer qu'il ne s'agissait pas du Noir et se laissa tomber dans ses bras. Il fit de son mieux pour la réconforter tandis que Perkins demandait ce qui s'était passé.

Missy se fit toute petite contre O'Malley de façon à ce qu'il puisse facilement maintenir ses deux jambes en même temps. Dans cette position, le sperme qu'elle s'était inséminé ne risquait pas de s'écouler. Sanglotant de plus belle, elle dit d'une voix brisée :

— Il m'a violée.

— Qui ?

— Felix Ducroit, dit-elle, au bord de l'hystérie. Il m'a violée et il a essayé de me tuer...

Les agents se regardèrent. La chaîne et les menottes ne voulaient dire qu'une chose : ils connaissaient maintenant l'identité de l'assassin que toute la police de Philadelphie recherchait.

Perkins décrocha le téléphone. Missy se blottit encore un peu plus contre la poitrine de O'Malley, satisfaite de sa performance et de la réaction des flics. Des gars bien, de bons petits flics, qui l'aideraient à faire payer à Felix Ducroit l'humiliation qu'il s'était permis de lui infliger.

Sloan ordonna à Perkins et O'Malley de ne pas bouger. Il arrivait avec une femme inspecteur qui prendrait les choses en main pendant l'interrogatoire et le trajet vers l'hôpital.

En moins d'un quart d'heure la maison de Missy fut envahie. Elle regarda en silence l'équipe du laboratoire s'affairer. Elle avait eu raison de mettre les affaires de Peter dans le coffre de sa voiture.

Sloan arriva avec Kane. Celle-ci se rendit dans la chambre avec Missy et l'aida à s'habiller. Quand elles revinrent au salon, l'un des hommes du laboratoire parlait avec Sloan. Missy ne put pas entendre ce qu'il disait, mais Sloan hocha la tête deux fois.

Kane la tint à l'écart jusqu'à ce que la conversation fût terminée, puis la conduisit vers Sloan. Il lui demanda si elle se sentait capable de répondre à quelques questions avant d'aller à l'hôpital. Elle accepta et ils allèrent s'installer dans la cuisine.

Elle observa les hésitations d'usage avant de commencer son histoire.

— Il y a deux mois, peut-être trois, j'ai été présentée à Felix Ducroit, un homme d'affaires de La Nouvelle-Orléans. Et puis il a commencé à m'appeler. Il était charmant, alors je suis sortie avec lui quelquefois — rien de sérieux, juste amicalement. L'Opéra, des endroits comme ça. Peu à peu, il s'est montré plus insistant ; il me téléphonait la nuit pour me dire qu'il m'aimait. J'étais flattée, mais je savais que ça ne pouvait pas marcher. Je n'étais pas attirée par lui. C'est pour cette raison que je l'ai invité ce soir à prendre un verre : je voulais mettre les choses au point. J'ai acheté du champagne et du caviar pour qu'il se sente bien reçu et aussi à l'aise que possible. A la réflexion, je me rends compte qu'il devait s'attendre à ce que j'avais à lui annoncer, parce que lorsque je lui ai dit qu'on ne pouvait plus continuer à se voir, il m'a giflée et il a sorti les menottes... Vous connaissez la suite...

Elle s'arrêta pour verser quelques larmes. Ce n'était probablement pas le meilleur moment, mais si elle s'était interrompue au milieu de son histoire, elle aurait pu oublier un détail important.

Elle vit Sloan et Kane échanger un regard, et cessa de pleurer. Mais après tout, s'ils étaient soupçonneux c'était leur affaire. Elle avait la preuve en elle — du sperme de groupe O sécréteur. Précisément le même que celui qu'on avait trouvé sur Terri, Marie et Cynthia. Le groupe de Felix. Rien à dire à ça.

Sloan l'avertit du caractère intime des questions qu'il allait lui poser et l'informa qu'elle avait légalement le droit de ne pas y répondre. Elle lui dit qu'elle comprenait et il lui demanda si elle avait déjà eu avant des relations sexuelles avec Felix.

Elle avait précisé que ce n'était qu'une relation amicale, mais apparemment cela ne l'avait pas convaincu. Elle pensa un moment changer son histoire, leur donner quelque chose de plus juteux pour les mettre dans sa poche, mais elle décida finalement de s'en tenir à sa première version.

— Non, pas avant ce qu'il m'a fait ce soir, dit-elle, sans savoir si elle devait paraître pitoyable ou furieuse.

Sloan revint à plusieurs reprises sur divers détails de son histoire, jusqu'à ce qu'il semble satisfait. Finalement, au grand soulagement de Missy, il passa à autre chose.

— Avez-vous actuellement des relations sexuelles, même occasionnelles, avec quelqu'un d'autre ?

— Non, pas du tout. Vraiment...

— Je vous ai avertie que mes questions pouvaient être indiscrètes. Alors, êtes-vous sûre de votre réponse ?

— Oui. On n'oublie pas ce genre de choses.

— Dans ce cas, comment expliquez-vous la présence d'un test d'ovulation dans votre salle de bains ?

Bon Dieu ! Elle avait oublié de jeter ce foutu test. La meilleure défense maintenant était l'attaque.

— J'ignorais, lieutenant, que c'était moi qu'on jugeait. Au cas où vous l'auriez oublié, c'est *moi* la victime ici.

Elle devait se donner le temps de trouver une explication valable.

— C'est vrai, dit Sloan. Je ne voulais pas vous offenser. C'est simplement une procédure courante de la défense — pour tenter de discréditer la victime. Je vous testais, comme un avocat le ferait. Vous devez vous préparer à ce genre de questions.

Elle avait sa réponse maintenant.

— Je vois. Je suis désolée de m'être emportée. La raison de ce test est que j'ai un déséquilibre hormonal et que je dois surveiller mon cycle.

Cela sembla le satisfaire. Quand Sloan mentionna Cynthia, Missy dut se retenir pour ne pas sourire. Ils avaient fait le lien.

— M. Ducroit vous a-t-il jamais parlé de son ex-femme ?

— Oui, à l'occasion. Je sais qu'ils n'étaient pas en très bons termes. Leur séparation semblait lui avoir laissé de mauvais souvenirs. Mais pourquoi me demandez-vous cela ?

Il ignora sa question.

— Savez-vous s'il l'a vue récemment ?

— Oui. En fait, nous l'avons rencontrée ensemble à l'Opéra. Elle lui a fait une scène et il était terriblement mal à l'aise, tellement que nous avons quitté le spectacle après le premier acte. Plus tard il m'a dit qu'il n'appréciait pas certaines conversations qu'elle avait eues avec une journaliste locale... mais je ne vois pas ce que tout cela a à voir avec ce qu'il m'a fait. Cet homme m'a violée et a ensuite essayé de me tuer. Son ex-femme ne m'intéresse pas vraiment.

Elle espérait qu'elle n'en faisait pas trop.

Ni Sloan ni la femme flic ne laissaient entrevoir ce qu'ils attendaient d'elle. Ils étaient juste là, assis, à la regarder.

Missy tenta une autre tactique.

— J'ai besoin d'une cigarette, dit-elle.

Elle vit son paquet sur le comptoir de la cuisine et fit un mouvement pour se lever.

Kane la retint d'une main ferme.

— Restez assise, dit-elle. Je vais vous les chercher.

Quand elle porta la cigarette à sa bouche, Missy contracta ses muscles pour que sa main tremble. Kane lui prit les allumettes des mains.

— Laissez-moi faire, dit-elle avec douceur tout en lui tendant du feu.

— Vous avez raison de vous inquiéter du bien-fondé de nos questions, reprit Sloan. Mais même si elles ne vous semblent pas toutes justifiées, vous devez comprendre que nous ne sommes pas là pour vous ennuyer ou vous questionner sans raison. Chaque détail peut être essentiel.

— Je ne sais rien d'autre sur son ex-femme que ce que je vous ai dit, affirma-t-elle d'une voix terne.

— Très bien, revenons-en à M. Ducroit. Nous avons besoin de votre aide pour l'épingler. Vous devrez faire trois choses. (Il pointa trois doigts pour souligner ses paroles.) Porter plainte, l'identifier et témoigner au procès. Le ferez-vous ?

Missy tira rageusement sur sa cigarette. En un éclair, elle revit ce qui s'était passé entre Felix et elle un peu plus tôt. En un sens, il l'avait violée. Il l'avait violentée en la rejetant aussi cruellement...

— Il mérite d'être puni, dit-elle. Et je ferai n'importe quoi pour qu'il le soit. Il m'a violée et m'a laissée pour morte.

Cette fois, quand elle porta la cigarette à ses lèvres, elle n'eut pas besoin de contracter ses muscles pour que sa main tremble. Elle frémissait de rage.

Sloan sourit.

— Parfait. Maintenant nous pouvons mettre le gars hors d'état de nuire.

— Ayez confiance, nous le ferons, intervint Kane. Tout ce dont nous avons besoin, c'est de votre coopération.

Missy les regarda l'un après l'autre.

— Que pensiez-vous ? Que je ne porterais pas plainte ?

— Ça ne nous aurait pas surpris, dit Kane. La plupart des femmes victimes d'un viol préfèrent tout oublier et ne rien intenter en justice. Elles ont tort et nous devons les convaincre de nous aider. Mais c'est trop souvent en pure perte.

— Eh bien, vous pouvez compter sur moi, assura Missy. Je ferai ce qu'il faut.

— Si vous le permettez, il y a encore un ou deux

points que j'aimerais éclaircir avec vous, dit Sloan. Après, vous serez conduite à l'hôpital.

— D'accord.

— Vu les marques sur votre cou, on dirait qu'il a sérieusement tenté de vous tuer. Qu'avez-vous fait pour l'arrêter ? Je veux dire... pourquoi n'y est-il pas arrivé ?

Missy porta la main à son cou. Il y avait des marques rouges, d'autres plus sombres, là où elle avait elle-même serré la chaîne à plusieurs reprises.

— Ce que j'ai fait ? Rien. Je ne me suis pas débattue ; je n'ai pas crié. J'ai essayé de le calmer et de rester vivante. Quand il m'a étranglée, je me suis évanouie. C'est la dernière chose dont je me souvienne. Quand je suis revenue à moi, j'ai voulu appeler à l'aide. Avec mes mains attachées, j'ai dû m'y reprendre une dizaine de fois avant de pouvoir me servir du téléphone.

Kane secoua la tête.

— Vous avez vraiment de la chance d'être en vie.

Missy commençait à aimer cette femme. Coiffée différemment, elle aurait pu être très jolie. Peut-être, quand tout cela serait fini...

— Je le pense aussi, renchérit Sloan. (Il marqua une pause avant de reprendre :) Nous avons de la chance, nous aussi : non seulement vous pouvez identifier votre agresseur, mais en plus vous le *connaissez*. Nous avons tout lieu de croire qu'il est impliqué dans d'autres affaires de meurtres. Des cas que nous suivons depuis un certain temps déjà. Pourriez-vous nous dire s'il avait certains intérêts dans le sud de Philadelphie ?

— Des intérêts ? Vous voulez dire comme la Mafia ? demanda-t-elle, feignant d'ignorer à quoi Sloan faisait allusion.

— Des affaires, des relations, n'importe quoi.

— Non, pas vraiment. En tout cas, rien de spécial. Il voulait parfois aller manger italien dans les quartiers sud et ensuite nous y faisions une balade en voiture. C'est tout ce que je sais sur Felix et le sud de Philadelphie.

— Et où alliez-vous ?

— Oh, je ne sais pas. N'importe où.

Elle s'arrêta, faisant mine d'y réfléchir.

— Ce n'est pas tout à fait exact, reprit-elle. La plupart du temps nous longions la rivière. Nous roulions un peu, puis nous prenions l'avenue Delaware en direction de Society Hill. Là, nous allions prendre un dernier verre au Lagniappe ou ailleurs.

Et, comme si elle venait juste d'y penser, elle ajouta :

— Est-ce que tout cela a un rapport avec les adolescentes dont on a parlé dans les journaux ?

— Ça se pourrait, dit Sloan.

— Ô mon Dieu ! dit Missy en enfouissant son visage dans ses mains.

— Je crois que nous avons suffisamment exigé de miss Wakefield pour l'instant, dit Sloan à Kane. Un des hommes va vous accompagner toutes les deux à l'hôpital. Restez avec elle cette nuit quand elle aura été examinée.

Kane aida Missy à se lever. Elle se laissa faire... l'appui d'une femme était réconfortant. Avant qu'elles atteignent la porte, Sloan déclara :

— A l'hôpital, demandez qu'ils vous fassent un test de grossesse.

Missy se figea.

— Pourquoi ? demanda-t-elle en se dégageant légèrement de Kane.

La voix de Sloan était pleine de compassion.

— Parce que le gars du laboratoire m'a dit que, si ce test d'ovulation fonctionne, vous étiez féconde aujourd'hui. Il y a donc une possibilité que vous soyez enceinte...

Missy poussa un cri. Et cette fois, elle ne jouait plus la comédie.

26

Philadelphie n'avait jamais été plus éclatante, se dit Laura ce matin-là en traversant le pont Walt Whitman aux côtés de Felix.

La pluie avait cessé, c'était un jour nouveau et elle était amoureuse. Elle avait des ailes, et même les embouteillages de cette heure de pointe n'arrivaient pas à gâcher son bonheur.

Plusieurs fois depuis Cape May elle s'était penchée pour toucher Felix, juste pour s'assurer qu'il était bien là, que ce qui était arrivé était bien réel. Chaque fois, il lui avait souri, rallumant au plus profond d'elle-même le feu de la passion. Au cours de la nuit, il l'avait tirée de son sommeil pour lui faire l'amour à nouveau. C'était si bon d'être aimée de lui. Il l'avait fait renaître. Avec lui, elle redevenait enfin une femme...

Quand ils avaient été sur le point de rentrer à Philadelphie, il avait insisté pour qu'ils voyagent ensemble dans sa Jaguar. Elle avait accepté avec plaisir, n'entendant qu'à moitié sa promesse d'envoyer quelqu'un récupérer sa propre voiture dans la journée. Pourquoi se serait-elle souciée de cela ? L'important était qu'ils passent le plus de temps possible ensemble.

Sur la route, ils s'étaient arrêtés pour prendre un café. Elle l'avait regardé percer les couvercles de leurs gobelets en plastique pour qu'ils puissent boire sans en renverser. C'était délicieux ; chacun de ses gestes l'enchantait... Mais au bout d'un moment, elle ne put s'empêcher de lui demander ce qui s'était passé avec Missy. Il n'avait pas très envie d'en parler. En fait, il ne s'était rien passé entre eux, mais tout avait été si inattendu et, en un sens, si triste ! Pour Missy, cette histoire de grossesse était une idée fixe, et il ne s'était pas vraiment senti concerné. Il avait plutôt eu l'impression de n'être qu'un objet faisant partie de son plan... comme s'il avait été le substitut de quelqu'un d'autre. Mais quand elle avait commencé à l'injurier, il avait trouvé qu'elle dépassait les bornes et il était parti.

— Et tu sais, la question des enfants n'était qu'une petite partie des problèmes entre Cynthia et moi. Je me serais certainement fait une raison si nous étions restés ensemble. Le vrai problème a été la prison... Elle ne l'a pas supporté, et je ne la blâme pas... En tout cas, les enfants ne sont pas ma préoccupation majeure maintenant. Ce que je veux, c'est une femme que j'aime... et je l'ai trouvée.

A la sortie du pont, ils s'arrêtèrent au péage. Laura se blottit au fond de son siège, se souriant à elle-même. Elle se sentait presque fière d'être aussi heureuse et était même prête à pardonner toutes les petites manigances de Missy... Elle nota que Felix ne prenait pas la direction de son appartement mais du centre ville.

— Hé ! monsieur, êtes-vous en train de me kidnapper ?

— Exact. Je t'emmène chez moi pour te faire des tas de choses inqualifiables, à moins que je ne les fasse avant...

— Je meurs d'impatience.

— Voilà le programme : d'abord, je me change et j'appelle mon avocat. Ensuite je te dépose chez toi et je vais régler cette affaire avec la police. Pendant ce temps, tu vas te faire couler un bon bain chaud et te reposer. Je veux que tu prennes une journée de congé. C'est une des raisons pour lesquelles je t'ai dit de laisser ta voiture là-bas. J'ai pensé que ça t'obligerait à m'écouter.

Laura protesta mais il ne céda pas.

— Je n'ai pas besoin d'être médecin pour voir que

tu es épuisée. Et je ne veux pas que tu meures de fatigue... surtout maintenant que j'ai décidé d'investir toute ma vie sur toi.

— D'accord, tu as gagné. Je t'obéirai, mais à une condition. Quand tout sera réglé, tu viens chez moi et tu me racontes tout.

Il hésita.

— A cause de nous, ou parce que tu es journaliste ?

— Pour les deux raisons, répondit-elle franchement.

— Bon, dit-il. Marché conclu.

Ils prirent la sortie de la Trentième Rue et tournèrent à droite sur Chesnut Street. Quand ils traversèrent Market Street, Laura put voir les imposantes colonnes de l'entrée de la gare. Combien de fois les avait-elle franchies en courant pour attraper un train pour New York ou Washington où elle devait faire une interview... Maintenant, elle les *voyait.* Être avec Felix rendait tous ses sens plus vivaces...

Felix s'arrêta devant son immeuble; laissant le moteur en marche, il sortit pour aller ouvrir la portière de Laura. En réponse à sa question non formulée, il dit que le portier mettrait la voiture au garage...

Soudain, deux hommes aux visages durs surgirent. Ils avaient l'air furieux. Tous deux portaient un veston de sport et une cravate et paraissaient mal à l'aise dans cet accoutrement. Ils leur barrèrent le chemin.

Laura regarda Felix. Il était blême.

— Vous êtes Felix Ducroit ?

Felix hocha la tête. L'un des deux hommes lui montra son insigne.

— Vous êtes en état d'arrestation.

Ils lui passèrent les menottes et lui récitèrent ses droits. Laura était scandalisée... Elle savait que Sloan suspectait Felix, mais ça c'était trop...

— Pour quel motif l'arrêtez-vous ? Il n'a rien fait.

Tout d'abord, tout le monde ignora son intervention, même Felix. Puis celui-ci se tourna vers elle, le regard froid, interrogateur, mais ne prononça pas un mot. Il n'avait pas besoin de parler. Elle pouvait lire dans ses yeux ce qu'il pensait et ça la terrifia.

— Chéri, crois-moi, je ne savais pas... Je vais appeler ton avocat. Dis-moi qui c'est ; nous te sortirons de là...

— Je m'en occuperai moi-même. Tu en as déjà assez fait !

Et il lui tourna le dos pour suivre les inspecteurs jusqu'à leur fourgonnette garée au coin de la rue.

Laura les regarda partir et s'aperçut qu'elle n'avait pas de voiture. La sienne était encore à Cape May.

Pendant tout ce temps, le portier de l'immeuble était resté à l'intérieur. Maintenant que la police était partie, il sortit pour s'occuper de la Jaguar de Felix. Laura l'arrêta d'un geste de la main.

— Laissez, je m'en charge, dit-elle en s'installant au volant.

Elle n'avait pas l'habitude de conduire ce genre de voiture, mais elle était tellement furieuse contre Sloan qu'elle ne s'en préoccupa pas. Elle fonça jusqu'au quartier général de la police criminelle.

Sloan la fit attendre pendant une bonne demi-heure. Il apparut enfin, affichant un large sourire. Sans lui laisser le temps de dire quoi que ce soit, il déclara :

— Nous le tenons ! (Il frappa la paume de sa main avec son poing.) Nous le tenons pour de bon.

— Que voulez-vous dire ?

— Felix Ducroit. La nuit dernière, il a violé une autre femme, seulement cette fois elle a survécu et nous a tout raconté. Et elle vient juste de l'identifier. C'est notre homme. Je voulais vous le dire avant de commencer l'interrogatoire. Il a un très bon avocat, mais ça ne l'aidera pas beaucoup...

Laura secoua la tête.

— Ça ne peut pas être lui. Il était avec moi la nuit dernière... *toute* la nuit.

Sloan la regarda comme s'il venait de se rendre compte de sa présence et demanda d'un ton soudain très calme :

— Que voulez-vous dire ?

— Je vous dis que Felix Ducroit et moi avons passé la nuit dernière ensemble, à Cape May. Alors ça ne peut pas être lui... Votre victime se trompe. Qui est-ce ? Nous devons la convaincre qu'elle fait erreur. Ça arrive souvent, n'est-ce pas ?

La nouvelle ne plaisait visiblement pas à Sloan.

— Je ne suis pas autorisé à révéler le nom d'une victime de viol... Vous avez dit toute la nuit. De quelle heure à quelle heure ?

Elle le lui dit et il se détendit.

— Laura, c'est arrivé plus tôt dans la soirée. Avant que vous ne soyez ensemble.

— Vous vous trompez, ce n'est pas possible...

— Pourquoi donc ?

Laura se sentit rougir, mais le regarda droit dans les yeux.

— Parce qu'il m'a fait l'amour — deux fois — la nuit dernière.

— Laura, je vous en prie, ne soyez pas si naïve, dit-il en la quittant.

L'heure suivante fut interminable pour Laura. Elle la passa à arpenter le couloir et à fumer cigarette sur cigarette. Finalement, deux hommes sortirent de la salle d'interrogatoire. Laura reconnut l'un d'eux — il avait participé avec elle à des soirées de charité. Coleman Green, le meilleur avocat de la ville. C'était évidemment à lui que Sloan avait fait allusion.

Quand il la regarda, elle vit la lassitude dans ses yeux.

— Comment ça se passe ? demanda-t-elle.

— Ce n'est pas le moment d'en parler, Laura. Nous

ferons une déclaration plus tard, et je vous promets que nous n'oublierons pas le *Globe*.

Elle devait décider. Être une journaliste ou bien... la femme de Felix, sa petite amie, sa maîtresse... Elle n'hésita pas.

— Coleman, attendez ! cria-t-elle en courant après lui.

D'une traite, elle lui raconta tout.

— Doucement, dit-il. Je ne suis pas sourd. Venez prendre un café avec nous.

— Un café ? Mais pourquoi attendre ?

— Nous devons trouver la caution.

— Qu'est-ce que ça veut dire ?

— Ça veut dire que l'avocat général estime avoir assez de charges contre lui pour l'inculper.

Tandis qu'ils traversaient les couloirs, il ne consentit pas à en dire plus, excepté pour présenter l'homme qui l'accompagnait. C'était l'avocat d'affaires de Felix. Ce ne fut qu'une fois assis à une table, à l'abri des oreilles indiscrètes, qu'il commença à expliquer à voix basse la gravité de la situation.

— Il est accusé de viol et de tentative de meurtre. Il aurait violé une femme de Society Hill et tenté de l'étrangler.

— Sloan m'a déjà dit tout ça. Et je connais aussi les implications de cette accusation : ils vont essayer de l'accuser des viols et des meurtres des adolescentes du sud de la ville, et aussi de son ex-femme. Une vague de crimes perpétrés par un seul homme. Ce que je veux savoir, c'est qui est cette femme et pourquoi elle accuse Felix de quelque chose qu'il n'a pas fait.

— Je peux seulement répondre à votre première question. Elle s'appelle Missy Wakefield.

Le visage de Laura se figea.

— Vous la connaissez ?

— Oui.

Elle lui rapporta ce qui s'était passé entre Felix et

Missy. Coleman Green la laissa terminer avant de déclarer :

— Je suis au courant de cette histoire. Felix nous l'a déjà racontée, et normalement ça aurait dû remettre en question l'accusation de viol. Mais pas dans ce cas. Il y a trois faits accablants. D'abord le témoignage des flics qui ont répondu à son appel... Ils ont trouvé miss Wakefield nue, les mains attachées derrière le dos avec des menottes, une chaîne serrée autour du cou. Elle leur a dit que Felix Ducroit l'avait violée. Ensuite, quand il a été arrêté, elle l'a immédiatement identifié, sans aucune hésitation. De plus, la méthode d'agression est identique à celle utilisée dans les trois autres cas. Le troisième étant Cynthia Ducroit, l'ex-femme de Felix. Les menottes, la chaîne étaient les mêmes... et aucun de ces détails n'avait été révélé par la presse. Vous êtes bien placée pour le savoir. Seul l'assassin pouvait connaître ces détails. Ce qui relie Felix aux autres cas. Même si Wakefield revenait sur ses déclarations et prétendait qu'il n'y a pas eu viol, qu'ils jouaient à un petit jeu dangereux qui aurait mal tourné, Felix serait toujours impliqué dans les autres meurtres. A cause de la méthode employée.

— Mon Dieu !...

— Et il y a pire. A l'hôpital, ils ont trouvé des ecchymoses sur le cou de miss Wakefield, les marques typiques consécutives à une strangulation. Enfin, le troisième point : le sperme prélevé sur elle a été testé. Les agents ABH permettent de déterminer le groupe sanguin. Chez environ quatre-vingts pour cent des hommes on les retrouve dans toutes les substances liquides du corps...

— Oui, oui, je sais. Le lieutenant Sloan m'en a déjà parlé : les sécréteurs et les non-sécréteurs. Qu'ont-ils trouvé ?

— C'est un sécréteur, de groupe O. Le même que dans les trois autres cas.

— Et Felix ? demanda Laura, redoutant la réponse.

— Ils ont testé sa salive. Felix est un sécréteur de groupe O. S'il avait été un non-sécréteur ou avait eu un groupe sanguin différent, il serait libre maintenant. Mais ses agents ABH correspondent à ceux de l'assassin. En résumé, ils ont l'identification par la victime, la similarité de méthode et la preuve scientifique. (Il secoua la tête.) Je répugne à le dire, mais ça ne servirait à rien de nous raconter des histoires. Le cas semble désespéré.

— Non, il ne l'est pas. Presque tout le monde est de groupe O et presque tout le monde est sécréteur. Ça ne constitue pas une preuve.

— C'est vrai. Pris à part, ce sont des éléments peu déterminants. Mais ajoutés au reste...

— Et Missy Wakefield... Je vous ai dit comment elle était, ce qu'elle a fait ou essayé de faire avec Felix et comment il l'a rejetée...

— Oui, ça aurait pu nous servir. Mais c'est la *méthode* qui relie tous les cas entre eux. Comme je l'ai dit, seul l'assassin pouvait savoir ça. Et souvenez-vous, l'une des victimes était l'ex-femme de Felix, l'autre son ex-petite amie...

— Elle n'était pas sa petite amie.

— Peu importe. Ils ont assez de faits pour convaincre les membres du jury.

Ces mots révoltèrent Laura.

— Vous parlez comme si vous le croyiez coupable.

— Je n'ai pas dit ça.

— Mais vous...

— Je mets mon talent — qui n'est pas sans limite — à son service et la meilleure défense que l'argent puisse acheter. Mais vous devez comprendre une chose, Laura. Presque tous les gens que je défends *sont* coupables. Contrairement à certains préjugés, les flics ne passent pas leur temps à arrêter des innocents. J'agis selon une procédure, pas à partir de l'innocence ou de la culpabilité.

— Quelle sorte d'avocat êtes-vous donc... ?

— Le meilleur. Et je pense que vous le savez.

Laura tourna la tête et regarda la cafétéria presque vide.

— Il n'a pas eu de rapports sexuels avec cette femme, dit-elle.

— Prouvez-le-moi, et nous aurons peut-être alors les arguments nécessaires. Ça ne me déplairait pas de défendre un innocent, pour une fois.

— Eh bien, vous tenez l'occasion rêvée, monsieur Green. Felix Ducroit est innocent. C'est à *vous* de le défendre et de prouver son innocence.

— Oui, mais il s'agit d'un viol. La victime bénéficie de droits spéciaux. Je ne peux exercer aucune pression sur elle. En fait, je n'ai pas le droit de la voir avant le procès.

Laura le regarda.

— Mais moi je peux la voir.

— Je n'ai pas dit ça. Je ne l'ai pas non plus entendu, ajouta-t-il en se levant.

27

Les vingt milligrammes de Valium et le deuxième Bloody Mary commençaient à calmer les nerfs de Missy quand la sonnette retentit.

La nuit à l'hôpital avait été un enfer. Des yeux étrangers l'avaient regardée, des mains avaient touché les parties intimes de son corps. Deux fois, elle avait revu le visage d'aigle de son père, sa colère menaçante quand elle lui avait appris qu'elle était enceinte. Sous les spots de la salle d'examen, elle s'était efforcée de rester calme, tenant la main de la femme flic.

Le test de grossesse avait été négatif, mais ça ne voulait rien dire. Quelques heures seulement après la conception, un test ne pouvait rien révéler. Elle était enceinte ; elle le savait, elle le sentait. Une fois rentrée chez elle, elle s'était immédiatement douchée pour effacer les traces de ces mains étrangères sur son corps. Puis elle s'était fait un lavage vaginal, tout en sachant que c'était inutile. Trop tard. C'était déjà en elle, ça grandissait déjà.

La sonnette retentit à nouveau. Elle alla ouvrir en grommelant et fut surprise de voir Laura Ramsey. Plissant les paupières, elle lui adressa un semblant de sourire.

— Eh bien, vous avez l'air d'un vrai chat de gouttière.

— Puis-je entrer ?

— Vous ne ferez pas vos griffes sur mes meubles ? dit-elle en lui bloquant le passage.

— Je dois vous parler.

— Je ne vois vraiment pas de quoi nous pourrions parler.

— Si, vous voyez très bien.

— Puisque vous y tenez...

Elle la laissa entrer, la précéda dans le salon et s'installa sur le canapé.

— Pourquoi ne pas vous asseoir ici, ma chère ? fit-elle en tapotant le coussin à côté d'elle. Si nous devons avoir une discussion entre femmes, ce sera plus intime, vous ne pensez pas ?

Laura s'assit et Missy se dit que les quelques minutes à venir allaient être très amusantes. Elle prit son verre.

— Vous voulez un Bloody Mary ?

— Non merci.

— A votre guise.

Missy but une gorgée et reposa le verre sur la table, sans quitter Laura des yeux. Elle n'arrivait pas à comprendre comment un tel déchet avait pu intéresser Felix. Il y avait de bien plus jolies femmes qui traînaient au Lagniappe à l'heure de la fermeture.

Tandis que Laura fouillait dans son sac, Missy déclara :

— Comment avez-vous eu mon adresse ? Je ne suis pas dans l'annuaire.

Laura sortit un petit magnétophone et le posa entre elles.

— Carl me l'a donnée.

— Comme c'est pratique ! Il faudra que je lui dise deux mots à ce sujet.

Quelque chose dans la voix de Missy incita Laura à relever la tête. Missy se sentit mal à l'aise : le regard de sa rivale était tranquille et entendu, comme si elle l'avait percée à jour. Elle n'était pas habituée à être défiée ainsi, surtout par une autre femme. Elle fut la première à détourner les yeux et désigna le magnétophone.

— Vous êtes ici en tant que journaliste ou en tant que petite pute de Felix ?

Laura ne parut pas perturbée par l'insulte.

— Faites votre choix, dit-elle calmement.

Missy attrapa son verre et but une gorgée.

— Ça m'est égal, puisque vous êtes visiblement nulle dans les deux rôles.

Laura décida de ne pas se laisser démonter. Elle avait l'impression qu'elle arriverait à l'atteindre.

— Écoutez, je comprends que vous ne m'aimiez pas et je ne vous en blâme pas. A votre place, je ressentirais la même chose, mais...

Missy crut voir une ouverture possible et saisit aussitôt l'occasion.

— Qu'entendez-vous par à *ma* place vous ressentiriez la même chose ?

— Je veux dire que vous êtes une femme intelligente...

— Oh, je vous en prie ! Pas de ça avec moi ! Vos airs protecteurs ne m'impressionnent pas. Qu'est-ce que vous cherchez ? Vous débarquez chez moi, vous me déballez toutes ces conneries... Je ne suis pas obligée de vous écouter...

Avant que Missy ait eu le temps de se lever, Laura s'excusa.

— Vous avez raison. Je suis désolée.

Son ton était plus doux et surtout plus repentant aux oreilles de Missy, qui se radossa contre les coussins, la tête haute. *Ça marche*, pensa Laura. *Montre-toi un peu plus humble.*

Missy attrapa ses cigarettes et déclara :

— Bon, essayons de reprendre depuis le début. Pourquoi êtes-vous ici ?

— Je pense que vous savez que c'est à cause de Felix.

— Vous êtes donc au courant de ce qu'il m'a fait. Les nouvelles vont vite.

— Je sors de chez les flics...

— Alors vous êtes ici en tant que journaliste. Pour m'interviewer...

— Non.

— Alors pourquoi le magnétophone ? Vous allez jouer au juge d'instruction ?

— Déformation professionnelle, je suppose, répondit Laura, sentant qu'elle venait de perdre un point.

Missy tira sur sa cigarette. Elle voulait amener Laura à avouer que si elle n'était pas venue en tant que journaliste, elle était bien la maîtresse de Felix. Mais elle laissa cette question de côté, du moins pour l'instant.

— Je vous écoute, dit-elle.

Laura la regarda droit dans les yeux, d'un air qu'elle espérait suppliant.

— Je suis là pour attirer votre attention sur...

Missy éclata de rire.

— Attirer ? Ma chère, vous ne m'attirez pas du tout. Pas quand vous surgissez à ma porte dans cette tenue de docker. Je n'ai rien contre les lesbiennes, mais ça...

Elle désigna Laura d'un geste dédaigneux de la

main, telle une reine distribuant une poignée de pièces au bas peuple. Laura avait déjà vu Missy à l'œuvre, mais là elle venait d'atteindre les sommets de sa laideur. Surtout rester calme et ne pas mordre à l'hameçon, se dit-elle. Ce n'était pas le moment de tout gâcher.

— Nous savons toutes les deux que Felix est innocent, déclara-t-elle d'un ton égal en la regardant toujours droit dans les yeux.

— *Innocent ?* Je ne vois pas de qui vous êtes en train de parler, ma chérie. Certainement pas du Felix Ducroit que je connais. Regardez ça.

Elle lui montra les marques noires sur son cou. Elles étaient profondes, affreuses. *Quelqu'un* avait blessé Missy, c'était évident. Mais elle ne se comportait pas vraiment comme une victime. Plutôt comme une gagnante. Laura n'était pas experte en matière de victimes de viol — elle n'en avait connu que deux — mais, dans les deux cas, elles avaient été émotionnellement détruites. Missy, elle, ne paraissait pas affectée. C'était très curieux. Quoi qu'il en soit, Laura devait la provoquer, la sortir de cet état d'irréalité, pour la forcer à coopérer...

— Laissons Felix de côté pour l'instant et admettons qu'il ne l'ait pas fait...

— Mais nous savons qu'il l'a fait, rétorqua Missy en prenant son verre.

— Une simple supposition. Par exemple... vous avez des relations sexuelles avec une personne — une personne que vous connaissez —, tout commence très bien et puis les choses tournent mal, échappent à votre contrôle. Nous avons toutes vécu ce genre de mésaventure...

— Parlez pour vous.

— Oh, je suis sûre que ça vous est aussi arrivé ! Admettons que c'est comme ça que vous avez eu ces marques. Que peut-on en conclure ? demanda-t-elle en se penchant légèrement vers elle.

Missy recula instinctivement. Elle s'en voulut aussitôt et masqua son mouvement en se penchant pour poser son verre sur la table.

— Si nous en venions au fait ? dit-elle.

— Bien sûr. La conclusion est simple. Quel que soit l'individu qui vous a fait ça, la police est certaine qu'il s'agit de l'homme qui a tué les adolescentes dont j'ai parlé dans mes articles, et aussi l'ex-femme de Felix.

— Je ne sais rien de ces adolescentes. Je ne lis jamais les journaux.

— Missy, vous êtes la seule personne capable d'identifier cet homme, et il le sait. Il n'est pas au courant pour Felix. Donc il n'a pas le choix : il doit revenir vous tuer avant qu'il ne soit trop tard. Votre seule chance est de tout dire à la police. Ça ne vous amènera pas d'ennuis ; ça vous sauvera la vie.

— C'est ce que j'ai fait. Je n'ai pas d'inquiétude à avoir.

Laura perdit patience.

— Vous êtes en train d'accuser un innocent. Tout ça parce que vous agissez comme la sale gosse trop gâtée que vous avez toujours été.

— Vous allez m'écouter maintenant...

— Non, c'est vous qui allez m'écouter, dit Laura d'un ton ferme. Felix m'a tout raconté. Comment vous l'avez accueilli ici avec des huîtres et du champagne. Le test d'ovulation et *votre* décision d'avoir un enfant de lui, alors que vous n'avez même pas couché ensemble. Il m'a tout dit de votre petite comédie. Je suppose qu'après son départ vous avez appelé quelqu'un, ou que ce quelqu'un vous a appelée. C'est lui que la police recherche, et si vous avez un minimum de bon sens, ma *chérie*, vous allez leur dire la vérité.

Missy dut se retenir pour ne pas éclater de rire. Après tout, ce « quelqu'un », c'était elle-même. Mais elle continua à jouer le jeu.

— Vous essayez de me faire peur ?

— Non, je vous mets en garde : votre vie est en danger.

— Laissez-moi vous dire une chose. Je vais vous expliquer cette « petite comédie » depuis le début. Écoutez bien, parce que je ne le répéterai pas. Revenons un peu en arrière... Vous étiez au Lagniappe, mettant votre nez dans les affaires qui ne vous regardaient pas, la nuit où j'ai rencontré Felix. Vous l'avez vu ; il ne m'a pas lâchée...

Elle s'arrêta pour écraser sa cigarette à peine consumée et en alluma une autre. Elle était hors d'elle et la fureur lui faisait perdre sa position de supériorité.

— Après votre départ avec Carl, *je* voulais aller à la soirée. C'est *lui* qui a insisté pour venir ici. Il a ensuite tout essayé pour que nous couchions ensemble, mais j'ai refusé. Depuis cette nuit-là, il n'a cessé de m'inviter. Il m'emmenait dîner, à l'Opéra... toujours avec la même idée derrière la tête. Mais ça ne m'intéressait pas. C'est sans doute ce qui l'a poussé à faire ce qu'il a fait. Les hommes sont ainsi, ma chère. Ils aiment les femmes qu'ils ne peuvent pas avoir, celles qui leur résistent. Le contraire de vous, en somme.

Laura ne releva pas la provocation.

— L'excitation le rendait fou, poursuivit Missy. Quoi qu'il en soit, je l'ai invité pour lui dire que je ne voulais plus le revoir. C'est là que c'est arrivé. Je me suis débattue de toutes mes forces, mais ça n'a servi à rien. Il m'a attaché les mains et a fait de moi ce qu'il a voulu. Puis il a essayé de me tuer. (Elle avait retrouvé son calme.) C'est la raison pour laquelle j'ai appelé la police. S'il n'avait pas tenté de me tuer, je n'aurais rien dit. Les hommes dépassent parfois certaines limites. Mais il est allé trop loin. Il est dangereux. Si ce que vous avez dit au sujet de ces adolescentes, et de son ex-femme ? (elle ajouta là une note d'étonnement dans sa voix) est vrai, j'avais sous-estimé à quel point il était dangereux. Je remercie Dieu qu'il soit derrière les barreaux et hors d'état de nuire à quiconque, si ce n'est aux autres hommes sous la douche.

Bravo, Missy, se félicita-t-elle pour sa performance.

Laura se pencha pour lui toucher la main. Missy eut une envie folle de la brûler avec sa cigarette, mais ne bougea pas.

— Écoutez, Missy, je comprends votre souffrance. Mais ce n'est pas juste de briser la vie d'un homme à cause d'une histoire d'amour qui tourne mal.

Missy la regarda sans répondre, puis déclara :

— Si vous saviez ce qu'il a dit de vous. Je savais qu'il couchait avec vous. Il a toujours été franc avec moi. Il disait que votre corps était déjà flétri, que vous vous laissiez aller, que vos seins étaient laids et affaissés. J'étais tellement désolée pour vous, que vous ne sachiez pas ce qu'il pensait de vous. C'était de moi qu'il était amoureux, moi qu'il voulait épouser. C'est d'une telle ironie...

— On n'a jamais décrit mon corps avec autant de précision, ne put s'empêcher de remarquer Laura avec un léger sourire.

Ce sourire gêna Missy. Pourquoi Laura souriait-elle ? Elle ne pouvait pas savoir ce que Felix avait dit d'elle.

— Le mot ironie ne me semble pas approprié à ce genre de situation, reprit Laura. Qu'entendez-vous par là ?

— Le test d'ovulation que vous avez mentionné plus tôt me servait à surveiller mon cycle. L'ironie, c'est que j'étais féconde quand il m'a violée. Il y a donc de grandes chances pour que je sois enceinte de lui.

Laura applaudit des deux mains.

— Comme c'est merveilleux pour vous ! En fait, toute cette histoire est un vrai conte de fées. L'ennui, c'est que dans la réalité, ça ne se passe pas comme ça...

— Que voulez-vous dire ? demanda Missy, inquiète maintenant d'en avoir trop dit, mais sans comprendre où était l'erreur.

— Le caviar, les huîtres, le champagne. Personne n'achète du Dom Perignon pour rompre avec un homme. Vous avez peut-être convaincu la police, mais nous savons bien que c'est faux, n'est-ce pas ?

— Non, ma chère, le Dom Perignon n'est qu'une affaire de style. Quelque chose qui vous est totalement étranger.

— Du style ? C'est avoir du style que d'accuser un innocent simplement parce qu'il a eu le bon goût de ne pas coucher avec vous ?

Missy en avait assez entendu.

— L'interview est terminée, dit-elle d'un ton hautain. Écrivez ce que vous voulez, mais attendez-vous à la visite de mes avocats. (Elle se leva pour mieux dominer Laura.) Maintenant, je vous prie de sortir d'ici. Votre vue me donne des nausées.

Laura, au bout du compte, n'avait pas obtenu ce qu'elle cherchait. Elle avait légèrement ébranlé Missy, mais ce n'était pas suffisant... Elle décida d'oublier volontairement son magnétophone. Ça lui donnerait une excuse pour revenir et faire une autre tentative...

Elle se leva et traversa le salon. S'arrêtant devant la porte, elle sortit une de ses cartes, inscrivit son numéro de téléphone au dos et la tendit à Missy.

— Voici mon numéro personnel. Si vous changez d'avis et souhaitez me parler, appelez-moi. Je n'écrirai rien de ce que nous nous sommes dit. En fait, pas un seul mot ne sera imprimé sur tout ça, votre viol, l'arrestation de Felix... *Rien,* dans aucun des journaux de la ville. Je m'en assurerai. Après tout, vous avez été victime d'un viol et vos droits doivent être protégés. Il y aura bien sûr une conséquence à notre silence : le véritable coupable ne saura rien lui non plus. Il n'aura donc pas d'autre choix que de venir vous voir.

Elle s'arrêta, puis ajouta froidement :

— Et quand ça arrivera, la police saura au moins que Felix est innocent. Le seul ennui de l'histoire, c'est que vous ne serez plus là pour témoigner et que l'assassin ne sera peut-être jamais arrêté. On lira sur votre épitaphe : « Elle a prouvé qu'on pouvait emporter un secret dans la tombe ». Jolie phrase, n'est-ce pas ? Beaucoup de style.

Elle sortit et ferma doucement la porte derrière elle. Missy froissa la carte dans sa main et la jeta par terre.

— Stupide petite pute. Tu te crois tellement maligne. Mais tu n'as pas plus d'imagination qu'un insecte. Sinon...

Elle alla chercher son verre pour le remplir et aperçut le magnétophone. Elle prit les deux, posa le verre dans la cuisine et se rendit au garage par la porte de derrière. Tout en faisant fonctionner l'ouverture automatique, elle murmura :

— Tu as laissé ça pour pouvoir revenir plus tard. Eh bien, ça ne marchera pas !

Laura était en train de monter dans sa voiture. Missy fit deux pas hors du garage et lui lança le magnétophone à la tête.

— Prends ça, chérie, et mets-le-toi où je pense.

Laura sursauta, non pas à cause de la violence de l'impact ou du déchaînement de Missy, mais à cause de ce qu'elle venait de voir dans le garage.

Une voiture de sport gris métallisé, avec un autocollant de Bruce Springsteen sur le pare-chocs.

Missy vit le changement d'expression sur le visage de Laura. Elle n'en comprit pas la raison sur le moment, mais elle sentit que Laura *savait.*

Et Missy savait ce qu'elle avait à faire.

Elle en trembla d'anticipation...

28

Ce qu'elle venait de voir la hantait : la voiture dans le garage de Missy *devait* être la voiture de Peter. L'autocollant sur le pare-chocs ne pouvait pas signifier autre chose. Pourquoi cette voiture était-elle là ? Qu'est-ce que Missy avait à voir avec les meurtres ? Laura ne pouvait même pas en supposer la raison. Ça se réglerait entre Missy et Sloan. Elle frissonna à l'idée de ce qu'elle avait découvert. Ça aiderait sûrement Felix. Maintenant, Sloan serait obligé de l'écouter.

Un accident bloquait Arch Street, mais elle était tellement plongée dans ses pensées qu'elle s'en rendit compte trop tard. Plus moyen d'avancer ni de reculer. Elle patienta, klaxonnant comme les autres conducteurs. Il y avait eu une petite collision entre un taxi et un camion marqué de signes orientaux. Probablement un camion de livraisons de Chinatown. Les deux conducteurs étaient sortis et se disputaient au milieu de l'attroupement qui se formait autour d'eux. Et pas un flic en vue.

Laura savait qu'elle n'avait pas beaucoup de temps. Sloan était son seul contact à la police et il avait été de service toute la nuit. Si elle n'arrivait pas bientôt à son quartier général, elle risquait de le manquer. Les minutes passaient et la situation empirait. Les voitures s'accumulaient de plus en plus.

Elle fit fonctionner son klaxon en continu. Le conducteur de devant jeta un œil dans son rétroviseur et lui fit un bras d'honneur. Elle lui rendit mentalement son insulte et profita de la petite distance qui les séparait pour déboîter et se garer à côté d'une bouche d'incendie. Elle quitta sa voiture, la ferma à clé et partit à pied, se mettant bientôt à courir.

Elle fut vite essoufflée mais ne s'arrêta pas avant le quartier général de la police. Elle prit un ascenseur et alla directement dans le bureau de Sloan. Il n'y était pas.

— Vous venez juste de le rater, lui dit un de ses hommes. Il est rentré chez lui pour dormir...

— Quand ? demanda-t-elle, complètement hors d'haleine.

— Il y a deux minutes.

— Alors je peux encore le rattraper.

— Ouais, peut-être, si vous vous dépêchez.

Elle reprit l'ascenseur et se précipita dehors, espérant que Sloan, épuisé, avait marché lentement.

C'était le cas... Elle vit son crâne à moitié chauve alors qu'il s'apprêtait à monter dans une voiture.

— George, attendez !

Il regarda autour de lui et la vit lui faire des signes. Elle s'élança vers lui.

— George, j'ai du nouveau.

Il avait vraiment l'air éreinté et l'invita à monter d'une voix lasse.

— J'ai trouvé la voiture que vous recherchez... la Datsun argentée avec l'autocollant de Springsteen. Elle appartient à Missy Wakefield, ou, du moins, elle est dans son garage...

Sloan mit un moment à enregistrer l'information.

— Voyons, Laura, ce n'est pas possible, dit-il en passant une main fatiguée sur son visage.

— Mais c'est vrai. Je sors de chez elle et je l'ai *vue*. C'est la voiture que Marie m'avait décrite.

Elle lui secoua le bras et ajouta :

— Vous ne comprenez donc pas ? Ça prouve que Felix est innocent.

— Vraiment ? Pourriez-vous d'abord me dire ce que vous faisiez là-bas ?

— Vous le savez parfaitement. Je suis allée la voir parce que je ne pouvais pas la laisser accuser Felix injustement.

Sloan la regarda et secoua la tête.

— D'accord, œil de lynx, je vous écoute.

— Je lui ai parlé ; je lui ai dit que je savais qu'elle avait essayé d'être enceinte de Felix, mais qu'il n'avait pas voulu ; que je savais qu'il ne l'avait pas violée...

— Et... ?

— Que croyez-vous ? Elle s'est montrée aussi détestable que d'habitude, même plus. J'ai essayé de la raisonner et même de lui faire peur en lui rappelant que le vrai meurtrier courait toujours et qu'elle était en danger parce qu'elle était la seule personne susceptible de l'identifier. Mais autant parler à un mur.

— Laura, en quoi tout cela est-il lié à la voiture ?

— C'est quand elle m'a lancé le magnétophone que j'ai vu la voiture.

— Vous êtes une super-journaliste, vous savez. Mais il faut vraiment vous arracher les mots de la bouche quand vous racontez une histoire. Calmez-vous, et racontez-moi ça tranquillement, depuis le début.

Elle lui relata tout en détail, depuis Cape May, jusqu'à la dernière scène chez Missy. Elle compara au passage sa discussion avec Missy et celle qu'elle avait eue avec Felix, dans l'espoir de lui démontrer son innocence.

Sloan l'écouta jusqu'au bout sans l'interrompre, puis déclara :

— En résumé, tout ce que nous avons, c'est une voiture avec un autocollant de Springsteen dans le garage d'une femme. Exact ?

— Oui et non. Maintenant nous savons au moins que Missy est impliquée d'une manière ou d'une autre dans ces meurtres.

— Impliquée ? répéta-t-il, songeant que l'amour de Laura pour Felix et sa haine contre Missy venaient bien mal à propos dans cette affaire.

— Peut-être pas directement impliquée... Nous

savons, grâce au témoignage de Marie, que Missy n'était pas là quand Terri a été tuée. Mais elle *doit* connaître l'assassin. Je vous en prie, Sloan, regardez seulement les faits. On a retrouvé le corps de Terri, une des adolescentes portées disparues dans le sud de Philadelphie. Dans mes articles je n'ai pas mentionné une seule fois le nom de Marie, mais Marie a été tuée. Même quartier, des amies d'enfance... et le tout se passe dans le contexte des disparitions. Ça colle.

Sloan attendit sans rien dire.

— Mais soudain le contexte change. Le même meurtrier tue une femme d'affaires du centre ville. Aucun doute, c'est le même homme, mais il y a un sacré changement. Pourquoi ? Et, non pas quelques semaines plus tard, comme à son habitude, mais seulement deux jours plus tard, il récidive. Seulement là, la victime reste en vie et quand je lui rends visite je trouve la voiture du meurtrier dans son garage.

— Par conséquent... ?

— Par conséquent, j'ai pensé à un chantage. Missy fait chanter le meurtrier et c'est pour ça qu'il s'attaque à elle. Elle sait ce qu'il a fait. Elle lui a même prêté sa voiture pour le faire. Qui sait pourquoi ? C'est une femme bizarre. Elle ressent probablement une sorte de satisfaction perverse quand il lui raconte ses histoires. Et c'est *elle* qui décide un jour que Cynthia est un problème. Je sais que Cynthia voulait récupérer Felix. Peut-être qu'elle et Missy se sont rencontrées ; peut-être se sont-elles disputées. Quoi qu'il en soit, Missy en a parlé à son ami le tueur, et voilà Cynthia rayée de la carte ! Mais sa mort ne sert à rien. Felix la délaisse encore et, comme nous le savons tous, le mal n'a pas de limites. Missy se tourne de nouveau vers son ami. Cette fois, pour que l'homme qui a eu le bon sens — et la malchance — de la rejeter soit accusé de tous ces meurtres. Comment osait-il la rejeter après le mal qu'elle s'était donné pour le débarrasser de son ex-femme ?

— C'est un scénario bien monté, Laura, mais trop rempli de suppositions pour tenir debout devant un jury.

— D'accord. Mais allez au moins voir la voiture. Vérifiez par vous-même. Vous me devez bien ça ! Et vous le devez aussi à vous-même.

Sloan garda le silence un moment.

— Je vous en prie, George.

— Très bien. Nous irons voir.

Elle l'embrassa impulsivement sur la joue. Un geste qui ferait de l'effet à la une : *Une journaliste embrasse un flic.*

— Merci, George. Je peux vous attendre dans votre bureau ?

— Non. Ça va nous prendre un certain temps. Si, pour changer, vous alliez dans *votre* bureau faire *votre* travail, ou si vous rentriez chez vous... ou si tout simplement vous me lâchiez un peu ?

— Je ne peux pas me passer de vous, dit-elle en sortant de la voiture.

— C'est la meilleure !

Elle avait enfin réussi à lui arracher un sourire.

— Je serai au journal.

Cette fois, elle marcha au lieu de courir. Les choses s'étaient aussi calmées sur Arch Street. Plus de camion, plus de taxi et plus d'embouteillage. Tout paraissait revenu dans l'ordre, jusqu'à ce qu'elle arrive à l'endroit où elle avait garé la voiture et s'aperçoive qu'elle n'y était plus.

Sa première réaction fut la panique. Une Jaguar devait valoir au minimum trente mille dollars. Si un salaud l'avait volée, elle ne la retrouverait jamais. Les mains sur les hanches, elle regarda autour d'elle. Peut-être s'était-elle trompée d'endroit ? Mais la voiture n'était nulle part en vue. C'est alors qu'elle remarqua le panneau d'interdiction de stationner.

— Merde ! murmura-t-elle. Les flics ont embarqué cette fichue bagnole !

Elle héla un taxi et se fit conduire à la fourrière. Une fois là-bas, elle chercha la Jaguar des yeux parmi les autres voitures avant de régler le chauffeur et de le laisser repartir. A l'entrée, un gardien en uniforme leva les yeux et lui demanda s'il pouvait l'aider. Quand elle lui dit qu'elle voulait récupérer la voiture, il voulut voir la carte grise. Évidemment, elle ne l'avait pas. Elle tenta de négocier, alla même jusqu'à le supplier, puis fit planer la menace d'un article vengeur, ce qui était la dernière chose à faire. Finalement, elle déclara :

— Appelez George Sloan, à la Criminelle. Il vous dira ce qu'il en est.

Elle n'avait plus qu'à espérer qu'il soit encore là.

L'employé ne pouvait plus aussi facilement faire la sourde oreille. Il décrocha le téléphone et composa le numéro. Il parla un moment à Sloan, puis écouta et tendit le combiné à Laura.

— Qu'est-ce qui se passe encore ? demanda Sloan d'un ton exaspéré.

Elle commença à lui expliquer, mais il l'interrompit et demanda à parler à nouveau au type de la fourrière. Celui-ci écouta un moment puis s'apprêta à raccrocher.

— Attendez ! J'ai quelque chose à lui dire, s'exclama Laura.

Il lui rendit le combiné.

— Il y a du nouveau, George ?

— *Non.* Je vous appellerai quand nous aurons appris quelque chose. Mais ne vous faites pas trop d'illusions...

Elle reposa l'appareil avec un soupir.

— Vous connaissez des gens haut placés, madame, commenta l'employé en faisant signe à un de ses hommes de sortir la Jaguar.

Comme Laura se tournait pour s'en aller, il lui dit :

— Ça fera soixante-dix dollars.

Elle paya sans rechigner.

De retour à son bureau, Laura prit connaissance de ses messages. Gene avait noté un appel de Sloan.

— Gene, appela-t-elle à travers la salle de rédaction, quand le lieutenant Sloan a-t-il appelé ?

— Il y a cinq ou dix minutes.

Elle avait mis vingt minutes pour revenir au journal. Sa main tremblait quand elle composa le numéro de la police et elle eut du mal à demander Sloan d'une voix assurée.

Dès qu'elle l'entendit dire « Laura », elle comprit qu'il y avait un problème.

— Deux de mes hommes lui ont parlé, deux de mes *meilleurs* hommes. Au début, elle ne voulait rien entendre, puis elle leur a tout dit. Vous aviez raison. Elle a prêté sa voiture à quelqu'un, plusieurs fois. Mais ce quelqu'un était Felix Ducroit.

Laura eut un haut-le-cœur.

— NON ! Bon Dieu ! Elle ment et...

— Je ne le pense pas, Laura. Nous n'avons aucune raison de douter de sa parole. Par contre, vous, Laura, vous avez des raisons de vouloir accuser Missy pour innocenter Felix.

— Ce n'est pas possible ! insista-t-elle. Terri et Marie étaient seulement les deux dernières sur la liste des disparitions. Il est forcément innocent. Pour l'amour de Dieu, George, il n'est à Philadelphie que depuis quelques mois ! Vous savez aussi bien que moi que cette affaire remonte à bien plus loin. Ça ne pouvait pas être lui.

Sloan était désolé pour elle et essaya de lui faire gentiment comprendre la situation.

— Laura, nous ne savons pas si Terri et Marie étaient les dernières. Le fait qu'on ait retrouvé leurs corps et que leurs noms aient figuré sur la liste ne prouve rien. Je pense que vous savez ça aussi bien que moi. Nous n'avons jamais retrouvé aucune trace des autres filles. Pour autant qu'on sache, elles sont encore en vie, et seules Terri et Marie ont été tuées.

Les autres sont peut-être à Hollywood en train d'essayer d'être des stars...

— Vous ne pouvez pas croire ça...

— Écoutez, Laura, cette discussion est inutile. Je comprends ce que vous ressentez et je suis désolé. Mais vous ne pouvez pas m'en demander plus. Maintenant je vais rentrer chez moi et dormir un peu avant de mourir d'épuisement. Vous avez mon numéro, mais faites-moi la faveur de ne pas l'utiliser.

Laura raccrocha et sécha les larmes qui avaient commencé à couler. Ce n'était pas le moment de se laisser aller. Felix avait besoin d'elle. Mais que faire ? Jusqu'à présent, tous ses efforts pour l'aider n'avaient servi qu'à l'enfoncer un peu plus. Il lui fallait l'avis d'un expert. Elle le trouverait au cinquième étage.

Martha, la secrétaire de Will Stuart, était en train de feuilleter un magazine de mode, son éternelle Camel sans filtre à la main.

— Il est dans son bureau ? demanda Laura.

— Oui, mais il est très occupé.

— Il faut que je le voie.

— Racontez-moi ça.

Laura lui expliqua tout et Martha déclara :

— Vous avez raison, vous avez besoin de le voir. Attendez ici.

Quelques minutes plus tard, trois hommes en bras de chemise, des piles de dossiers sur les bras, sortirent du bureau de Will. Puis Martha réapparut.

— Il peut vous recevoir maintenant. Bonne chance !

Will Stuart était assis à son bureau. Lui aussi avait retroussé ses manches, mais, à la différence des trois autres, sa cravate était toujours parfaitement nouée et il portait des bretelles jaune pâle. L'intrusion de Laura ne semblait pas lui plaire, mais il la pria de s'asseoir.

— Que puis-je pour toi ?

Son ton lui indiqua qu'elle avait intérêt à s'adresser à lui à titre professionnel plutôt que comme une amie venue demander de l'aide.

— C'est au sujet de l'article sur Felix Ducroit.

— Il est très bon. Nous le publierons dimanche.

Il paraissait soulagé de la tournure qu'avait prise la conversation.

— Je pense que tu devrais écouter ce que j'ai à te dire avant de l'envoyer au marbre.

Sans lui laisser le temps de l'interrompre, elle lui raconta tout, du début jusqu'à la fin, n'omettant aucun détail, lui parlant même des sentiments qu'elle éprouvait pour Felix Ducroit. Il l'écouta avec un intérêt croissant.

— C'est une histoire formidable, Laura. Un véritable scoop. Tu as raison, nous ne devons rien publier avant d'être sûrs de notre coup. Mais il nous faut quelque chose pour la prochaine édition. Tu as un papier à proposer ?

— Non, parce que tout n'est pas réglé. Mais ne t'inquiète pas, les autres journaux ne sont pas encore au courant.

— Tu en es sûre ?

— Oui.

— Bon, continue. Mais tu ne crois pas que c'est un peu dangereux de mêler tes sentiments et ta vie professionnelle ? Concentrons-nous sur les faits. Ça pourrait nous aider si tu me redonnais les points essentiels de cette affaire.

Il l'écouta à nouveau sans l'interrompre.

— Conclusion, dit-il quand elle eut fini, si tu veux convaincre la police de l'innocence de Felix Ducroit, il faut que tu amènes miss Wakefield à changer son histoire, ou que tu leur prouves scientifiquement que ça ne pouvait pas être lui — que le sperme qu'on a retrouvé appartenait à quelqu'un d'autre. Exact ?

— Exact. (Les choses progressaient. Il était de son côté...)

— D'autre part, d'après ce que tu dis, essayer de convaincre miss Wakefield ne sert à rien. Ça aggrave même les choses.

— En effet.

— Ce n'est pas étonnant. Elle est acculée. Si elle changeait son histoire maintenant elle aurait des problèmes. La police chercherait à savoir dans quelle mesure elle est impliquée dans ces meurtres. Qu'elle ait été au courant pour les deux premiers, c'est une chose, mais qu'elle se soit servie de ce qu'elle savait pour provoquer le troisième, c'en est une autre... Dire la vérité reviendrait peut-être pour elle à se retrouver en prison, ou même pire, tout comme le meurtrier. Non, elle prendrait trop de risques. Si tu interviens, il faut le faire sous l'autre angle.

— Tu veux dire le sperme ?

Elle ne se sentait jamais à l'aise avec ce genre de sujet, mais ce n'était pas le moment de faire la délicate...

— Oui. Qu'as-tu fait de ce côté-là ?

— Rien encore.

Il décrocha le téléphone.

— Je m'en doutais, dit-il tout en composant un numéro. Je vais te mettre sur la voie, mais après tu te débrouilles. C'est toi la journaliste, ici. (Il eut sa communication et dit :) Je voudrais lui parler.

Un instant d'attente, puis :

— Charlie, c'est Will. J'ai ici une jeune personne qui a besoin d'un cours complet sur le sperme, la spermologie... je ne sais pas comment tu appelles ça. Je te l'envoie tout de suite. (Il écouta un moment.) Et comment, que c'est important !

Il regarda Laura et ajouta la formule consacrée :

— Charlie, je crois pouvoir dire qu'il s'agit d'une question de vie ou de mort.

Il raccrocha et inscrivit quelque chose sur un bout de papier qu'il tendit à Laura.

— Voilà l'adresse de Charlie Christian, l'un des plus fameux urologues de la ville. Ne me demande pas comment je l'ai connu. Il t'attend. Tiens-moi au courant.

Laura hocha la tête et se dépêcha de partir. Moins de quinze minutes plus tard, elle était dans le bureau du Dr Charles Christian. La cinquantaine, blouse blanche, visage ouvert. Il lui serra la main, s'assit derrière son bureau et en vint tout de suite aux faits.

— Will et moi sommes de vieux amis. Il a dit que c'était grave. Je le crois. Racontez-moi.

Elle lui raconta l'essentiel de l'histoire en prenant garde de ne pas divulguer les noms.

— Je vois. Avant d'aller plus loin, je vous dirai que j'ai souvent travaillé avec la police sur des affaires de viol et que c'est donc un terrain qui m'est très familier. Commençons par le plus simple.

Laura sortit son magnétophone, mais il secoua la tête.

— Je ne veux pas être enregistré — ni cité dans un article, ni témoigner à un procès. Je vous parle parce que Will est un vieil ami. Nous jouons aux cartes ensemble depuis plus de vingt ans. Seuls de bons amis peuvent faire ça.

— Je comprends.

— Bien. (Son ton se radoucit :) Will m'a souvent parlé de vous. Il vous est très attaché, vous savez.

Non, elle ne savait pas, mais ça faisait toujours plaisir à entendre. Will, en revanche, serait furieux s'il apprenait que son copain révélait ainsi ses confidences. Pas très bon pour son image de marque !

Revenant à un ton plus professionnel, le Dr Christian commença son exposé :

— En cas de viol, s'il s'agit d'une femme mature, la présence de sperme dans le vagin est souvent le seul moyen de vérifier s'il y a eu acte sexuel. C'est évidemment différent s'il s'agit d'une vierge...

Laura pensa immédiatement à Terri et Marie, toutes les deux vierges jusqu'au moment de leur mort.

— ... Chez une femme mature, donc, le vagin a suffisamment d'élasticité pour supporter une pénétration violente, et, sans la présence de sperme, on ne peut avoir la certitude médicale qu'il y a eu pénétration.

Quand il commença à aborder le sujet des sécréteurs, des non-sécréteurs et des groupes sanguins, elle l'arrêta.

— Je connais déjà tout ça. Ce que j'ai besoin de savoir, c'est s'il existe des tests susceptibles de disculper Felix. Des tests qui prouveraient son innocence en révélant par exemple des facteurs génétiques ne correspondant pas à ceux du meurtrier.

— Il existe un test, en effet. Pas toujours probant et assez compliqué à expliquer. Les agents ABH qui déterminent le groupe sanguin font partie du groupe de ce que l'on appelle les antigènes. Les antigènes stimulent la production des anticorps. Ce qui nous amène aux agents Lewis.

— Qu'est-ce que c'est ?

— L'ABH est une cellule rouge antigène. Le Lewis est un antigène plasmatique. Comme l'ABH, il est soluble dans l'eau et peut être sécrété dans les autres substances liquides du corps, tels le sperme ou la salive. On mélange le sperme ou la salive avec une solution saline, on porte ce mélange à ébullition puis on le verse dans un centrifugeur. Ensuite, on teste les agents Lewis en fonction des réactions à certaines substances chimiques.

— Qu'est-ce que ça peut démontrer ?

— Deux agents Lewis peuvent être mis en évidence : le A ou le B. S'il est du type A, il est sécréteur — pas de l'agent ABH, qui est entièrement différent, mais de l'agent Lewis. Et s'il est du type B, il est non sécréteur.

— Dites-moi si j'ai bien compris. Le test Lewis peut complètement invalider les conclusions du test ABH. C'est une sorte de remise en jeu des données. Le meurtrier pourrait être Lewis A et Felix Lewis B. Dans ce cas, son innocence serait prouvée génétiquement.

— C'est exact. Vous êtes une très bonne élève.

— Vous disiez que ce test n'était pas toujours probant. Dans quelle mesure ?

— Le sujet est-il blanc ou noir ?

— Blanc. Cela fait-il une différence ?

— Oui. Environ soixante-quinze pour cent de la population noire entrent dans la catégorie Lewis A. Pour les Blancs, on atteint *quatre-vingt-quinze* pour cent.

Laura sentit ses espoirs s'évanouir.

— Il n'y a donc que cinq pour cent de chances pour que les deux soient différents...

— Et ce n'est pas le pire, malheureusement. S'il s'avère que les deux tests révèlent la catégorie B, cela constituera une preuve accablante, justement à cause de ces petits cinq pour cent. N'importe quel jury sera alors convaincu qu'il s'agit du même homme. J'ai assez suivi ce type d'affaires pour le savoir.

— Il n'y a rien d'autre ? Pas de test plus efficace ?

— J'ai bien peur que non.

Elle laissa sa voiture au parking et marcha, essayant de peser ce que cette nouvelle donnée signifiait. Elle avait beau tourner le problème dans tous les sens, elle parvenait toujours au même résultat... Cinq pour cent de chances de disculper Felix, mais en même temps cinq pour cent de risques de démontrer irrémédiablement sa culpabilité.

Elle descendit Sansom Street, regardant les vitrines sans les voir. Pourquoi ne pas transposer la situation sur un terrain plus familier pour tenter de mieux la cerner ? Quand un médecin vous annonce que vous n'avez plus qu'une chance de vivre, mais que la dernière tentative pour vous sauver comporte de sérieux dangers... que faites-vous ?

Évidemment, ce n'était pas la même chose.

S'ils ne tentaient pas cette chance, Felix serait certainement déclaré coupable. Peut-être même condamné à mort. Il fallait peser les chances et parier sur le bon côté de la balance... Elle tourna, dépassa Broad Street et Chesnut Street, en direction des bureaux de Coleman Green.

Il était plus de deux heures quand elle y arriva. La secrétaire de Coleman lui dit qu'il était encore au palais de justice mais ne devrait pas tarder à revenir. Elle s'assit dans la salle d'attente déjà remplie et enfumée. La plupart des clients étaient des noirs, les avocats ayant bien plus souvent à représenter des pauvres que des riches. Elle prit un ancien numéro du magazine *Philadelphie* et le feuilleta distraitement.

Coleman arriva environ une heure plus tard, son attaché-case dans une main et deux sacs en papier dans l'autre. Quand il aperçut Laura, il lui sourit et l'introduisit dans son bureau. Il lui indiqua un siège tandis qu'il faisait de la place sur sa table de travail pour poser les deux sacs. Il en sortit un gobelet de café et un sandwich au corned-beef accompagné d'une salade de chou émincé et de mayonnaise.

— Je déjeune tard quand je vais au palais. Vous en voulez la moitié ?

Laura refusa.

— Vous avez tort. La Cornbeef Academy fait de délicieux sandwichs. (Il y mordit à belles dents et mastiqua d'un air pensif.) Cette affaire Missy Wakefield est déplorable...

— Déplorable n'est pas le terme que j'emploierais. Je *sais* qu'elle ment. Et je ne la laisserai pas accuser Felix de viols et de meurtres qu'il n'a pas commis.

Coleman but une gorgée de café et ne fit aucun commentaire.

— J'en ai parlé avec mon directeur et il m'a envoyée voir un ami à lui, un urologue... Avez-vous déjà entendu parler du test Lewis ?

Il fit non de la tête et Laura lui répéta du mieux qu'elle put ce que lui avait expliqué le Dr Christian.

— Je suis surprise que vous ne connaissiez pas ce test.

— Il n'y a pourtant rien d'étonnant à cela, Laura. Je ne m'occupe pratiquement jamais d'affaires de viol. C'est un aspect de mon métier que je déteste. Bien trop tortueux...

— Et vous ne pensez pas que Felix devrait avoir un avocat spécialiste en la matière ?

— Oui, je le lui ai dit, mais il a refusé. C'est moi qu'il veut. Il a été très ferme à ce propos.

— Pourquoi ?

— Felix mise tout sur l'amitié. Peut-être a-t-il tort. Mais lui et moi sommes amis et je me suis engagé...

Il haussa les épaules.

Ça ressemblait tout à fait à Felix, et Laura savait qu'il valait mieux ne pas essayer de le faire changer d'avis.

— Que pensez-vous de l'idée de ce test ? Nous laisseront-ils le faire ?

— Bien sûr. Dans *leur* intérêt. Imaginez ce que le jury penserait si la police refusait de faire pratiquer un test susceptible de disculper le suspect. Ils le feront si on le demande. Mais, d'après ce que vous avez dit, ça pourrait se retourner contre nous.

— Je sais, mais quel autre choix avons-nous ?

— Je vais appeler l'avocat d'affaires de Felix pour voir ce qu'il en pense, dit-il en décrochant son téléphone.

Les deux juristes discutèrent plusieurs minutes. Coleman retransmit les explications que lui avait données Laura, mais en détacha plus clairement les points essentiels... Il possédait incontestablement l'art de s'exprimer avec efficacité. Quand il raccrocha, il regarda Laura d'un air sérieux.

— Il pense que nous devrions tenter le coup. J'appelle Sloan.

— Il n'est pas à son bureau. Il est chez lui en train de dormir.

Elle lui donna le numéro personnel de Sloan.

D'après les bribes de conversation qu'elle entendit, elle comprit que Sloan, comme elle s'y était attendue, n'appréciait pas du tout d'avoir été tiré de son sommeil. Mais Coleman obtint finalement son accord pour le test.

— Felix a déjà été transféré à la maison d'arrêt, dit-il à Laura. Il faudra plusieurs heures avant de pouvoir le faire revenir pour le test. Je doute que nous sachions quelque chose avant ce soir.

Il la raccompagna jusqu'à la porte et ajouta :

— Pourquoi n'iriez-vous pas vous reposer un peu ? Je vous tiendrai au courant des résultats dès que je les aurai.

Laura le regarda.

— Il faut que ça marche. Je serai au Lagniappe ce soir à huit heures. Je vous attendrai tous les deux pour fêter ça. Ne me décevez pas.

— Nous y serons... mais s'il devait y avoir un pépin, je vous appellerais là-bas pour vous tenir au courant...

Elle traversa la salle d'attente bondée et prit l'ascenseur. L'esprit plongé dans ses pensées, elle rejoignit sa voiture et rentra chez elle.

Le téléphone sonnait quand elle ouvrit la porte. C'était Missy.

— J'ai repensé à ce que vous m'avez dit, et vous avez raison. Je veux vous dire ce qui s'est réellement passé, mais pas au téléphone. Ce que j'ai à vous dire est bien trop compliqué. Carl organise une petite soirée ce soir. Rejoignez-moi à son loft à huit heures. Je vous promets de tout vous expliquer. Ne vous inquiétez pas, je fais ça pour moi, pas pour vous, ma chère, même si ça va dans le sens de ce que votre petit cœur désire.

Elle raccrocha sans attendre de réponse.

Laura n'avait pas confiance. Mais si Felix pouvait risquer sa vie avec ce fichu test, elle ne pouvait pas faire moins elle-même.

Elle irait au rendez-vous.

Le verre qu'elle prit ne réussit pas à la détendre. Le bain chaud non plus. Elle arriva au Lagniappe peu avant huit heures.

Lois et Justin, installés à leur table habituelle en compagnie du propriétaire du Sassafras, lui firent signe de se joindre à eux.

— Je suis contente de vous voir, dit-elle, la gorge serrée. Je voulais vous dire que...

— Nous sommes au courant, dit Lois. Felix a été arrêté. Tout le monde en parle.

— En fait, nous espérons le faire libérer très bientôt... il doit même me rejoindre ici avec son avocat pour prendre un verre.

Elle avait dit ça avec un sourire forcé.

— Mais Missy... Elle a dit qu'il l'avait violée...

— C'est effectivement ce qu'elle a dit, Justin, mais c'est un mensonge. Je vais la voir chez Carl pour lui faire dire la vérité. Quand Felix arrivera, dites-lui que je l'aime et que je reviens.

Elle était partie avant qu'ils puissent lui demander comment elle comptait tirer une quelconque « vérité » de Missy... quelle que fût cette vérité.

29

Missy attendait dans la pénombre de l'atelier du sculpteur Klaus Knopfler. En fait, l'obscurité n'était pas totale. Les lumières de la rue filtraient légèrement à travers les vitres sales, découpant les formes des sculptures inachevées. Un mince rai jaune était aussi visible sous la porte du loft de Carl, d'où provenaient les échos de *Surabaya Johnny*, chanté par Dagmar Kruse. Mais Carl n'était pas là. C'était ça le fin du fin, pensa Missy en souriant. Carl était à un match de hockey. Rien ne viendrait gâcher cette soirée avec Laura.

Prendre la décision de tuer Laura n'avait pas été difficile : Missy ne manquait pas de pratique. Pas question de paniquer. Non, c'était tout simple, un peu comme une solution à un problème médical. Laura, à cause de l'affaire de Felix, était heureusement vulnérable, mais elle était aussi intelligente. Un adversaire de taille. Maintenant qu'elle avait vu la voiture, ce n'était plus qu'une question de temps avant qu'elle ne se doute au moins de la réelle identité de Peter. Et, bien sûr, cela ne devait pas arriver.

Cette fois, le raffinement résidait dans l'organisation, pas dans la future conclusion. Avec Felix en prison pour les crimes de Peter, elle avait besoin d'un nouveau *modus operandi*, comme ces prétentieux de flics se plaisaient à dire. Et c'était là que Carl, sans le savoir, intervenait.

Dès qu'il avait entendu parler de son viol, il l'avait appelée. Certainement aussi parce que l'idée l'avait excité, mais il avait au moins appelé. Personne d'autre ne l'avait fait. Il avait mentionné en passant qu'il serait ce soir au stade et... c'était exactement ce dont Missy avait besoin pour son organisation.

Tout ce qui restait à faire, c'était attirer Laura chez

Carl et arriver avant elle. Elle avait les clés. Elle pouvait entrer dans le loft, allumer les lumières et mettre de la musique comme si des gens étaient là, et attendre.

Après avoir parlé à Carl, elle avait composé le numéro que Laura lui avait donné et avait été soulagée d'entendre sa voix — elle n'aurait pas voulu l'appeler au journal ou laisser un message. Leur conversation avait comblé tous ses espoirs. De plus, la voix de Laura lui avait clairement montré qu'elle était prête à tout pour aider Felix, y compris se jeter dans n'importe quel piège...

Laura était différente des autres. Pour elle, il n'y aurait pas d'acte d'amour, pas d'éveil des sens, comme ça s'était passé avec Cynthia. Non, cette fois, ce serait un acte de vengeance. Pas d'ornements... pas de menottes, pas de chaîne, pas de revolver. Juste un couteau. Peut-être comme Jack l'Éventreur, pensa-t-elle en touchant le manche du couteau à désosser qu'elle avait pris dans sa cuisine.

Lorsqu'elle était allée au laboratoire chercher un échantillon de sperme, lui était alors venue l'idée la plus excitante. Elle en avait trouvé un dans une éprouvette étiquetée « A Positif » — le groupe de Carl. Quand la police trouverait le corps de Laura, ils suspecteraient naturellement Carl et il aurait alors ce qu'il méritait pour l'avoir dédaignée...

Un tiraillement la fit tressaillir. Elle appuya des deux mains sur son ventre. La douleur avait commencé en début de journée et n'avait fait que s'accroître depuis, à intervalles irréguliers.

Elle appuya plus fort, repoussant la souffrance et la panique de se savoir enceinte. Dès qu'elle en aurait fini avec Laura, elle appellerait son gynécologue et se ferait hospitaliser. Elle voulait avorter tout de suite, cette nuit même. Elle ne voulait plus avoir mal...

Le bruit de l'ascenseur la fit sursauter. La douleur s'atténua. Elle s'enfonça un peu plus dans l'ombre et y resta sans bouger. Chez Carl, on entendait Lou Reed chanter *September Song.*

En bas, Laura attendait que le vieux monte-charge s'arrête à sa hauteur. Elle cala la bandoulière de son sac plus haut sur son épaule et se pencha pour ouvrir les lourdes portes. Elle les referma derrière elle, baissa la palissade de sécurité et appuya sur le bouton de l'étage de Carl.

Elle ressentait une sorte d'exaltation tandis que l'ascenseur se mettait en branle. Le test Lewis n'avait plus d'importance. Après sa confrontation avec Missy, Felix serait libéré ; ils seraient ensemble... Son esprit refusait d'admettre qui était réellement Missy... Dans son avenir avec Felix, il ne pouvait pas y avoir de place pour cette vérité-là...

L'ascenseur s'arrêta. Elle ouvrit les portes et la lumière de la cabine éclaira l'atelier obscur.

Elle avança un peu, entendit la musique venant du loft de Carl et vit la lumière sous sa porte. Elle retourna fermer les portes de l'ascenseur.

Dans l'ombre, Missy regardait Laura lutter avec les lourdes portes. Ça se passait à merveille. Exactement comme son père le lui avait expliqué autrefois, au cours de parties de chasse. Rien de très compliqué, le plus simple marchait toujours le mieux.

Les portes de l'ascenseur se refermèrent lentement, emportant la lumière avec elles. Sous leur poids, Laura pouvait sentir l'inhabituelle tension des muscles de son torse. C'était douloureux et agréable à la fois : un autre signe que son corps se réveillait enfin, recommençait à fonctionner normalement.

Par-dessus son épaule, elle regarda les silhouettes des sculptures qui donnaient à l'atelier l'aspect d'un cimetière ou d'un entrepôt. Ajustant son col et son sac, elle s'avança vers le rai de lumière visible sous la porte de Carl. Le bruit de ses talons sur le parquet résonnait très fort, comme une note discordante dans la musique émanant du loft.

Missy la vit passer si près qu'elle aurait pu la toucher, mais elle ne bougea pas. Surprendre Laura maintenant pouvait provoquer une réaction imprévisible de sa part. Mieux valait attendre un moment, utiliser à son avantage l'espace et le temps. Après tout, Laura n'avait aucun moyen de s'échapper.

Laura n'était qu'à quelques pas de la porte de Carl quand elle entendit quelque chose derrière elle. Mais elle était seule, l'ascenseur n'avait remonté personne d'autre. Elle fit volte-face, effrayée à l'idée que ce pût être un rat, un de ces rats d'égout aussi gros qu'un chat.

Ce qu'elle vit, debout à l'endroit même où elle venait de passer, fut un homme barbu portant des lunettes noires et un blouson de cuir. Elle regarda rapidement autour d'elle, essayant de garder son calme et de bien mesurer la situation. Il n'était pas arrivé par l'ascenseur, elle en était sûre, et il n'était pas non plus sorti de chez Carl. Ce qui signifiait qu'il avait été là pendant tout ce temps, dans l'obscurité. Il l'attendait...

Maintenant, il avançait, sortant de l'ombre.

Ne t'enfuis pas, s'ordonna-t-elle. *Parle-lui. Dis-lui que tu supposes qu'il se rend lui aussi chez Carl. Dis quelque chose de banal, ne t'affole pas...*

Mais elle se tut. Les mots auraient révélé sa peur. Elle voulait croire qu'il n'était qu'un autre invité, mais n'y arriva pas non plus... De la musique venait de chez Carl, mais on n'entendait rien d'autre. S'il y avait eu une soirée, elle aurait entendu des voix, des rires...

Pour l'amour de Dieu, Laura, dis quelque chose... Mais quoi ? Salut, vous m'attendiez ? Désolée, mais j'ai rendez-vous...

Missy observait Laura et jouissait de sa terreur. Elle sentait la moiteur de son sexe sous l'effet de ce plaisir. Elle brûlait de poser les mains sur elle. Le but était la vengeance et la torture, mais il y aurait aussi un plaisir unique, même à travers la douleur. Un plaisir pour elles deux.

Elle ne dit rien, laissant Laura dans l'attente. Elle affirmait son contrôle, sa supériorité. Laura avait besoin de comprendre ça.

Laura se permit finalement un « Qui êtes-vous ? ». L'incertitude et la peur que trahissait sa voix la rendirent furieuse contre elle-même. Pour Missy, ces mots sonnèrent comme un soupir d'amour. Elle laissa les choses en suspens pendant un moment. La peur de Laura aiguisait chacun des nerfs de son corps, les tendait progressivement... Assez, pour l'instant. Elle avança d'un pas, suffisamment pour permettre à Laura de mieux la voir.

— Je suis Peter.

Laura recula, ne pouvant plus nier l'évidence. Carl n'était pas là. *Il n'y avait personne.* Elle était seule avec Peter. Et Missy avait arrangé ce guet-apens.

Missy fit un pas de plus. Elle avait besoin de voir de plus près la frayeur de Laura. Ça la rendait si attirante...

Laura recula encore, essayant de maintenir la même distance entre eux. La mort la regardait et c'était pire, bien pire que lorsque le médecin lui avait annoncé son cancer. Dans les deux cas, c'était la mort. Mais quelque chose avait changé entre cette époque et maintenant. A l'époque, elle était seule et la mort aurait presque été un soulagement. C'était ça, la solitude. Mais maintenant, elle n'était plus seule. Il y avait Felix. La plus merveilleuse des raisons de vivre.

Elle n'allait pas flancher et mourir à cause de ce salaud ! Il pouvait violer des petites filles et s'en sortir, mais avant qu'ils en aient fini ce soir... Elle chercha des yeux une arme, quelque chose pour se défendre et surtout pour faire mal.

Au coin de la Deuxième Rue, Tem ouvrait la porte du Lagniappe devant un Felix épuisé et son avocat, Coleman Green.

— Ça fait plaisir de vous voir ce soir, messieurs. Surtout vous, monsieur Felix. Tout va bien ?

Il prit le manteau de Coleman, mais ne s'inquiéta pas du vieux blouson de cuir de Felix.

— Tout va très bien. Grâce à Laura, dit Felix en ébauchant un sourire.

— Bien. Nous étions tous inquiets... Lois et Justin sont à leur table, au fond.

Dès que Lois le vit traverser la salle, elle se leva et, se frayant un chemin au milieu des consommateurs, se précipita vers lui. Justin la suivait.

— Ça va ? Tout est réglé ?

Les clients du bar se tournèrent pour les regarder.

Felix arborait un large sourire.

— Oui, tout est réglé.

— Mais comment ? Raconte-nous tout !

— Si on buvait un verre d'abord ? Je crois que nous en avons besoin.

— Tout de suite, dit Justin. Champagne pour...

— Jack Daniels glace et une bière, rectifia Felix.

Lois passa son bras sous le sien.

— Voilà un buveur comme je les aime. Si tous les clients pouvaient être comme toi. La sobriété est dangereuse : elle pourrait me réduire à vendre de la limonade.

— Dieu nous en préserve...

— Un scotch avec glace pour moi, dit Coleman.

Ils s'installèrent à une table.

— Allez, Felix, ne nous fais plus languir, dit Lois.

Qu'est-ce qui a bien pu se passer pour qu'ils te laissent partir ? La dernière fois que je les ai vus, ils étaient sûrs de leur fait.

— O.K. Tu sais que l'adorable Missy m'a accusé de l'avoir violée. Je suppose que c'est lié à son délire sur la grossesse. Mais le pire, c'est que celui qui a fait ça est aussi le meurtrier des gamines dont a parlé Laura dans ses articles... (Il se tourna vers Coleman.) Au fait, où est Laura ? Tu avais dit que nous devions la retrouver ici.

— C'est ce qu'elle a dit.

— Tu l'as vue ? demanda Felix à Lois.

— Elle était là tout à l'heure. Je suis sûre qu'elle va revenir... Allez, tu ne m'as toujours pas expliqué ce qui est arrivé.

— Eh bien, comme je te l'ai dit, celui qui a violé Missy est celui qui a tué ces pauvres gosses... et Cynthia... Tu peux imaginer ma situation — une femme prétend que je l'ai violée, et l'une des autres victimes est mon ex-épouse, avec laquelle je suis censé m'être disputé. Pour compléter le tableau, il se trouve que j'ai le même groupe sanguin que le meurtrier...

— Comment connaissaient-ils le groupe sanguin du meurtrier ?

— D'après son sperme...

— Je ne savais pas qu'on pouvait découvrir le groupe sanguin à partir du sperme, intervint Justin.

— Moi non plus, mais c'est possible, et il y a même mieux. Laura a fait des recherches. Elle a trouvé ce que l'on appelle le test Lewis. C'est aussi un test de salive, comme le premier qu'ils m'avaient fait, mais il y a une différence. Je ne sais pas laquelle. Il n'est habituellement pas pratiqué parce qu'il n'est concluant que pour un petit pourcentage de gens. Cinq pour cent, je crois. Mais Laura et Coleman les ont convaincus de faire une exception. J'ai passé le test et il a été décisif. Il a prouvé scientifiquement que le meurtrier et moi n'étions pas la même personne. C'était *impossible* que ce soit moi — ni pour Missy, ni pour Cynthia, ni pour les gamines...

— Et l'accusation de Missy, alors ?

— Elle va devoir s'expliquer avec la police, dit Coleman. Ils viennent de partir pour aller la voir.

— Cette salope n'a pas intérêt à remettre les pieds ici, dit Lois d'un ton sec.

Violet apporta leurs consommations.

— Maintenant, peux-tu me dire où est Laura ? demanda Felix.

— Elle est chez Carl. Elle a dit qu'elle devait rencontrer quelqu'un là-bas. C'était l'heure de l'apéritif et il y avait beaucoup de bruit...

— Tu n'as pas dû bien entendre, intervint Violet en posant un verre devant Justin. Au sujet de Carl, je veux dire...

— Pourquoi ça ?

— Parce qu'il était ici tout à l'heure. Il a bu un verre et a dit qu'il allait ce soir au Spectrum, voir un match de hockey.

Felix sentit les battements de son cœur s'accélérer.

— Tu en es sûre ?

— Oui, il a dit qu'il repasserait après et me dirait qui a gagné.

— Je n'aime pas ça du tout, dit Felix, l'air soucieux. Justin, tu connais l'adresse de Carl, n'est-ce pas ?

— Oui, c'est tout près d'ici.

— Allons-y, dit-il en se levant.

— Je viens aussi, fit Coleman.

Felix était déjà à la porte, essayant de ne pas penser. L'heure était aux actes.

Missy vit la panique dans les yeux de Laura ; elle cherchait un moyen de fuir.

— Inutile. Il n'y a aucune issue. Il n'y a que toi et moi ici. Vraiment intime.

Laura commença à s'éloigner de la porte de Carl.

S'il y avait une arme ici, ce serait plutôt dans l'atelier de Klaus Knopfler, près de l'ascenseur. Elle se déplaça lentement et avec précaution dans cette direction, tout en parlant pour essayer de gagner du temps jusqu'à ce qu'elle mette la main sur quelque chose...

Missy secoua légèrement la tête. C'était si mignon de voir Laura entretenir la conversation pour tenter d'atteindre l'ascenseur. Évidemment tous ses efforts seraient vains. Même si la cabine était encore là, les portes étaient trop lourdes pour qu'elle les ouvre et les referme à temps.

Se jouant d'elle, Missy déclara :

— D'abord, nous allons aller dans l'appartement de Carl et faire l'amour. Tu aimerais ça, n'est-ce pas ?

Pas de réponse.

— Admets que tu ne penses qu'à ça depuis que tu as commencé à écrire sur moi. Tu es amoureuse de moi, tu veux me sentir dans toi ; tu veux que je me vide dans toi, n'est-ce pas ?

Laura avait atteint la statue la plus proche et se plaça de manière qu'elle se trouve entre Peter et elle. Elle essayait d'utiliser l'obscurité le mieux possible tandis qu'elle recherchait une arme... Elle continua à faire durer la conversation :

— Et ensuite, que se passera-t-il ? Vous me tuerez, comme Terri, Marie et Cynthia ?

Le calme de sa propre voix la stupéfia. Intérieurement, elle était au bord de l'hystérie.

— Et les autres filles, celles qui ont disparu ? Vous les avez tuées aussi, n'est-ce pas ?

Missy avança pour lui barrer la route. La douleur mordante revint à cet instant-là. Une fois de plus, elle se força à l'ignorer. Elle réglerait ça plus tard... Se concentrer sur Laura maintenant.

— Toujours la petite journaliste, hein ? On ferait n'importe quoi pour une histoire. Eh bien, tu vas l'avoir. Oui, je les ai tuées, mais pas toutes. Tout ce que je touche ne meurt pas obligatoirement. Si tu te montres *gentille*, je te laisserai vivre — comme Missy. Mais tu dois être bien docile. Faire exactement ce que je te dis...

La douleur persistante lui faisait perdre le contrôle de sa voix. Elle n'était plus grave et douce mais avait gagné quelques octaves dans l'aigu lorsqu'elle dit :

— Quand tu seras passée dans mes bras, ma jolie, être la petite pute de Felix ne te satisfera plus...

Laura se déplaça, notant sans comprendre le changement de ton de Peter. « La petite pute de Felix » ? Elle avait déjà entendu ces mots ; qui les avait prononcés ? Les jours précédents défilèrent en un éclair dans son esprit — et elle se souvint... Missy avait utilisé les mêmes termes. Mais pourquoi Peter les répétait-il ? Une coïncidence... ?

Missy se déplaça en même temps qu'elle, réduisant la distance qui les séparait. La douleur l'empêchait de se mouvoir aussi aisément qu'elle l'aurait voulu. Elle n'avait plus le temps de s'attarder en préambules. Il fallait en finir.

Espérant qu'elle avait les menottes qui lui faciliteraient la tâche, elle avança encore, s'apprêtant à sortir son couteau.

— Je te traiterai comme une reine, tu ne te baladeras plus en tenue de docker...

« *Tenue de docker...* » Missy avait aussi dit ces mots-là... Deux coïncidences, c'était trop... Elle regarda Peter s'approcher, encore incapable d'accepter cette idée... Mais quand il fut plus près, les faibles lumières du dehors lui permirent de voir plus clairement sous le déguisement des lunettes noires et de la barbe... Elle discerna les traits fins, bien modelés... Et elle comprit que Peter était, sans aucun doute possible, Missy Wakefield...

— Ô mon Dieu ! Missy, murmura-t-elle sous l'effet du choc.

Missy, découverte, ressentit un énorme soulagement. Puis une nouvelle sorte d'excitation. Elle pouvait maintenant utiliser ses deux personnalités — Peter et Missy. Et peut-être une troisième qui serait la combinaison des deux. C'était absolument délicieux.

— Ça devait arriver tôt ou tard. Tu es la première, mais ne te réjouis pas trop vite. Tu as juste eu la chance — en fait la malchance — de voir ma voiture. Tu ne sortiras pas d'ici pour aller raconter ton histoire. Quand j'en aurai fini avec toi et que la police te trouvera dans le lit de Carl, c'est *lui* qu'ils arrêteront. Ils trouveront en toi du sperme correspondant à son groupe sanguin... Eh bien, n'es-tu pas curieuse de savoir comment je m'y suis prise ? Bien sûr que tu l'es. Souviens-toi que mon...

— Mais comment... commença Laura.

— ... très saint père était, entre autres, l'un des meilleurs urologues de cette ville, et que je travaillais dans son laboratoire. C'est là-bas que j'ai pris l'échantillon de sperme.

Laura eut du mal à parler.

— Et c'est ce que vous avez fait avec les autres, avec vous-même. C'est la chose la plus dégoûtante que j'aie jamais entendue...

— Un, deux, trois... nous irons au bois...

Missy se mit à fredonner la comptine d'une voix enfantine tandis qu'elle plongeait la main dans son blouson pour en sortir le couteau. Laura recula, tâtonnant à la recherche d'un objet pour se défendre.

Missy, brandissant son couteau, avança sur elle, juste au moment où elle se jetait derrière une sculpture.

— Missy, pour l'amour de Dieu, vous avez besoin d'aide...

— Pas Missy, *Peter,* et c'est *toi* qui as besoin d'aide parce que...

Laura tenta de se sortir de là et se cogna contre un

mobile en métal. Elle se retourna pour faire face à Missy et sa main frôla quelque chose... Elle prit le risque de baisser les yeux, le temps de voir qu'il s'agissait d'un marteau. Elle l'attrapa et l'abattit sur Missy. Elle la manqua. Missy reculait maintenant, en position de contre-attaque. De chez Carl s'élevait un air de l'*Opéra de quat'sous, La complainte de Mackie. Femmes folles, que l'on viole*... C'était de circonstance, pensa Laura avec une ironie amère.

— Ils jouent notre air, ma douce.

Il n'y avait plus qu'une chose à faire : crâner pour essayer de la déstabiliser, la faire douter de sa supériorité.

— C'est pour vous, Missy, pas pour moi. Je suis presque désolée pour vous. Pauvre Missy, une vraie perdante... Felix est sorti de prison et m'attend. Vous avez perdu, sur toute la ligne...

Ça marchait... Missy s'élança sur elle avec rage. Laura fit un pas de côté et abattit à nouveau le marteau.

Mais Missy n'avait pas perdu ses réflexes. Elle sentit venir le coup, rentra le cou et arrondit l'épaule. Le marteau siffla au-dessus de sa tête, et Laura fut à découvert.

Elle leva le couteau...

Laura vit l'éclat de la lame et ne put rien faire pour se défendre. Comme dans une scène au ralenti, elle regarda le couteau pénétrer dans son trench-coat et porta instinctivement les mains à son abdomen. Elle sentit la lame, et le sang qui coulait. La douleur avait été rapide, cinglante.

Missy voulait la défigurer, la taillader. A nouveau, elle leva le bras et l'acier vint érafler la chair.

Missy recula pour profiter du spectacle, faire durer le plaisir.

— Quand j'en aurai fini avec toi, Felix te récupérera dans une boîte. Vous aurez de la chance tous les deux s'il arrive à rassembler tes abattis dans le bon ordre. Alors, qui est la perdante... ?

Laura était pliée en deux. Elle saignait, mais elle n'aurait pas su dire si la blessure était grave ou non. Elle espérait que la lame avait été freinée par de la graisse... ces rondeurs qu'elle avait tant haïes jusqu'à présent... Elle reprit le marteau bien en main et s'efforça d'assurer sa position, jambes écartées, muscles bandés.

— Venez, je vous attends...

Missy eut un sourire.

— Pas pour longtemps. C'est fini...

Le bruit de l'ascenseur les fit sursauter. Laura en profita pour essayer de gagner du temps :

— C'est Felix, dit-elle. Je lui ai fait dire de me retrouver ici...

— Parfait, il va pouvoir ramasser les morceaux !

Elle avança, obligeant Laura à reculer. Laura était plus prudente maintenant, ne la provoquait plus. Elle entendait le grincement du monte-charge. Un bruit réconfortant, mais qui s'arrêta quelque part, entre deux étages...

Profitant de cette seconde d'inattention, Missy s'élança sur Laura et la taillada à nouveau. Quand la lame pénétra en elle, Laura fut seulement capable d'agripper le bras de Missy.

Missy l'obligea à lâcher prise et se redressa : les portes de l'ascenseur s'ouvraient.

— Je reviendrai. Tu peux y compter, petite pute !

Les portes étaient grandes ouvertes maintenant. Missy courut vers l'appartement de Carl.

Felix sortit le premier. Il se figea quand il vit Laura par terre, baignant dans une mare de sang. Il essaya de la prendre dans ses bras, mais elle se dégagea.

— Peter... c'était Missy habillée en homme... Elle a essayé de me tuer... elle est chez Carl...

Coleman Green et Justin dirent à Felix de rester près de Laura. Ils s'occuperaient de Missy.

— Soyez prudents... elle a un couteau ! lança Laura.
Felix enleva son blouson et la recouvrit.

— Reste tranquille, chérie. Tu saignes. Nous allons te conduire à l'hôpital et tout va s'arranger. Mais pour l'instant, ne bouge pas.

La porte de Carl était verrouillée de l'intérieur.

— Trouvez quelque chose pour l'enfoncer, suggéra Coleman.

Justin apporta un des outils de Knopfler, un marteau de forgeron, et la porte céda au troisième coup.

Le loft était vide. La fenêtre d'accès à l'escalier de secours était ouverte et ils se précipitèrent. Trop tard : l'oiseau avait filé. Déçus, furieux, ils rejoignirent Felix.

— Tant pis, dit-il. Le plus important, maintenant, c'est de transporter Laura à l'hôpital.

Après avoir appelé les urgences, il se tourna vers Coleman.

— La police ne devrait pas avoir de mal à la rattraper, n'est-ce pas ?

Coleman secoua la tête.

— Ça ne va pas être si facile. Nous n'avons encore aucune preuve substantielle qui permette de la connecter aux crimes. Nous n'avons que la parole de Laura et ça ne suffira pas à la police. Après ce qui s'est passé entre Laura et Missy, ils penseront que Laura veut à son tour la faire accuser. Non, j'ai bien peur qu'elle ne s'en sorte, cette fois encore, conclut-il.

30

L'obscurité couvrit la fuite de Missy. Elle dévala l'escalier de secours et courut à toutes jambes vers la Troisième Rue. *Ne t'arrête pas*, se dit-elle, sachant que ceux qui étaient dans l'ascenseur allaient se lancer à sa poursuite. Elle espérait être assez loin pour que sa silhouette se fonde dans la nuit.

Elle déboucha de la ruelle et tressaillit devant les lumières de l'hôtel Society Hill. Elle se figea un moment, comme un animal traqué. Elle avait été si près de se faire prendre... Pendant un instant, elle se sentit désorientée, ne sachant plus qui elle était, où elle était — puis elle vit le couteau dans sa main et se ressaisit.

— Va à la voiture, murmura-t-elle en rentrant l'arme dans son blouson.

Personne ne faisait attention à elle, aucune sirène, aucune alarme ne retentit, mais les battements de son cœur décuplèrent tandis qu'elle remontait la Troisième Rue où était garée sa voiture.

Quand elle y parvint, elle s'aperçut qu'elle n'avait pas son sac. Où l'avait-elle laissé ? Dedans il y avait son argent, ses cartes de crédit, sa drogue, ses clés... sa *carte d'identité*. La panique l'envahit. L'avait-elle laissé chez Carl ? Elle essaya les portières ; peut-être les avait-elle laissées ouvertes ? Non. Prendre un taxi. Si elle arrivait chez elle avant les flics, ce serait sa parole contre celle de Laura... Et là, elle vit son reflet dans la vitre de la voiture. Bien sûr... ce n'était pas Missy, c'était Peter. Et Peter n'avait pas de sac. Elle plongea la main dans la poche de son pantalon. Les clés y étaient.

Elle essaya d'ouvrir, mais ses gestes étaient maladroits. *Du calme, maintenant. Contrôle-toi.*

Finalement, elle parvint à introduire la clé dans la serrure. Elle entra et claqua la portière.

— Bon, tout va bien. Ressaisis-toi et ne perds pas une minute.

Les mains tremblantes, elle mit le moteur en marche et le radiocassette s'enclencha automatiquement — la voix âpre de Bob Seger la fit sursauter. Elle se pencha pour éteindre le poste, le cœur battant à tout rompre maintenant. Elle démarra et, contrairement à son habitude, se regarda dans le rétroviseur. La dureté du visage de Peter la choqua. Bon Dieu, elle ne voulait pas être Peter en ce moment ! Elle voulait redevenir Missy, la Missy d'avant... la Missy vêtue de douces et jolies choses, allongée devant la cheminée et offrant du champagne aux hommes qu'elle invitait. Par-dessus tout, elle voulait son père. Avec lui, elle serait aimée, en sécurité...

Elle secoua la tête. Allons, tu divagues, ma pauvre Missy ! Reprends-toi ! Sois prudente, rentre tranquillement chez toi. Tu sais que les flics sont lents à réagir dans ce quartier. Tu as tout le temps de rentrer. Tout ce que tu as à faire, c'est te débarrasser de ces vêtements et paraître surprise quand les flics viendront. Il n'y a rien qui te relie à ce qui est arrivé chez Carl...

Elle pensa à Laura... la manière dont elle s'était défendue. Elle n'avait jamais connu de femme aussi déterminée, aussi *folle.* Les femmes n'étaient pas comme ça. Elles mouraient calmement et avec dignité, tant qu'on ne touchait pas à leur visage. Même les jeunes filles. Spécialement les jeunes filles. Elles savaient si bien accepter l'inévitable. Le moment venu, elles ne demandaient qu'à être de jolis cadavres ; mais pas Laura...

Elle traversa Market Street et remplaça la cassette de Seger par Miles Davis. Le son mélodieux de la trompette l'apaisa. Les battements de son cœur se calmèrent un peu, et elle se pencha pour prendre le flacon de cognac dans la boîte à gants. Elle n'en avait bu que la moitié le soir où elle avait attendu Felix et Cynthia devant le Lagniappe. Cette époque où Felix et elles étaient encore ensemble lui paraissait si lointaine. Mais Felix paierait...

Elle s'arrêta au stop de l'avenue Delaware et avala une longue goulée. La chaleur mordante de l'alcool lui fit du bien, mais s'évanouit trop vite.

Elle revit le visage de Felix, qui ressemblait tellement à son père quand il était plus jeune. Son père, elle avait tout fait pour lui. Elle l'avait aimé au point de tuer pour lui. Elle lui avait donné l'amour que sa mère lui avait refusé.

Son père, Felix... les pointes de ses seins se durcirent sous les bandages. Elle voulait enlever ce carcan, laisser sa poitrine s'épanouir en toute liberté. Elle voulait ouvrir son chemisier pour lui, s'asseoir avec un verre de cognac pendant qu'il embrasserait, téterait ses mamelons...

Elle descendit vers le sud sur l'avenue Delaware; la rivière scintillait à sa gauche. Il y avait de la circulation, mais elle serait bientôt chez elle, Missy à nouveau. Se débarrasser des affaires de Peter. Les emballer et les jeter dans la rivière.

Elle mit son clignotant et prit la file de gauche — c'est alors qu'elle la vit, là, dans l'allée. Une voiture de flics. Ils l'attendaient; ils avaient réagi plus vite que prévu. Elle appuya instinctivement sur l'accélérateur, mais se rattrapa à temps.

— Mais qu'est-ce que tu fous, bon Dieu ? Calme-toi. Il ne faut surtout pas attirer leur attention...

Elle garda la même direction jusqu'à l'avenue Washington, prit à droite, roulant doucement à travers le marché italien de la Neuvième Rue. Ce quartier, qui l'avait tellement comblée avec Terri et les autres filles, la mettait maintenant mal à l'aise. Les patrouilles de flics y étaient fréquentes. *Sors d'ici avant d'être repérée...* mais pour aller où ? Elle ne pouvait pas rentrer chez elle, ni aller chez Carl ; elle ne pouvait pas non plus aller chez des amis, pas maintenant.

Le marché italien était fermé et presque désert, mis à part les camions poubelles. Il y avait une voiture de police en bas de la rue, mais elle faisait face à la direction opposée. Missy secoua la tête. Où pouvait-elle aller ? Où serait-elle en sécurité ? Elle n'avait pas d'argent, pas de cartes de crédit, pas de vêtements, pas même un sac. Elle était piégée, piégée dans le rôle de Peter, quand elle voulait seulement redevenir Missy et oublier tout ça. C'est alors qu'elle trouva sa réponse — le seul endroit où elle pouvait aller, le seul endroit où elle était toujours la bienvenue —, la maison.

Sa mère était encore à Rio avec Edgar. Elle aurait donc tout son temps pour rassembler ses idées. Elle ne pourrait pas rester, la police irait là-bas tôt ou tard. Mais au moins elle pourrait réfléchir, prendre de l'argent. Il y avait toujours de l'argent liquide dans le coffre du bureau de son père.

Elle resta sur l'avenue Washington jusqu'à la Vingt-Deuxième Rue et tourna à droite. La douleur était revenue, mais elle fit de son mieux pour l'ignorer, la repousser. Il y avait trop d'autres choses à régler, comme savoir où elle irait vivre... pas dans quelle maison, mais dans quelle ville ? Elle ne pouvait plus rester à Philadelphie. Elle devait trouver un endroit où on ne la rechercherait pas, un endroit lointain, où la vie serait agréable. Quand elle atteignit Chesnut Hill, elle avait fait son choix... L'endroit idéal, où elle pourrait se perdre, c'était Los Angeles.

La maison de pierre cachée derrière les arbres et les buissons était obscure. Parfait. Elle éteignit les phares, suivit l'allée et, par prudence, alla se garer derrière le bâtiment.

La vue de ces lieux familiers suffit déjà à la détendre. Elle prit le flacon de cognac pour mieux savourer cet instant de paix.

— Qui a dit que tu ne pouvais pas rentrer à la maison ? (Elle leva le flacon pour porter un toast.) Vieille maison, peut-être que quand tout ça sera terminé, je reviendrai même te rendre une petite visite. Ça te plairait, n'est-ce pas ? Alors, bon Dieu, ça te plairait ou non ? Allez, vieille salope, parle-moi. C'est Missy, ta précieuse et chère fille...

Et là elle s'effondra, perdue, secouée de sanglots. Les larmes coulaient sur ses joues, mouillant la barbe dont elle ne se souciait plus...

— Papa, papa, où es-tu ? J'ai besoin de toi... s'il te plaît, s'il te plaît, papa...

Elle se calma finalement, sécha ses yeux en prenant soin de ne pas abîmer son maquillage, oubliant qu'elle était Peter et n'était pas maquillée.

Encore tremblante, elle sortit de la voiture et se dirigea vers la maison. Ce ne fut qu'une fois à la porte qu'elle se rendit compte qu'elle n'avait pas les clés. Elle les utilisait si peu qu'elles étaient dans son appartement. La maison étant protégée par un système de sécurité, elle ne pouvait même pas forcer une fenêtre.

Elle se laissa tomber sur une chaise de jardin, vaincue, à nouveau près de fondre en larmes... mais une voix l'interpella...

— Arrête de te laisser aller. Tu n'as qu'à casser la vitre.

La voix de Peter. Elle secoua la tête. Non, ça ne marcherait pas...

— Si, ça marchera. C'est le chambranle qui est lié à l'alarme, pas la vitre. Tu peux casser la vitre sans déclencher l'alarme. Tu passeras par la fenêtre et tu ouvriras la porte.

Elle réfléchit un moment. Elle savait qu'il avait raison. Peter n'avait-il pas toujours raison ?

Elle examina la fenêtre. Avec quoi la briser ? Comment couvrir le bruit ? Ce dernier point était le plus important... même si les maisons étaient éloignées les unes des autres, ça restait un quartier. Le fracas du verre brisé pouvait pousser un voisin à appeler les flics. Elle avait besoin de quelque chose pour étouffer le bruit. Mais quoi ?

— Utilise ton foutu blouson, dit Peter.

Et avec quoi briser la vitre ? Il n'y avait pas de pierre, pas de brique.

— Utilise ton corps...

Quoi ? Ah, oui. Elle s'approcha de la fenêtre donnant sur l'évier de la cuisine, roula en boule le blouson de cuir de Peter contre le carreau et donna un coup sec avec son coude. Elle resta figée un moment, aux aguets. Mais il n'y eut aucune lumière, aucune sirène.

Elle enleva les éclats de verre, se coula à travers le châssis, prit appui sur l'évier et se laissa glisser au sol. La maison était sombre, mais elle l'avait toujours connue sombre, toute sa vie. C'était une obscurité familière.

Elle n'alluma aucune lampe. Ça ne servirait qu'à attirer l'attention, et elle n'en avait pas besoin. Elle s'était toujours comparée à un chat, un être nocturne. Son instinct lui suffisait.

Elle s'arrêta devant la porte du bureau de son père, se sentant soudain épuisée. Elle avait besoin d'un verre et de cinq minutes de repos pour se débarrasser de la douleur mordante qui ne l'avait pas lâchée. Elle traversa le couloir obscur jusqu'au salon, où elle se servit une bonne rasade de cognac et se laissa tomber dans un fauteuil confortable. Elle trouva une cigarette dans une boîte sur la table basse, se réinstalla et envoya des ronds de fumée au plafond.

Quel gâchis... quel colossal gâchis elle avait fait... Son père l'avait avertie... Voilà ce qui arrivait quand on laissait son cœur gouverner sa tête. Stupide.

Jamais plus elle ne se laisserait piéger par un homme comme lui... comme Felix. Ils se ressemblaient tant tous les deux que parfois elle les confondait... Il l'avait utilisée, trompée, rejetée, après qu'elle lui eut tout offert... Et maintenant, parce qu'elle avait laissé parler ses sentiments, il allait s'en sortir, il serait libre. Après tout ce qu'il lui avait fait, ce serait *elle* qui souffrirait. Comme toujours... ce n'était pas juste, non, vraiment...

Et cette salope de Laura... Elle convaincrait Felix qu'elle était Jeanne d'Arc. La seule idée qu'ils soient ensemble lui donna envie de vomir...

Elle avala une gorgée de cognac et sourit à demi en repensant à Cynthia. *Ça*, ça avait été quelque chose ! Elle y avait vraiment pris du plaisir, et Cynthia aussi. Peut-être devrait-elle essayer une autre femme de cet âge ? Cynthia, par exemple. Juste assez mûre pour apprécier, mais pas assez pour que son corps soit flétri et déformé comme devait l'être celui de miss Laura.

Le pire de tout, c'était qu'elle était assise là à souffrir parce qu'elle était enceinte. Elle ne voulait pas de cette grossesse qu'elle sentait la tirailler de l'intérieur. Et tout était sa faute à *lui. Lui ?* Felix, oui, Felix, qui d'autre ? A cause de lui elle s'était inséminée et devait vivre ce cauchemar. Missy... Missy. A cause de *lui*, de Felix, et de Carl, cette lavette. Tous indignes de sa confiance, tous des manipulateurs.

Quand elle tourna la poignée de la porte du bureau de son père, la douleur empira. Elle aurait aimé lui parler, lui *dire* ce qu'il lui avait fait... Peut-être aurait-il tout arrangé, comme il le faisait quand elle était petite. Il l'embrasserait et tout serait pour le mieux.

« Pour le mieux », disait-il toujours...

Sur le seuil, elle contempla son imposant fauteuil, et ce qu'elle avait repoussé depuis tant d'années, ce qu'elle avait oublié, ce souvenir qu'elle avait refoulé, remonta lentement à la surface... Ses sentiments cette nuit-là avaient été les mêmes que maintenant... cette nuit-là aussi elle était enceinte, et elle avait eu mal et peur.

— Voilà, je suis de retour et je suis encore enceinte. Seulement cette fois c'est pire. Je ne sais pas qui est le père, je ne sais même pas de quelle couleur il est.

Elle se dirigea vers le bureau.

— J'ai toujours eu l'impression de...

Elle allait dire « te décevoir », mais quelque chose l'arrêta. Ses yeux s'agrandirent derrière les lunettes noires. La pièce, les circonstances, tout était trop pareil. Elle secoua la tête et recommença.

— Non, pas médecin, je ne veux pas devenir médecin. Je ne peux pas suivre tes traces comme tu le veux, je ne serai jamais à la hauteur...

Cette douleur, cette honte... Elle allait encore le décevoir, comme elle l'avait fait cette nuit-là... Il était derrière son bureau, en train de faire quelque chose. Quoi ? Parler au téléphone ? Non. Lire ? Non. S'occuper de sa collection de timbres ? Peut-être...

Elle regarda la pièce et eut l'impression de se trouver dans un film qu'elle aurait vu, puis oublié, et dont elle viendrait seulement de se souvenir. Elle connaissait ce bureau — le reconnaissait plutôt. Elle connaissait les répliques des acteurs... Ou bien les avait-elle imaginées ?

Au moins une partie. Elle était debout devant son bureau. Il était assis dans son fauteuil. Oui, c'était bien ça. Et *c'était* l'album de timbres. Il collait des timbres et n'avait pas levé les yeux avant d'avoir fini...

Elle essaya de chasser les images du passé. Prends l'argent et sors d'ici... Mais cette nuit, le passé n'était pas aussi facile à exorciser. Elle avait ouvert les vannes, l'avait laissé refluer, et maintenant elle allait s'y noyer.

Elle posa son verre sur le bureau et le contourna pour aller se placer devant la photo de Cyrus Wakefield. Le coffre se trouvait derrière.

Les timbres... c'était la première fois qu'elle s'en souvenait depuis... Avant, elle se revoyait seulement à la porte de son bureau, attendant de lui dire qu'elle était enceinte. Puis plus rien, jusqu'au moment où elle était revenue de l'hôpital. Et pendant longtemps elle n'avait même pas permis cette partielle intrusion du passé.

Elle se détourna de la photo et regarda le bureau. Qu'était-il arrivé après les timbres ? Qu'avait-il fait ? Qu'avait-elle fait ?

La scène apparut. Peut-être à cause de la douleur et de la grossesse. Le son de sa voix la sermonnant sur les dangers d'un avortement à trois mois... Elle pouvait l'*entendre*, même si sa voix semblait venir de très loin, comme à travers un épais brouillard. Il la traitait de noms horribles, lui disait des choses qui lui faisaient si mal...

Elle se voyait, debout devant lui. Pleurait-elle ? Non. Alors quoi ? Avec la réponse vint l'humiliation si longtemps refoulée... Elle était devant le bureau et perdait le contrôle d'elle-même. La sensation suivante fut l'excitation, comme lorsqu'elle était Peter avec ces filles...

La scène changea. Ils n'étaient plus à la maison. Ils étaient au laboratoire. Il faisait nuit — la même nuit ? Oui. Ils étaient seuls dans la salle d'examen. Il la faisait se déshabiller et monter sur la table...

— *Assez* ! (Elle se retourna vers la photo, la décrocha du mur et la posa par terre.) Tu dois sortir d'ici.

Mais ce n'était plus de la police qu'elle avait peur. C'était de son père... Il l'avait forcée à faire quelque chose cette nuit-là, quelque chose qui avait tout changé entre eux...

Elle essaya frénétiquement de composer la combinaison du coffre. Mais les chiffres ne lui revenaient pas. Sa mémoire déchaînée était fixée sur autre chose...

La salle d'examen. Elle était sur la table. La lumière brillait au-dessus, le reste de la pièce était dans l'ombre. Elle avait honte. Horriblement honte. Il l'avait fait s'allonger sur le côté et remonter les genoux jusqu'aux épaules. Le souvenir du liquide froid qu'il avait appliqué au bas de son dos la fit frissonner, et elle sentit la brûlure qui avait suivi le froid.

Elle avait levé les yeux et l'avait vu debout devant elle. Il portait des gants et une blouse verte. Le bas de son visage disparaissait derrière un masque chirurgical et, au-dessus, la lumière se reflétait dans ses lunettes. Il tenait une énorme aiguille.

— Non, s'il te plaît, non... murmura-t-elle dans l'obscurité, tout comme cette nuit-là.

Mais ça ne l'aida pas. Il lui ordonna de rester dans cette position fœtale ; puis il fut derrière elle, hors de vue, et elle sentit la douleur et la brûlure de l'aiguille qui pénétrait dans sa colonne vertébrale.

Comment son papa, son papa chéri, pouvait-il lui faire ça ? Elle l'avait demandé alors — elle le redemandait maintenant. Pourquoi n'a-t-il pas compris ? Pourquoi lui a-t-il fait mal ?

La lampe au-dessus d'elle lui chauffait la peau. Elle commençait à se sentir engourdie. Il s'affaira autour d'elle... mit en place le cathéter, la retourna sur le dos, l'attacha, fixa avec du sparadrap la seringue d'anesthésiant sur son épaule.

Maintenant il lui parlait à travers son masque :

— Je vais pratiquer une incision transversale ; nous appelons ça un bikini. Ça te plaira ; tu pourras encore porter des deux-pièces à la plage...

Elle ne reconnaissait pas sa voix... Il n'aurait pas dû être habillé en vert, mais en noir...

— Papa, s'il te plaît, s'il te plaît...

Une supplication inutile...

Arrête, se dit-elle, en faisant les cent pas dans la pièce. *Tout ça est faux. Ça ne s'est pas passé comme ça, il ne t'aurait jamais fait ça, il t'aimait trop.*

Encore sa mémoire déchaînée... Le produit aseptique sur son ventre. Une sensation glaciale à travers l'engourdissement. Elle ne voulait pas regarder mais n'avait pas le choix. Sa tête était relevée pour éviter qu'elle ne vomisse, avait-il dit.

L'éclair scintillant du scalpel dans la nuit.

— *Non...*

Sa main bougea, rapide et sûre. Elle sentit un tiraillement. Puis elle vit le sang. Son ventre était ouvert...

Le bureau à nouveau.

— Cognac. Où est mon cognac ?

Il était là où elle l'avait laissé. Elle s'en rapprocha en titubant. Ses mains tremblaient quand elle prit le verre... et il fut là à nouveau, fixant un disque de métal brillant, de la taille d'une assiette, sur le côté de la table d'opération, le positionnant près de l'incision, s'en servant pour y déposer ses instruments. Il écarta largement les bords de la plaie béante, mais elle ne sentit rien. Pas alors, mais maintenant...

Puis l'ouverture de l'utérus...

— Ressaisis-toi, s'ordonna-t-elle. Tu délires complètement. Il t'a simplement fait une césarienne. Ça aurait dû être fait à l'hôpital, mais ta grossesse était trop avancée. C'était ta faute, tu aurais dû parler plus tôt. Au moins, maintenant, tu sais ce qui s'est passé. C'est dur, mais il s'agit seulement de médecine. Il a fait ce qu'il devait faire. Tu n'avais aucune raison de bloquer ces souvenirs...

Elle vida son verre d'un trait et regarda à nouveau le coffre.

— Maintenant, la combinaison...

Elle n'arrivait toujours pas à s'en souvenir : sa mémoire n'avait pas fini de tout reconstituer.

Elle se rappelait s'être réveillée dans son lit, sans savoir comment elle y était arrivée. Son ventre était en feu. Elle était courbatue et endolorie de partout. Quand elle bougea, elle sentit quelque chose contre sa poitrine et repoussa les couvertures pour voir ce que c'était. C'était enroulé dans une serviette. Elle le prit...

— *Non, pas ça!*

Le cri d'horreur de Missy remontait du passé pour l'y ramener. Et elle s'y retrouva, les souvenirs laissant place à une vision nette. Elle ne savait pas ce qu'il y avait dans la serviette, elle ne voulait pas le savoir. Elle n'avait jamais été capable de se rappeler certains détails de cette nuit-là. Quels que soient ces détails, ils n'avaient rien à voir avec la césarienne. C'était quelque chose de pire, de bien pire...

Elle lança son verre contre le mur et se précipita sans réfléchir vers la pièce qui lui avait appartenu : sa chambre. Rien n'avait changé pendant toutes ces années. Un des murs était encore couvert de trophées de concours hippiques. Il y avait aussi, à peine visibles, des photos d'elle plus jeune, avec son cheval, à l'école. Sur un autre mur un poster de Led Zeppelin. En dessous, il y avait eu une photo de Cher, mais elle n'y était plus. Son père avait voulu qu'elle l'enlève.

Elle traversa la pièce et s'assit près de la fenêtre. Elle aurait voulu allumer la lumière pour tenter d'échapper à ses souvenirs, mais elle ne pouvait pas prendre le risque d'attirer l'attention. Elle se laissa tomber sur le lit. Il y avait toujours ce même couvre-lit pour chambre de jeune fille que sa mère avait acheté. Elle l'avait toujours détesté. Et à sa vue, le passé revint à la charge, plus impérieux que jamais...

Elle était encore engourdie de l'opération quand elle avait trouvé le paquet. La serviette qui l'enveloppait était blanche, le paquet était rond, de la taille d'un panier à pain. Elle se rappelait avoir eu l'espoir que ce fût un cadeau de son père, pour lui montrer qu'il lui avait pardonné...

Elle le toucha, souleva un peu la serviette et regarda dedans. Elle ne comprit pas tout d'abord ce qu'elle vit. Puis elle hurla.

C'était le fœtus mort. Le sien ? Son enfant ? Elle

repoussa les couvertures et se précipita hors du lit. Son ventre lui faisait mal, mais ça n'avait pas d'importance. Elle voulait s'en aller, s'éloigner de ça, ne pas le laisser la toucher.

— Papa, au secours ! Au secours ! se mit-elle à crier, encore et encore.

Les secondes lui parurent des heures avant que la porte ne s'ouvre. Mais il ne vint pas vers elle. C'était un étranger. Sa voix elle aussi n'était plus la même quand il dit :

— Ne fuis pas ton enfant. Ce n'est pas digne d'une mère...

— Salaud, salaud !...

Missy, recroquevillée sur elle-même, prononçait ces mots à travers ses larmes. Au bout d'un moment, elle se leva et se dirigea vers la porte.

Elle chercha son verre, mais se souvint qu'elle l'avait brisé contre le mur. Elle prit la bouteille, ouvrit la porte-fenêtre donnant sur la terrasse et le jardin. Les yeux fixés sur la lune, elle leva la bouteille et but une longue gorgée.

Elle voyait son reflet fragmenté sur les petits carreaux à la française. La lune, le jardin, la lumière... Oui, tout était si semblable à cette nuit-là. La maison était obscure. La lune brillait comme maintenant. Il faisait plus chaud. L'été. Elle se rappelait le reflet de la lune dans la piscine. Et elle le vit encore...

Il tenait deux chandeliers. Les chandeliers de sa mère.

— Viens. Prends-le avec toi.

Elle s'assit et appuya ses pieds sur le sol, comme pour repousser la douleur qui torturait son ventre. Elle obéit. Rien ne pouvait lui arriver de pire que ce qui s'était déjà passé.

Le paquet était si léger. Étrange comme quelque chose d'aussi petit peut causer autant de douleur.

A la porte, il lui tendit un des chandeliers, et leurs regards se croisèrent. Ses yeux brillaient à la lueur des bougies. Elle le suivit dans l'escalier. En bas, il lui dit de passer devant. Ils formaient une étrange procession. Elle, pieds nus, en culotte et tee-shirt blanc, trébuchant sous la douleur à chaque pas. Lui, en pantalon de madras, chemise de golf, comme une publicité pour du gin-tonic. Ils avançaient pas à pas. Solennels.

La nuit était chaude et humide. L'air embaumait l'herbe fraîchement coupée. Elle pensa que les jardiniers avaient dû passer. Ils traversèrent lentement le jardin.

Au-delà de la piscine se trouvait le barbecue. Ils s'y dirigèrent. Il souleva le couvercle.

— Mets-le là, dit-il.

Elle obéit.

— Maintenant, couvre-le de charbon, dit-il en lui indiquant un sac.

Elle prit le charbon et en répandit, essayant de ne pas trop se noircir les mains. Quand elle eut fini, il lui rendit son chandelier.

Puis il alluma le gaz.

Pourquoi ? Les yeux toujours fixés au-dehors, elle essayait de se rappeler sa réponse. Elle lui revint trop bien en mémoire...

— Parce que c'était un garçon.

Il avait parlé si doucement qu'elle avait failli ne pas l'entendre. Mais elle l'avait entendu. Et ça expliquait tout maintenant. Elle n'avait jamais pu gagner son amour. Elle n'était pas ce qu'il attendait. Ne l'avait jamais été. Et ce bâtard avait été le coup de grâce. Une farce du destin qu'il ne pouvait pas supporter. Il fallait le détruire et la faire souffrir pour l'amère déception qu'elle lui avait causée.

— Salaud, salaud !...

Le lendemain, elle avait fait une tentative de suicide... le jour d'après aussi... jusqu'à ce qu'à l'hôpital les médicaments et les électrochocs effacent ses souvenirs — du moins ceux de la naissance et de la mort de « Peter », comme son père l'avait appelé, par cette macabre nuit d'été...

Elle se retourna et regarda la pièce. Son père lui avait toujours dit, et elle l'avait cru, qu'elle avait avorté à l'hôpital et que sa perte de mémoire était due au choc de l'anesthésie.

Elle passa derrière son fauteuil, posa les mains sur le dossier, comme si c'étaient ses épaules, et massa pour éloigner la tension, comme elle le lui avait fait tant de fois.

— Étais-je si décevante à tes yeux ? demanda-t-elle avec douceur. J'ai fait ce que j'ai pu pour te plaire ; j'ai même essayé d'être un garçon, ton fils aussi bien que ta fille. Ce n'était pas assez ?

Non, ce n'était pas suffisant.

— Alors, va te faire foutre...

Elle se souvenait de la combinaison du coffre maintenant. Elle composa les chiffres correspondant aux quatre derniers du numéro de téléphone de la maison. La porte s'ouvrit. Elle sortit cinq épaisses liasses de billets de cent dollars.

Les serrant dans sa main, elle dit avec la voix de Peter :

— Cyrus, vieux salaud. Il y a au moins vingt-cinq mille dollars là-dedans. Plus qu'assez pour me remettre sur pied à Los Angeles.

Elle sortit de la maison comme elle y était entrée, s'arrêtant juste pour prendre une bouteille de cognac et une de vodka dans le bar. Dans la voiture, elle se regarda dans le rétroviseur et caressa sa barbe.

— Los Angeles, terre des anges et des jolies femmes. Me voilà...

Elle descendit l'allée, phares éteints, ne les allumant qu'une fois sur la route. Elle attendit qu'une voiture passe et démarra. Elle ne regarda pas en arrière.

Le chemin le plus facile serait l'autoroute I-95 pour rejoindre l'avenue Delaware et poursuivre vers le sud. Mais ça la ferait passer par le centre ville, ce qu'elle préférait éviter. Elle renonça aussi à prendre l'autoroute Pennsylvania à cause du péage qui serait trop dangereux si on la repérait. Elle s'engagea donc dans City Lane, qui la conduirait rapidement à l'avenue Delaware, par des rues moins exposées.

La circulation était très dense et Missy, qui roulait au pas, remarqua une jeune fille vêtue de l'uniforme de l'école voisine: jupe plissée et blazer. Autrefois, elle savait reconnaître toutes les écoles du quartier rien qu'à la couleur des uniformes...

La fille avait des cheveux blonds, mi-longs. Elle était très jolie, mais ce furent surtout ses chaussures qui attirèrent le regard de Missy. Des chaussures plates marron et blanc avec des chaussettes blanches... comme la petite Missy — avant cette affreuse nuit... Soudain, elle ne put plus supporter cette sensation de vide, de solitude... elle avait besoin de l'affection de quelqu'un. Pourquoi pas cette adolescente qui lui rappelait tant sa propre jeunesse ? Elle mit son clignotant et se gara au carrefour suivant. Ça ne prendrait que quelques minutes, après elle déposerait la fille où elle voudrait et s'en irait. Elle baissa la vitre du côté passager et se pencha au-dessus du siège.

— Hé! tu veux que je te dépose? Ça t'évitera d'attendre le bus.

Comme la petite hésitait, elle chercha son insigne de police pour la rassurer, puis se souvint qu'elle ne l'avait pas pris pour aller à son rendez-vous avec Laura. Elle ouvrit la portière et sourit d'un air engageant.

— Ne sois pas bête, il fait froid ce soir...

La fille ne se décidait pas. Elle paraissait si vulnérable, comme si elle se demandait si elle devait désobéir ou non à ses parents. Finalement, elle se laissa convaincre et monta dans la voiture.

Missy enclencha une cassette de Paul Simon: *Grace-*

land. C'était à la fois rythmé et doux. Juste ce que le médecin lui avait conseillé. Le médecin...

Elle démarra.

— Comment tu t'appelles ?

— Julie. En fait, c'est Juliette, mais comme les autres se moquaient de moi, j'ai choisi Julie.

— Moi c'est Peter, dit Missy en souriant. Mais peut-être que ce soir je serai Roméo ? (Elle rit et ajouta :) C'était juste une plaisanterie, Juliette.

Les yeux rivés sur la route, Juliette se tut jusqu'à ce qu'elle aperçût les cigarettes sur le tableau de bord. Elle demanda si elle pouvait en prendre une.

— Bien sûr. Tu veux bien m'en allumer une aussi ?

Juliette obéit, puis se rencogna contre la portière, fixant toujours la route sans un mot. Une petite fille sage... Elle ne dit rien non plus quand Missy s'arrêta un peu plus loin, à la lisière d'un bois.

— Viens ici, ordonna-t-elle.

Elle fut agréablement surprise de voir la fille se blottir dans ses bras. Elle l'embrassa avec fougue, sa barbe râpant les joues délicates.

Juliette commença à réagir, entrouvrant les lèvres, lui rendant ses baisers, au point que Missy, excitée, ne put s'empêcher de la toucher, de passer sa main sous sa jupe. Juliette garda ses jambes étroitement serrées, ce qui attisa le désir de Missy. Cette fille n'était pas comme les autres. Elle était différente, et maintenant elle devait la posséder... La main de Missy effleura la culotte, s'y glissa — et toucha quelque chose d'autre, quelque chose qu'elle n'attendait pas. Ses yeux s'agrandirent et elle ouvrit la bouche pour parler...

C'est alors qu'elle sentit la douleur.

Une douleur aiguë, suffocante, tandis que Juliette plantait le pic à glace dans sa poitrine... une, deux, trois fois.

Effondrée sur son siège, à demi consciente, mais

incapable de parler, de protester, Missy vit Juliette fouiller ses poches et en sortir les liasses de billets.

La dernière chose que Missy Wakefield entendit avant de mourir fut la voix de Juliette, clairement masculine maintenant :

— Fais de beaux rêves, *Roméo* !

Suspense

Depuis Alfred Hitchcock, le suspense, que l'on nomme aussi parfois Thriller, est devenu un genre à part dans le roman criminel. Des auteurs connus, aussi bien anglo-saxons (Stephen King, William Goldman) que français (Philippe Cousin, Patrick Hutin, Frédéric Lepage) y excellent. Les livres de suspense : des romans haletants où personnages et lecteur vivent à 100 à l'heure.

BARKER Clive	**Le jeu de la damnation** 2655/**6***
BOURGEAU Art	**Sanglants désirs** 2815/**3*** Inédit
COGAN Mick	**Black rain** 2661/**3*** Inédit
COUSIN Philippe	**Le Pacte Pretorius** 2436/**4***
DE PALMA Brian	**Pulsions** 1198/**3***
FARRIS John	**L'intrus** 2640/**3***
FROMENTAL J. LANDON F.	**Le système de l'homme-mort** 2612/**3***
GOLDMAN William	**Rouge Vegas** 2486/**3*** Inédit
	Les sanglants 2617/**3***
GRELLET & GUILBAUD	**Le souffle austral** 2721/**3***
HALDEMAN Joe	**Hypnose** 2592/**3*** Inédit
HARRIS Richard	**Ennemis** 2539/**4***
HUTIN Patrick	**Les jurés de l'ombre** 2453/**4*** & 2454/**4***
JUST Ward	**Le dernier ambassadeur** 2671/**5***
KENRICK Tony	**Les néons de Hong-Kong** 2706/**5*** Inédit
KING Stephen	**La peau sur les os** 2435/**4***
(voir aussi p. 25)	**Running Man** 2694/**3***
LEE Stan	**Puzzle** 2761/**5***
LEPAGE Frédéric	**La fin du 7e jour** 2562/**5***
LOGUE Mary	**Le sadique** 2618/**3***
MAXIM John R.	**Abel, Baker, Charlie** 2472/**3***
MOSS Robert	**Un carnaval d'espions** 2634/**7***
NAHA Ed	**Dead-Bang** 2635/**3*** Inédit
OSBORN David	**Le sang à la tête** 2799/**3***
PARKER Jefferson	**Little Saigon** 2861/**6*** (Sept. 90) Inédit
PEARSON Ridley	**Le sang de l'albatros** 2782/**5***
PETERS Stephen	**Central Park** 2613/**4***
PIPER Evelyn	**La nounou** 2521/**3***
REEVES-STEVENS Garfield	**Dreamland** 2906/**6*** (Déc. 90)
SIMMONS Dnn	**Le chant de Kali** 2555/**4*** Inédit
SLADE Michael	**Chasseur de têtes** 2738/**5*** (Juillet 90)
STRASSER Todd	**Pink Cadillac** 2598/**2*** Inédit
WILTSE David	**Le cinquième ange** 2876/**4*** (Oct. 90)

Romans policiers

On a trop longtemps cru en France qu'il n'existait que deux sortes de romans policiers : les énigmes classiques où l'on se réunit autour d'une tasse de thé pour désigner le coupable, ou les romans noirs où le sexe et le sang le disputent à la violence. Des auteurs tels que Boileau-Narcejac, Ellery Queen, Ross Macdonald, Demouzon démontrent qu'il existe une troisième voie, la plus féconde, où le roman policier est à la fois œuvre littéraire et intrigue savamment menée.

BENJAMIN *José*	***Le mort s'était trompé d'adresse*** *2535/**2**** *Inédit*
BOILEAU-NARCEJAC	***Les victimes*** *1429/**2****
BROWN *Fredric*	***La nuit du Jabberwock*** *625/**3****
CHANDLER *Raymond*	***Playback*** *2370/**3****
CONSTANTINE *K.C.*	***Meurtres à Rocksburg Station*** *2858/**3**** *(Sept. 90)*
DAENINCKX *Didier*	***Tragic City Blues*** *2482/**2****
DEMOUZON	***Paquebot*** *2651/**3****
FRANCIS *Dick*	***Danger*** *2467/**4****
	Ecran de fumée *2630/**3****
GARDNER *Erle Stanley*	***Les doigts de flamme*** *2431/**3****
	L'évêque bègue *2571/**3****
	Le perroquet faux témoin *2608/**3****
MACBAIN *Ed*	***Le chat botté*** *2891/**4**** *(Nov. 90) Inédit*
MACDONALD *Gregory*	***Fletch père et fils*** *2717/**3****
MACDONALD *Ross*	***La mineure en fugue*** *2551/**3****
MEYERS *Martin*	***Suspect*** *2374/**3**** *Inédit*
NAHA *Ed*	***Robocop*** *2310/**3**** *Inédit*
PERISSET *Maurice*	***Les maîtresses du jeu*** *2570/**4****
	Le banc des veuves *2666/**3****
	Les noces de haine *2759/**4****
QUEEN *Ellery*	***Et le huitième jour*** *1560/**3****
	La décade prodigieuse *1646/**3****
	Deux morts dans un cercueil *2449/**3****
	Le mystère de l'éléphant *2534/**3****
	Sherlock Holmes contre Jack l'Eventreur *2607/**2****
	L'adversaire *2690/**4****
	Face à face *2779/**3****
	Le mystère des frères siamois *2905/**4**** *(Déc. 90)*
SADOUL *Jacques*	***L'héritage Greenwood*** *1529/**3****
	L'inconnue de Las Vegas *1753/**3****
	Trois morts au soleil *2323/**3****
	Le mort et l'astrologue *2797/**3****
THOMAS *Louis*	***Sueurs froides (Crimes parfaits et imparfaits)*** *2438/**3****
VION *Marc*	***Panique au Pellerin*** *2834/**3**** *(Juil. 90)*

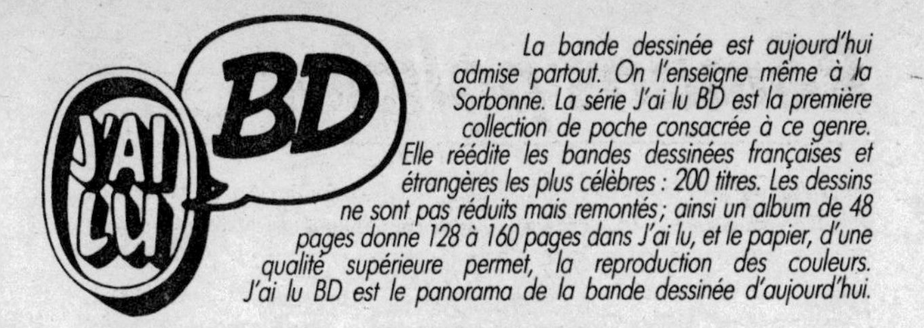

La bande dessinée est aujourd'hui admise partout. On l'enseigne même à la Sorbonne. La série J'ai lu BD est la première collection de poche consacrée à ce genre. Elle réédite les bandes dessinées françaises et étrangères les plus célèbres : 200 titres. Les dessins ne sont pas réduits mais remontés ; ainsi un album de 48 pages donne 128 à 160 pages dans J'ai lu, et le papier, d'une qualité supérieure permet, la reproduction des couleurs. J'ai lu BD est le panorama de la bande dessinée d'aujourd'hui.

ADAMOV & COTHIAS	**Les Eaux de Mortelune** BD109/**5*** Couleur
ARNAL C.	**Pif le chien - 1** BD81/**4*** Couleur
	Pif le chien - 2 BD107/**4*** Couleur
	Pif le chien - 3 BD135/**4*** Couleur
AUTHEMAN	**Vic Valence - 1** BD41/**4*** Couleur
BARBE	**Cinémas et autres choses** BD30/**2***
BARDET & DERMAUT	Les chemins de Malefosse :
	1-Le diable noir BD19/**5*** Couleur
	2-L'attentement BD71/**5*** Couleur
	3-La vallée de misère BD129/**5*** Couleur
BEAUNEZ Catherine	**Mes partouzes** BD24/**3***
	Vive la carotte ! BD160/**5*** Couleur
BERCK & CAUVIN (Sammy)	**-Les gorilles font les fous** BD158/**4*** Couleur
	-Les gorilles au pensionnat BD196/**4*** (Déc. 90) Coul.
BERNET & ABULI (Torpedo)	**1-Tuer c'est vivre** BD25/**2***
	2-Mort au comptant BD113/**2***
BINET Les Bidochon :	**1-Roman d'amour** BD4/**3***
	2-Les Bidochon en vacances BD48/**3***
	3-Les Bidochon en HLM BD104/**3***
	4-Maison, sucrée maison BD121/**3***
	5-Ragots intimes BD150/**3***
	6-En voyage organisé BD183/**3*** (Juillet 90)
	Les Bidochon se donnent en spectacle (la pièce) BD189/**4***
Kador :	**Tome 1** BD27/**3***
	Tome 2 BD88/**3***
	Tome 3 BD192/**3*** (Sept. 90)
BOUCQ	**Les pionniers de l'aventure humaine** BD34/**6*** Couleur
BRETÉCHER Claire	**Les Gnangnan** BD5/**2***
	Les naufragés BD185/**3***
BRIDENNE Michel	**Saison des amours** BD65/**4*** Couleur
BROWN Dick	**Hägar Dünor le Viking** BD66/**3***
BRUNEL Roger	**Pastiches / Ecole franco-belge** BD46/**5*** Couleur
	Pastiches / Ecole américaine BD115/**5*** Couleur
CAILLETEAU & VATINE	**Fred et Bob / Galères Balnéaires** BD108/**4*** Couleur
CEPPI	**Stéphane / Le Guêpier** BD116/**5*** Couleur
CHARLES J.F.	**Les pionniers du Nouveau Monde 1 - Le pilori** BD103/**4*** Couleur
CHÉRET & LÉCUREUX	**Rahan / L'homme sans cheveux** BD143/**4*** Couleur
	L'enfance de Rahan BD187/**3***
COLLECTIF	**La bande à Renaud** BD76/**4*** Couleur
	Baston / La balade des baffes BD136/**4*** Couleur
	Parodies BD175/**3***
COMÈS	**Silence** BD12/**5***
	La belette BD99/**5***
DEGOTTE Charles	**Les motards-1** BD201/**3*** (Sept. 90)

LAUZIER	**Zizi et Peter Panpan** BD23/**5*** Couleur
LELONG (Carmen Cru)	**1-Rencontre du 3e âge** BD14/**3***
	2-La dame de fer BD64/**3***
	3-Vie et mœurs BD119/**3***
	4-Ni dieu ni maître BD180/**3***
LELOUP Roger (Yoko Tsuno)	**1-Le trio de l'étrange** BD37/**5*** Couleur
	2-La forge de Vulcain BD67/**5*** Couleur
	3-La frontière de la vie BD96/**5*** Couleur
	4-Message pour l'éternité BD125/**5*** Couleur
	5-Les 3 soleils de Vinéa BD167/**5*** Couleur
LIBERATORE & TAMBURINI	RanXerox :
	- RanXerox à New York BD3/**5*** Couleur
	- Bon anniversaire Lubna BD161/**5*** Couleur
LOUP	**La vie des maîtres** BD197/**3*** (Oct. 90)
MACHEROT	**Chlorophylle contre les rats noirs** BD51/**4*** C.
	Chlorophylle et les conspirateurs BD163/**4*** C.
	Chaminou et le Khrompire BD149/**4*** Couleur
McMANUS Geo	**La famille Illico** BD73/**3***
MAKYO	**Grimion Gant de cuir - Sirène** BD157/**5*** C.
MAKYO & VICOMTE	Balade au bout du monde :
	1-La prison BD59/**5*** Couleur
	2-Le grand pays BD130/**5*** Couleur
MALLET Pat	**Les petits hommes verts** BD44/**4*** Couleur
MANARA Milo	**HP et Guiseppe Bergman** BD20/**5***
	Le déclic BD31/**4***
	Le parfum de l'invisible BD105/**4*** (Edition parfumée)
	Jour de colère BD128/**6***
	Nouvelles coquines BD80/**4***
MANDRYKA Nikita	**Le Concombre masqué** BD110/**4*** Couleur
	Le retour du Concombre masqué BD165/**4*** Couleur
MARGERIN Frank	**Ricky VII** BD140/**4*** Couleur
MARTIN J. Alix :	**1-Les légions perdues** BD68/**6*** Couleur
	2-Le prince du Nil BD92/**5*** Couleur
	3-Les proies du volcan BD178/**5*** Couleur
Lefranc :	**1-Les portes de l'enfer** BD82/**5*** Couleur
	2-L'oasis BD138/**5*** Couleur
	Jhen (1) Les écorcheurs BD106/**5*** Couleur
MOEBIUS & JODOROWSKI	**L'Incal - Ce qui est en bas** BD139/**5*** Couleur
MORCHOISNE, MULATIER & RICORD	**Ces Grandes Gueules...**
	...qui nous gouvernent BD16/**4*** Couleur
	...de la télé BD170/**5*** Couleur
MORDILLO	**Les meilleurs dessins d'Opus** BD10/**4*** Couleur
MOORE & BOLLAND	**Batman-1 Souriez !** BD176/**5*** Couleur
PÉTILLON (Jack Palmer)	**- Mr Palmer et Dr Supermarketstein** BD13/**5*** C.
	- La dent creuse BD78/**5*** Couleur
	- Une sacrée salade BD168/**5*** Couleur
PICHARD & LOB	Blanche Epiphanie :
	- Blanche Epiphanie BD61/**4***
	- La déesse blanche BD137/**4***
PRATT Hugo (Corto Maltese)	**- La ballade de la mer salée** BD11/**6***
	- Sous le signe du Capricorne BD63/**6***
	- Corto toujours un peu plus loin BD127/**6***
	- Les Celtiques BD174/**6***

PRATT & OESTERHELD	Ernie Pike - Premières Chroniques BD85/4*
PTILUC	Destin farceur BD147/5* Couleur, Edition grignotée
QUINO	- Mafalda BD2/4* Couleur
	- Encore Mafalda BD54/4* Couleur
	- Mafalda revient BD134/4* Couleur
	- La bande à Mafalda BD181/3* Couleur
	- Le monde de Mafalda BD198/3* (Déc. 90)
	... Panorama BD90/2*
RAYMOND Alex	Flash Gordon - La reine des neiges BD47/5* C.
ROSINSKI & VAN HAMME	Thorgal :
	1-La magicienne trahie BD29/5* Couleur
	2-L'île des mers gelées BD74/5* Couleur
	3-Les 3 vieillards du pays d'Aran BD98/5* Couleur
	4-La galère noire BD123/5* Couleur
SCHETTER Michel	Cargo 1-L'écume de Surabaya BD57/5* Couleur
SEGRELLES (Le mercenaire)	1-Le feu sacré BD32/4* Couleur
	2-La formule BD124/4* Couleur
SERRE	Les meilleurs dessins BD6/5* Couleur
	Humour noir BD35/5* Couleur
	A tombeau ouvert BD86/5* Couleur
SERVAIS & DEWAMME	Tendre Violette BD42/5*
SOKAL (Canardo)	1-Le chien debout BD26/5* Couleur
	2-La marque de Raspoutine BD89/5* Couleur
STEVENS Dave	Rocketeer Edition intégrale BD91/5* Couleur
TABARY	L'enfance d'Iznogoud BD9/5* Couleur
TARDI (Adèle Blanc-Sec)	- Adèle et la Bête BD18/4* Couleur
	- Le démon de la tour Eiffel BD56/4* Couleur
	- Le savant fou BD120/4* Couleur
TARDI & MALET	Brouillard au pont de Tolbiac BD36/4*
TARDI & FOREST	Ici même BD62/6*
TILLIEUX M. (Gil Jourdan)	- Libellule s'évade BD28/4* Couleur
	- Popaïne et vieux tableaux BD69/4* Couleur
	- La voiture immergée BD112/4* Couleur
	- Les cargos du crépuscule BD145/4* Couleur
	- L'enfer de Xique-Xique BD171/4* Couleur
TRONCHET	Raymond Calbuth-1 BD193/4* (Nov. 90) Couleur
VAN DEN BOOGAARD Théo	Léon-la-Terreur BD45/5* Couleur
	Léon-la-Terreur atteint des sommets BD118/5* C.
VARENNE Alex	Erma Jaguar-1 BD191/4* (Oct. 90)
VEYRON Martin	L'amour propre BD7/5* Couleur
	Bernard Lermite BD50/3*
	L'éternel féminin dure BD153/6* Couleur
	Executive woman BD194/6* (Oct. 90) Couleur
WALKER Mort	Beetle Bailey BD102/3*
WALTHÉRY (Natacha)	- Natacha, hôtesse de l'air BD22/4* Couleur
	- Natacha et le Maharadjah BD52/4* Couleur
	- La mémoire de métal BD101/4* Couleur
	- Un trône pour Natacha BD132/4* Couleur
	- Double vol BD151/4* Couleur
WEYLAND (Aria)	1-La fugue d'Aria BD40/5* Couleur
	2-La montagne aux sorciers BD84/5* Couleur
YOUNG Chic	Blondie BD87/3*
ZUBELDIA Serge	Le Concile d'Amour BD146/4*

Vous voulez tout savoir sur le cinéma, en découvrir les coulisses, parcourir les plateaux, admirer les stars, les fantaisies d'une vedette, la vie de votre acteur préféré...
Voici J'ai lu Cinéma. Pour chaque titre, une centaine de photos et des textes passionnants. Un panorama du cinéma mondial au format de poche.

Impression Brodard et Taupin
à La Flèche (Sarthe) le 22 mai 1990
6222C-5 Dépôt légal mai 1990
ISBN 2-277-22815-X
Imprimé en France
Editions J'ai lu
27, rue Cassette, 75006 Paris
diffusion France et étranger : Flammarion